すべてがわかる

世界遺産1500 上

世界遺産検定1級公式テキスト

All World Heritage Sites for Test of World Heritage Study official textbook for Grade 1

本書の使い方

本書は、2024年3月時点の世界遺産、全1,199件と日本の暫定遺産、世界遺産条約の全体像を知るための「世界遺産の基礎知識」を、上・中・下巻の3巻で紹介しています。上巻では「世界遺産の基礎知識」と日本の全遺産を紹介します。日本の遺産では、英語での登録名や認められた登録基準に加えて、登録エリアやバッファー・ゾーンの大きさなども記載しています。個別の遺産の地図は巻頭にまとめているので、そちらで範囲などを確認できます。また基礎知識のみの索引もついています。

❶ 所在地

遺産の所在する都道府県名をあらわします。

❷ 遺産名

英語の遺産名はUNESCO登録名称、日本語の遺産名は英語名をもとに訳出したものです。

❸ 基本情報

登録基準、登録年、範囲拡大の年、遺産やバッファー・ゾーンの大きさなど、遺産に関する基本情報です。

❹ 動画

公式YouTubeチャンネルに解説動画がある遺産にはこのマークがついています。右のQRコードから動画ページへアクセスできます。

❺ 遺産の種類

文化、自然、複合遺産の種別、危機遺産登録などの情報を表します。

❻ 重要なワード

最重要ワードを赤字、重要ワードを太字にしています。「世界遺産の基礎知識」に出てくる赤と黒太字の単語は、巻末の「世界遺産の基礎知識」の索引に掲載しています。

世界遺産を学ぶ意義

世界遺産条約が採択されてから半世紀を過ぎ、日本が世界遺産条約を批准してからも30年以上が過ぎました。「世界遺産」という言葉は、すでに珍しいものではなく、私たちの日常の生活の中に確かな位置を占めているように感じます。むしろ、「世界遺産」という言葉が特別な輝きを失い、色あせてきているように思う人もいるのではないでしょうか。しかし、世界遺産が普通の人々の中にあたり前にあるようになってからが、世界遺産活動の本領が発揮される時です。

UNESCO憲章の前文には「相互の風習と生活を知らないことは、人類の歴史を通じて世界中の人々の間に疑惑と不信を引き起こした共通の原因であり、この疑惑と不信のために、世界中の人々の差異があまりにも多くの戦争を引き起こした」と書かれています。これは、「諸国間、諸民族間の交流を進め、文化の多様性を理解・尊重しあうことが、世界の平和につながる」という理念につながります。

UNESCO憲章の理念を共有する世界遺産はまさにこのためにあります。世界中に存在する世界遺産を学び、知り、考える。世界遺産を通して、世界中のさまざまな文化や風習、民族、宗教、歴史などを知り、違いを認めあうことがUNESCOの目指す世界の実現につながります。そのためには、世界遺産を確実に次の世代へと受け継いでいく必要があります。

一方で、世界遺産に対する危機は私たちの日常の中にあります。過剰な観光開発や都市開発による遺産価値の低下や地域住民の生活の質の低下、地球規模の環境変化による遺産環境の変質、そして世界に目を向ければ近年問題となっている紛争なども日常の延長にあると言えるでしょう。世界遺産を守り、世界遺産活動を持続可能なものとして続けてゆく上で、世界遺産は特別なものではなく私たちの日常にあるものとして考える。そして私たち一人ひとりが世界遺産を理解し協力していくことが重要です。世界遺産を学び、世界遺産から世界の多様性を学ぶ。それがグローバル社会を生きる私たちの責任だと信じています。

『パリのセーヌ河岸』のエッフェル塔

NPO法人 世界遺産アカデミー
世界遺産検定事務局

CONTENTS

1章 世界遺産の基礎知識 WORLD HERITAGE

日本 [Japan]

文化遺産　自然遺産　複合遺産
複数の国にまたがる遺産　○□ 遠隔地等に存在する遺産

1. 奄美大島、徳之島、沖縄島北部及び西表島……P302
2. 厳島神社……P240
3. 石見銀山遺跡とその文化的景観……P226
4. 小笠原諸島……P290
5. 『神宿る島』宗像・沖ノ島と関連遺産群…P248
6. 紀伊山地の霊場と参詣道……P196
7. 古都京都の文化財……P172
8. 古都奈良の文化財……P182
9. 白神山地……P284
11. 白川郷・五箇山の合掌造り集落……P166
12. 知床……P278
13. 富岡製糸場と絹産業遺産群……P140
14. 長崎と天草地方の潜伏キリシタン関連遺産……P254
15. 日光の社寺……P130
16. 姫路城……P218
17. 平泉―仏国土(浄土)を表す建築・庭園及び考古学的遺跡群―……P124
18. 広島平和記念碑(原爆ドーム)……P234
19. 富士山―信仰の対象と芸術の源泉……P156
20. 法隆寺地域の仏教建造物群……P190
21. 北海道・北東北の縄文遺跡群……P116
22. 明治日本の産業革命遺産 製鉄・製鋼、造船、石炭産業……P262
23. 百舌鳥・古市古墳群……P206
24. 屋久島……P296
25. 琉球王国のグスク及び関連遺産群…P270

10 ル・コルビュジエの建築作品：近代建築運動への顕著な貢献(地図P6、中巻P9、16、下巻P7、8)……P148

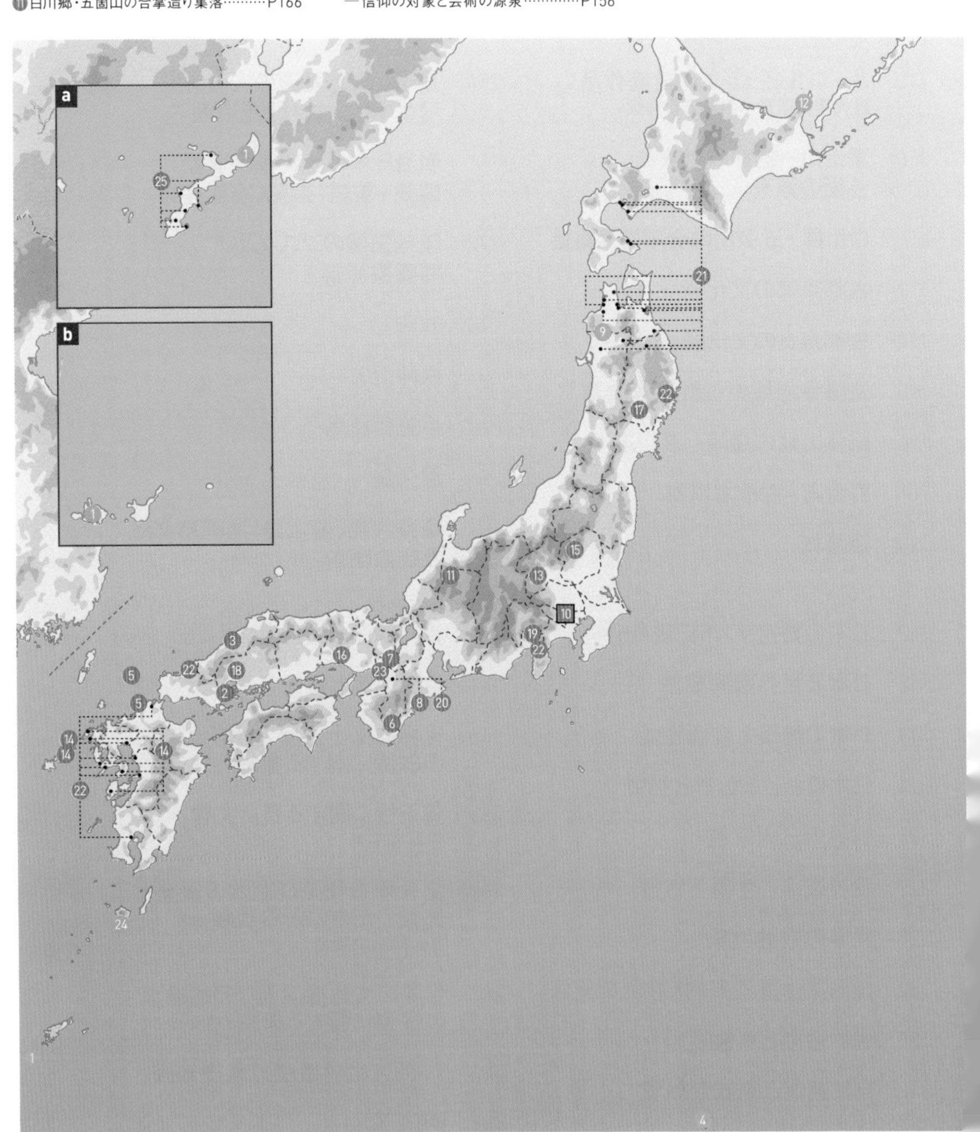

北海道・北東北の縄文遺跡群

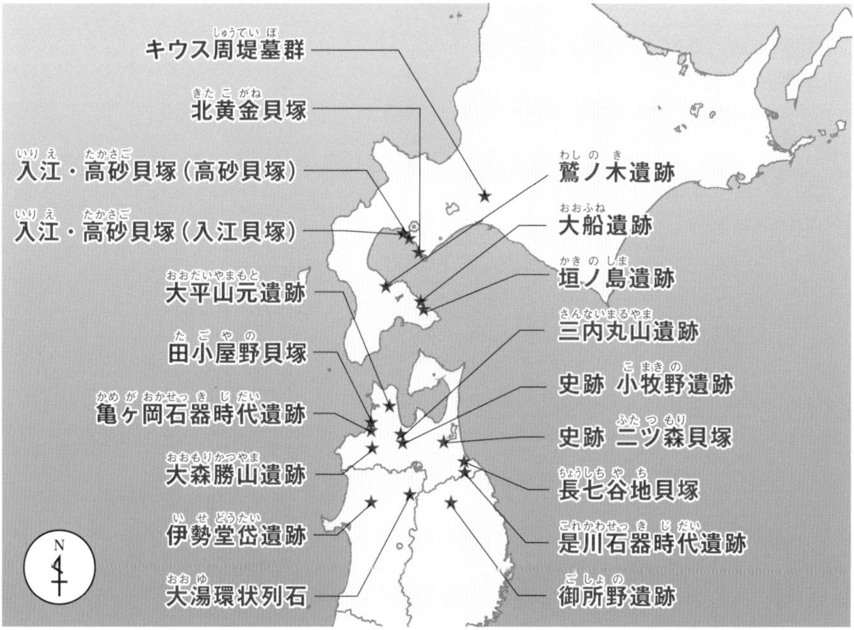

キウス周堤墓群
北黄金貝塚
入江・高砂貝塚（高砂貝塚）
入江・高砂貝塚（入江貝塚）
大平山元遺跡
田小屋野貝塚
亀ヶ岡石器時代遺跡
大森勝山遺跡
伊勢堂岱遺跡
大湯環状列石
鷲ノ木遺跡
大船遺跡
垣ノ島遺跡
三内丸山遺跡
史跡 小牧野遺跡
史跡 二ツ森貝塚
長七谷地貝塚
是川石器時代遺跡
御所野遺跡
N

平泉ー仏国土（浄土）を表す建築・庭園及び考古学的遺跡群ー

…核心地域
…緩衝地帯
北上川
奥州市
金鶏山
中尊寺
無量光院跡
毛越寺
平泉町
東北本線
N

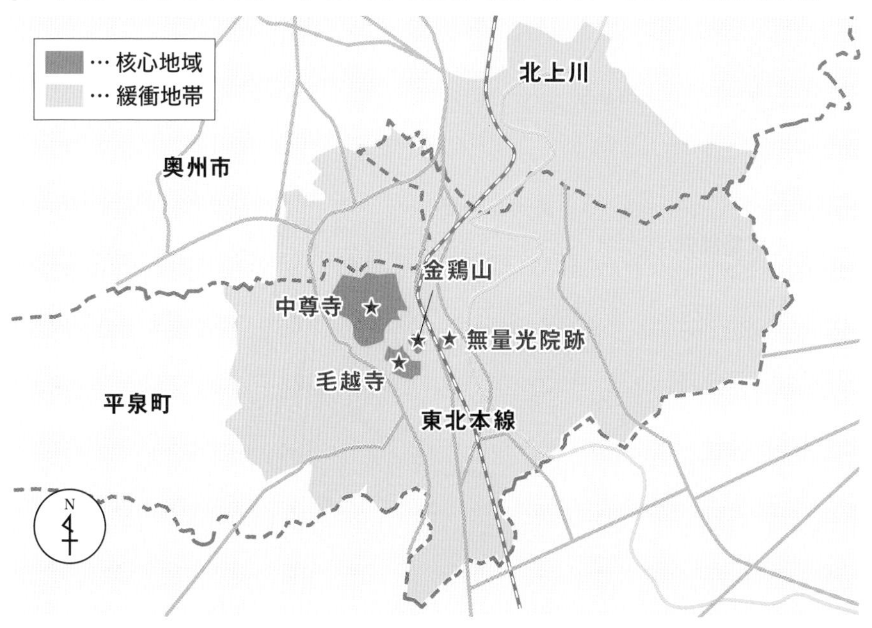

日光の社寺

富岡製糸場と絹産業遺産群

ル・コルビュジエの建築作品：近代建築運動への顕著な貢献（国立西洋美術館）

富士山ー信仰の対象と芸術の源泉

白川郷・五箇山の合掌造り集落

古都京都の文化財

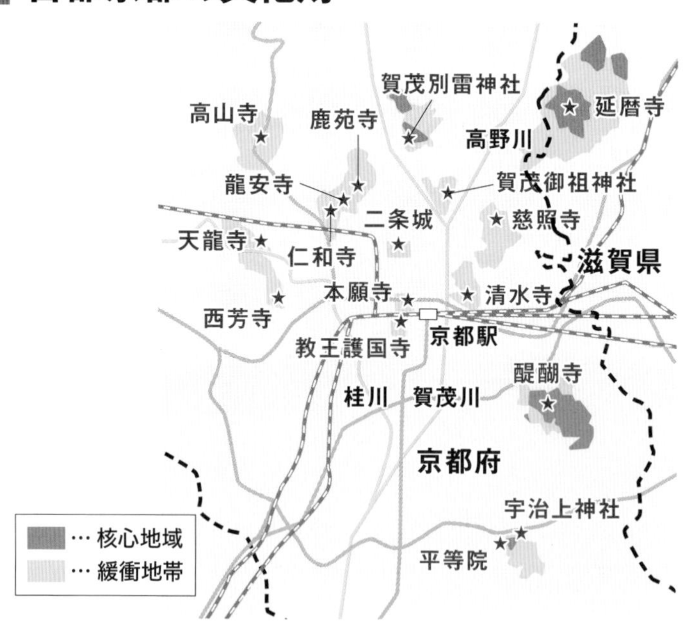

古都奈良の文化財

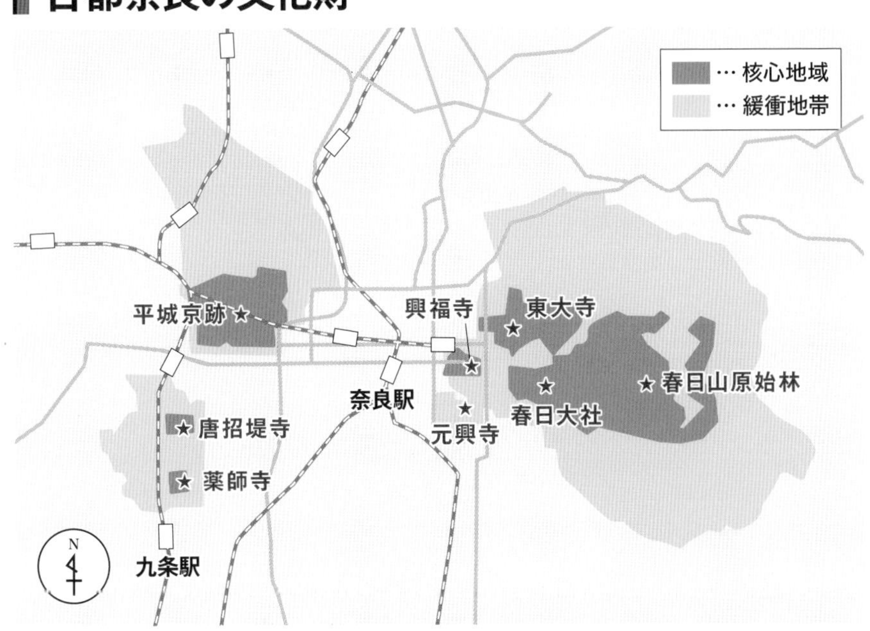

法隆寺地域の仏教建造物群

紀伊山地の霊場と参詣道

百舌鳥・古市古墳群

…核心地域
…緩衝地帯
大和川
応神天皇陵古墳
仁徳天皇陵古墳
履中天皇陵古墳
古市エリア
百舌鳥エリア
N

姫路城

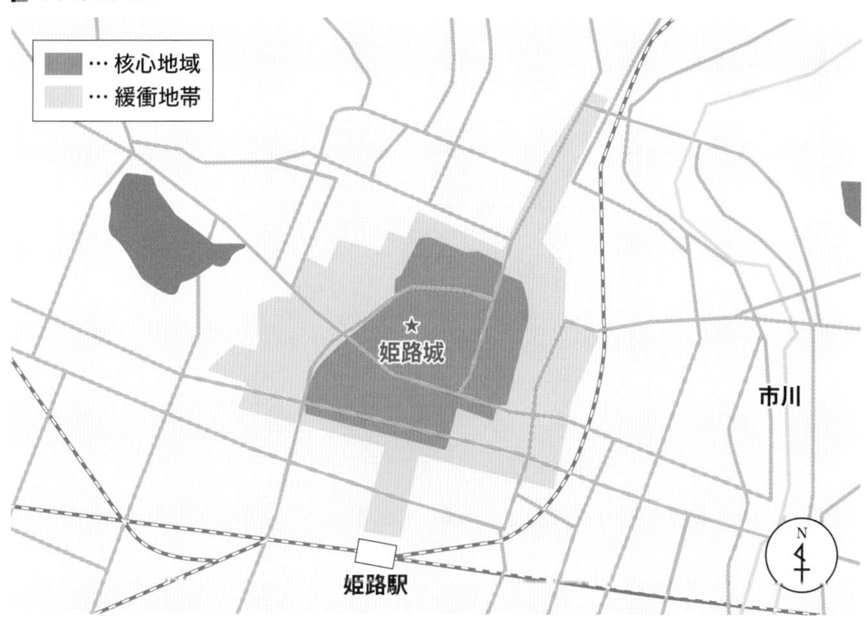

石見銀山遺跡とその文化的景観

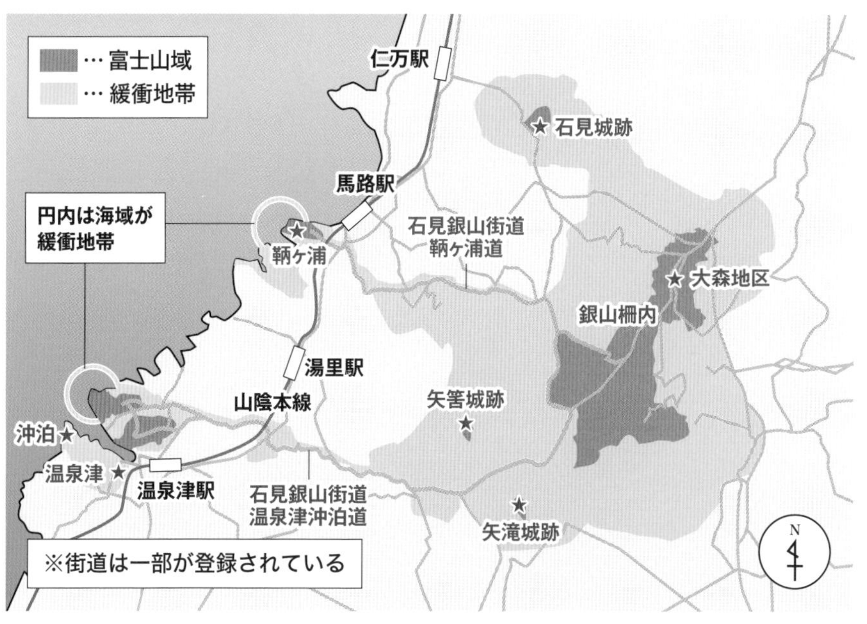

広島平和記念碑（原爆ドーム）

厳島神社

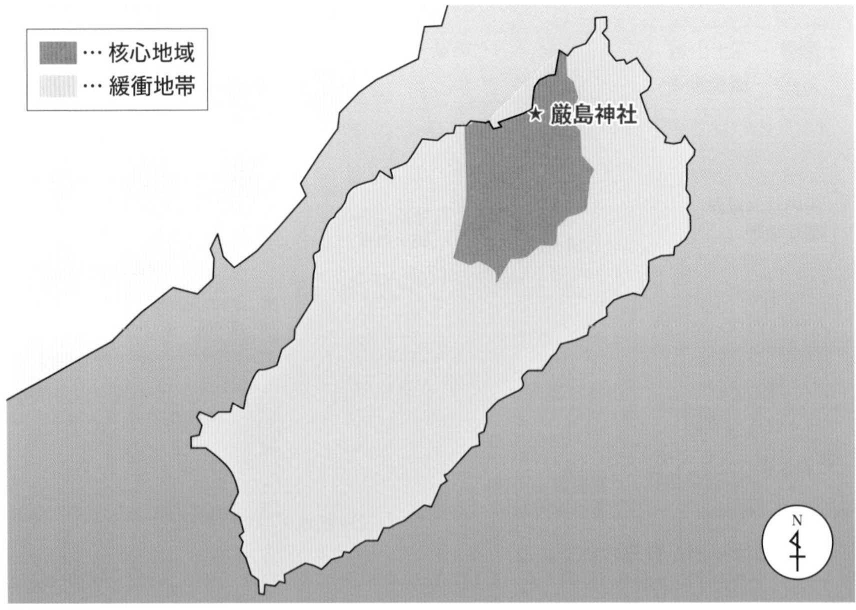

『神宿る島』宗像・沖ノ島と関連遺産群

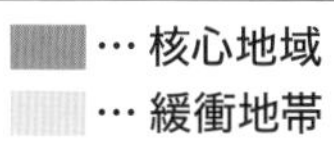

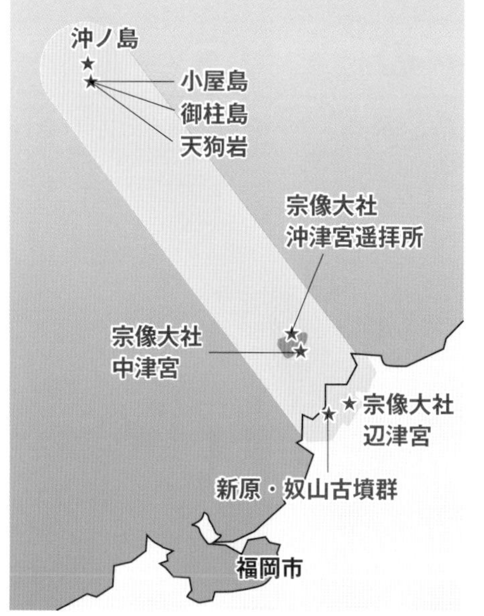

長崎と天草地方の潜伏キリシタン関連遺産

明治日本の産業革命遺産 製鉄・製鋼、造船、石炭産業

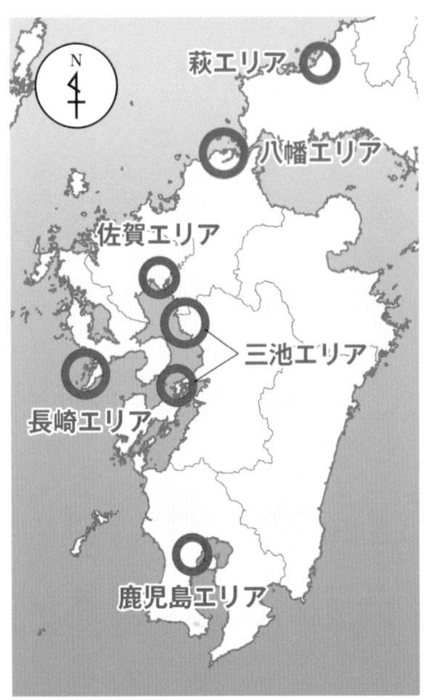

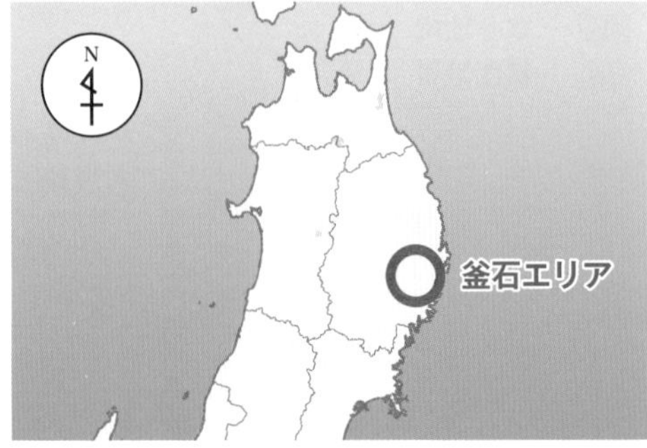

琉球王国のグスク及び関連遺産群

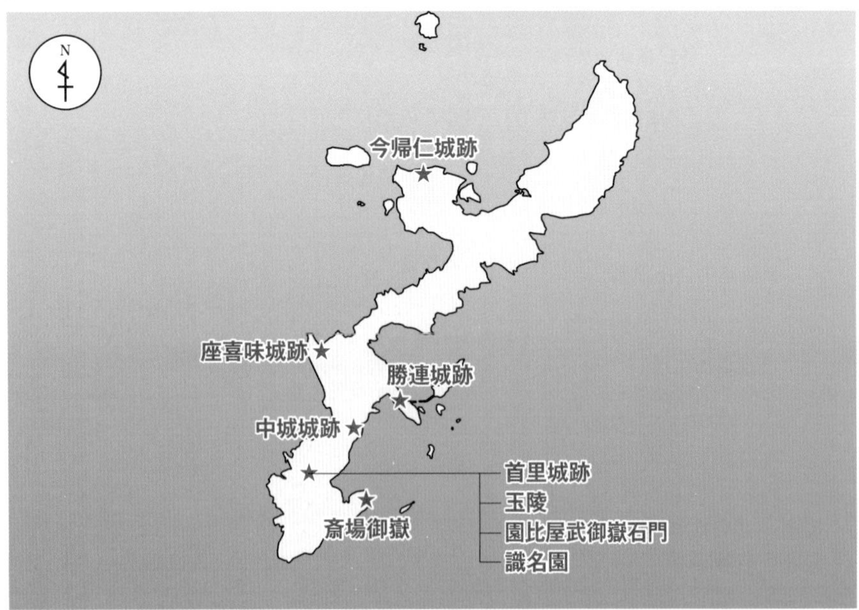

知床

A地区
B地区
知床岬
オホーツク海
カムイワッカの滝
知床五湖
斜里町
ウトロ
相泊
羅臼町
知床峠
羅臼湖
根室海峡
羅臼
N

白神山地

青森県
核心地域
緩衝地帯
暗門の滝
白神岳
日本海
日暮しの滝
二ツ森
秋田県
N

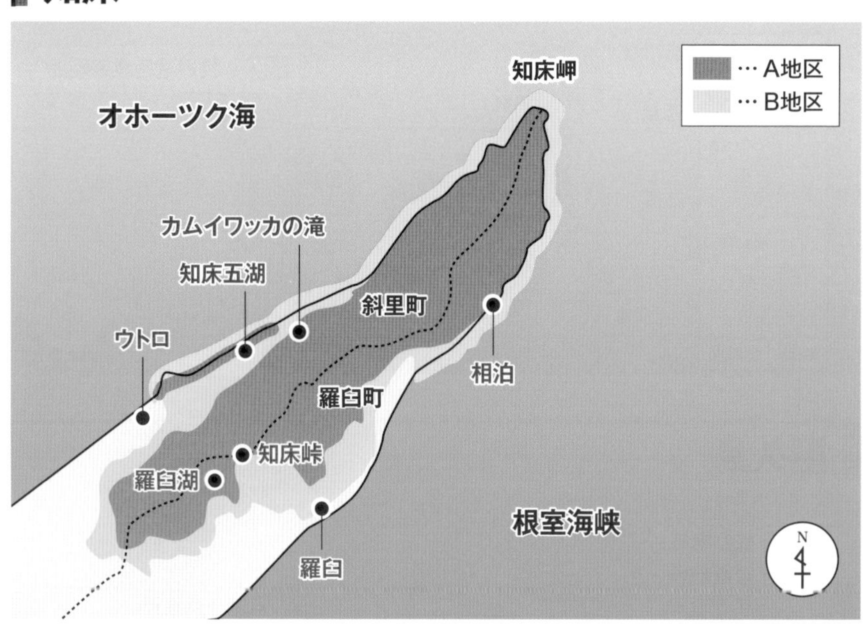

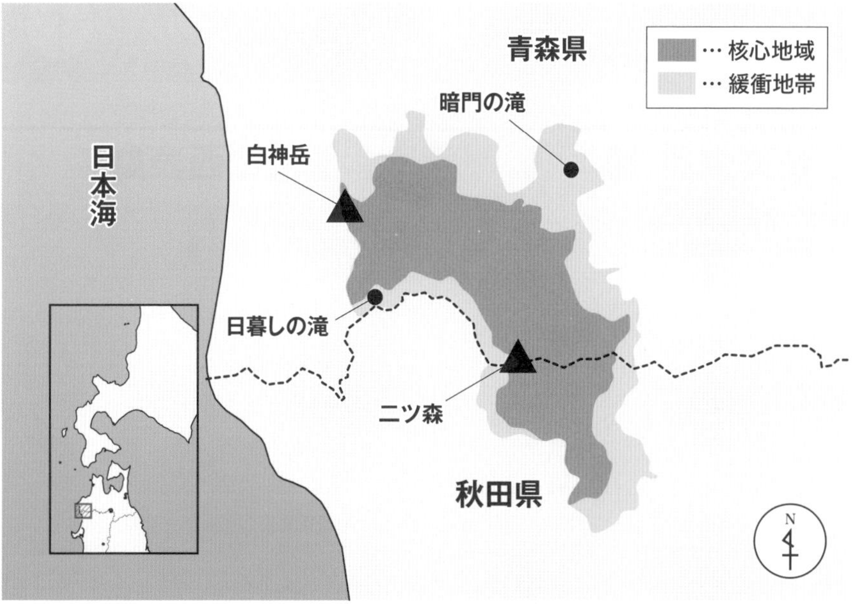

小笠原諸島

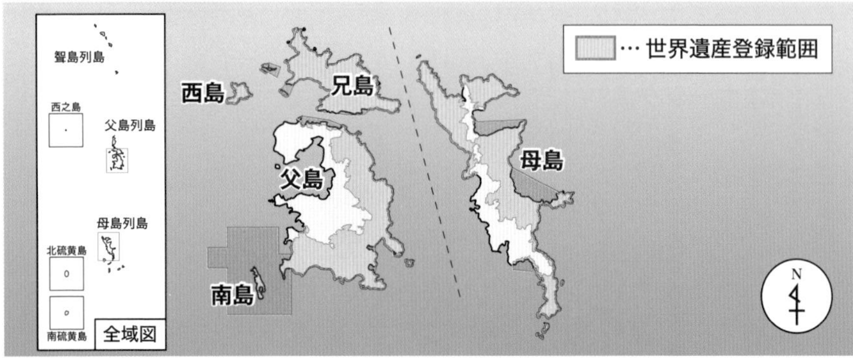

屋久島

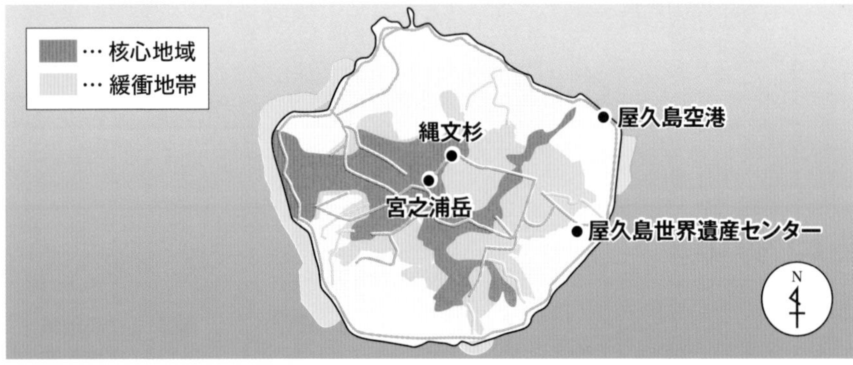

奄美大島、徳之島、沖縄島北部及び西表島

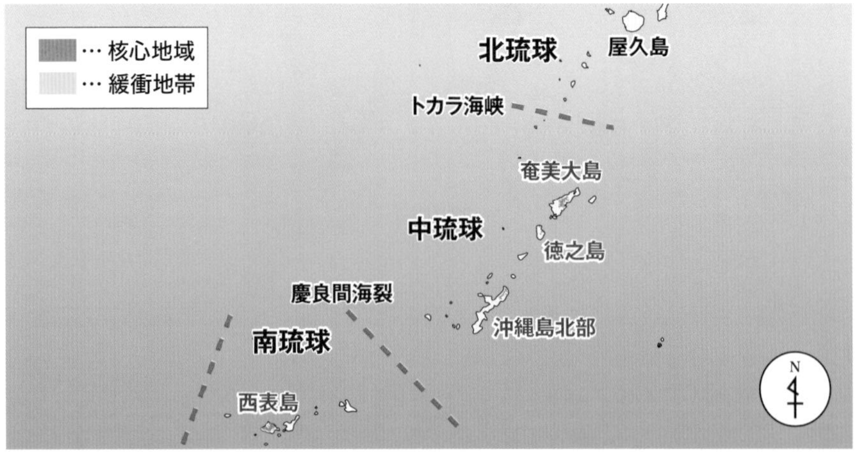

WORLD HERITAGE

世界遺産の基礎知識

世界遺産とは、世界遺産条約に基づき「世界遺産リスト」に記載されている、人類や地球の長い歴史の中で生まれ、受け継がれてきた「人類共通の宝物」である。現在、世界中に1,000件以上存在する世界遺産は、世界の文化や歴史、自然環境の多様性を表している。世界遺産に求められるのは、ただ「宝物」を守るのではなく、その背後にある「世界の多様性」を擁護し、人々が互いに尊重しあう平和な世界を築くことである。

世界遺産の基礎知識

1 はじめに

「世界遺産とは、地球の品位を守るもの」

これは京都大学名誉教授だった桑原武夫(くわはらたけお)氏が、1980年にインドネシアの「ボロブドゥール寺院」の修復完成式典について語った際の言葉である。

地球の長い歴史の中、46億年かけて豊かな自然環境が生まれ、数百万年かけて人類はその自然環境と共にさまざまな文化や文明を作り上げてきた。世界遺産はそうした「地球の記憶」ともいうべき自然環境や文化財を、私たちが受け継ぎ、確実に次の世代へと残してゆく営みである。一時の開発や紛争などで失うことも、放棄して風化させることもあってはならない。

世界遺産を守ることは、自分の属する文化について理解を深めるだけでなく、世界中の多様な文化を知り、互いに尊重しあうことにつながる。また地球の生成過程や固有の生態系の価値を知ることは、地球環境保護の意識を高める。世界遺産は、ただ「人類共通の宝物」を守るものではなく、地球の多様性を理解し、守り伝えるための知的営為なのである。

そのために世界遺産を「学ぶ対象」として捉えることが重要である。世界遺産が存在する意義や価値、遺産の背景にある人々の文化や思いを学ぶことが、私たちが取り組むべき保護への第一歩だと言える。

2 世界遺産条約 (Convention concerning the Protection of the World Cultural and Natural Heritage)

2.1 世界遺産とは

世界遺産とは、1972年に第17回UNESCO総会で採択された「世界の文化遺産及び自然遺産の保護に関する条約（世界遺産条約）」に基づき「世界遺産リスト」に記載されている、「**顕著な普遍的価値（OUV）***」を有する自然や生態系保存地域、記念建造物、遺跡である。世界遺産条約では「**文化遺産**」と「**自然遺産**」がそれぞれ定義されている他、世界遺産条約の運用上では両方の価値を持つ「**複合遺産**」も定められている。また世界遺産条約の設立の趣旨に従い「危機遺産リスト」もつくられている。

1978年に最初の世界遺産12件が世界遺産リストに記載されて以来、2014年にボツワナ共和国の『**オカバンゴ・デルタ**』**が1,000件目の世界遺産**になるなど登録数は順調に増えており、2024年3月時点で1,199件（文化遺産933件、自然遺産227件、複合遺産39件）が登録され、その中から危機遺産リストには56件が記載されている。

アーヘンの大聖堂

顕著な普遍的価値(OUV)：p.045参照。

● 1978年、最初に世界遺産リストに登録された12件の遺産

❶ **アーヘンの大聖堂**（ドイツ連邦共和国）

❷ **クラクフの歴史地区**（ポーランド共和国）

❸ **ヴィエリチカとボフニャの王立岩塩坑**（ポーランド共和国）

❹ **シミエン国立公園**（エチオピア連邦民主共和国）

❺ **ラリベラの岩の聖堂群**（エチオピア連邦民主共和国）

❻ **ゴレ島**（セネガル共和国）

❼ **メサ・ヴェルデ国立公園**（アメリカ合衆国）

❽ **イエローストーン国立公園**（アメリカ合衆国）

❾ **ランス・オー・メドー国立歴史公園**（カナダ）

❿ **ナハニ国立公園**（カナダ）

⓫ **ガラパゴス諸島**（エクアドル共和国）

⓬ **キトの市街**（エクアドル共和国）

※遺産名の前の数字は登録順ではありません。

2.2 世界遺産条約の採択

世界遺産条約は、**萩原徹**（はぎわらとおる）* **日本政府代表**が議長を務めた1972年の第17回UNESCO総会にて11月16日に採択された国際条約。パリで1972年10月17日～11月21日の期間に開催された第17回UNESCO総会は、現在まで日本が議長を務めた唯一の総会である。

総会では世界遺産基金への支払いを任意の拠出とすべきと主張するアメリカやドイツなどと、義務の拠出とすべきとする途上国などで意見が分かれ、議論が紛糾した。最終的にはUNESCOに対する分担拠出金の1％以下の金額を義務として支払い、その他に任意の拠出金を受け入れることで合意を得て、賛成75ヵ国（棄権17、反対1）で可決された。

翌1973年、アメリカ合衆国が最初に世界遺産条約を批准し、締約国数が20ヵ国に達した1975年12月17日に発効した。世界遺産条約の加盟国数は、2024年3月時点で、195の国と地域に及ぶ。

日本は独自の文化財保護体制があったこと、国内法の整備や分担拠出金の支払い

萩原徹：日本の外交官で、1961～1967年まで駐仏日本大使を務めた。

世界遺産誕生のきっかけにもなったイエローストーン国立公園

方法などが決まらなかったことなどから参加が遅れ、世界遺産条約の受諾書をUNESCO事務局長に寄託したのは、UNESCO総会での採択から20年を経た1992年6月30日のことであった。同年9月30日に、日本について世界遺産条約が発効している。

2.3 世界遺産条約の概要

世界遺産条約は8章に分けられる全38条からなる。特別な価値を持つ文化財や自然が、**従来とは異なる新たな破壊の脅威に直面**しているだけでなく、各国の保護が資金不足などから困難な状況にあることを踏まえ、国際的な保護の体制を整える必要性が出てきたことが、採択の背景にある。またそうした文化財や自然を失うことは、世界中の人々にとって大きな損失であり、世界遺産リストに登録された文化遺産や自然遺産を、人類共通の遺産として破壊や損傷から保護・保全し、将来の世代に伝えてゆくために国際的な協力体制の確立することが目的であると条約前文に示されている。

文化遺産と自然遺産を1つの条約で保護しようとしている点が非常に重要である。文化遺産の保護と自然遺産の保護は、それまでそれぞれ別の枠組みで保護・

保全が進められてきたが、世界遺産条約では文化遺産と自然遺産を、互いに影響しあう切り離すことのできない人類共通の財産として位置づけ、両方を対象としている。

第1章では文化遺産と自然遺産の定義と、それぞれの遺産を選びエリアを定めることは各締約国が行うと書かれている。第2章ではまず第4条で、自国内の文化遺産と自然遺産を認定し、保護・保全を行い、次の世代に伝えていく**一義的な義務と責任は遺産を保有する各締約国にある**こと、そのために各締約国は自国が持つ全ての能力だけでなく、可能な限りの国際的な援助や協力を得て最善を尽くさなければならないことが書かれている。

続く第5条では、①文化遺産と自然遺産に対して**社会生活における役割を与えること**、②保護・保全のための機関を国内に設置すること、③学術的・技術的な研究と調査を進め、遺産を脅かす危機に対処する方法を開発すること、④保護・保全のために必要な**立法、行政、財政、技術、学術上で適切な措置をとること**、⑤保護・保全のための全国もしくは地域的な研修センターを設置すること、などが求められている。一方で第6条と第7条では、世界遺産リストに記載された文化遺産や自然遺産は世界の遺産であることを認識し、**全締約国が遺産の保護に協力することが国際社会全体の義務**であるとしている。

第3章では、第8条で21ヵ国からなる「顕著な普遍的価値を有する文化遺産及び自然遺産の保護のための政府間委員会（**世界遺産委員会**）」の設置と、世界遺産委員会に諮問機関としてICCROM、ICOMOS、IUCN*の代表一人が参加すること、世界遺産条約締約国会議の要請で他の政府間機関やNGOの代表も顧問の資格で出席できると書かれている。また世界遺産委員会の委員国の選出は、UNESCO総会の通常会期の間に開催される世界遺産条約締約国会議でなされる。第9条では、世界遺産委員会の委員国の任期は「その委員国が選出された時に開催されているUNESCO総会の通常会期が終わった後に開催される3回目の通常会期の終わりまで」となっている。また委員国に選ばれた国は自国の代表として文化遺産や自然遺産の分野において資格のあるものを選ぶことが求められている。

第10条では世界遺産委員会で手続規則を定めること、第11条では世界遺産リストの作成と公表について定められている。特に第11条では、世界遺産リストに記載するには**遺産を保有する国の同意が必要**であること、**2つ以上の国が主権や管轄権を主張する領域にある遺産を登録することが、その紛争におけるいかなる国の権利にも影響を及ぼすものでないこと**に言及されている。さらに世界遺産リストに記載されている遺産で、保護のための大規模な作業が必要とされ、世界遺産条約に基

ICCROM、ICOMOS、IUCN：p.040参照。

づいて援助が要請されている遺産のリストとして「危機にさらされている世界遺産リスト（**危機遺産リスト**）」を作成し公表することが定められている。危機遺産リストには危機を取り除く作業に必要な経費の見積もりを含み、重大かつ特別な危機にさらされているもののみを記載することができる。また世界遺産リストと危機遺産リストのそれぞれの登録基準を定めることも決められた。第12条では、遺産が世界遺産リストもしくは危機遺産リストに記載されなかったとしても、その遺産が「顕著な普遍的価値」を持っていないという意味に解釈してはならないとしている。

第13条では、世界遺産リストに記載されている遺産または、まだ記載されていないが記載するのが妥当であるとされる遺産の保有国から国際的援助があった場合は、世界遺産委員会がそれを受理し検討することが書かれている。世界遺産委員会ではそうした要請に対する措置と援助の内容、範囲、援助の優先順位などを話し合い、**世界遺産基金**での使い道を決定する。その決定は、世界遺産委員会に出席して投票する**委員国の３分の２の多数による決議**＊で行われる。第14条では、世界遺産委員会がUNESCO事務局長の任命する世界遺産センター事務局の補佐を受け、ICCROM、ICOMOS、IUCNなどの専門分野の能力を活用しながら世界遺産委員会の会議を運営し、その決定に責任を負うとされている。

第4章では、第15条で「世界の文化遺産及び自然遺産の保護のための基金（世界

イスタンブルの「トプカプ宮殿」のハーレム

3分の2の多数による決議：実際は合意形成で運用され、合意に至らなかった場合に多数決となる。

遺産基金)」の設立が定められている。そして世界遺産基金に対する拠出金やその他の援助は、**世界遺産委員会が決定する目的にのみ使用**することができる。また**世界遺産基金に対する拠出にはいかなる政治的な条件も付けることはできない**。第16条では2年に1度、各締約国が世界遺産基金に分担拠出金を支払うこと、分担拠出金の金額は世界遺産条約締約国会議で各国の比率を決めること、その金額はUNESCOに対する分担拠出金の1%を超えない額とすることなどが定められている。分担比率にとらわれず任意の金額を拠出することも世界遺産条約の受諾書を寄託する際に宣言することで可能だが、その金額は定められた分担比率の額を下回ってはならないことと、2年に1度定期的に支払わなければならないことも定められている。また、分担拠出金または任意の拠出金の支払いが延滞している締約国は、世界遺産委員会の委員国に選出される資格がない。

第5章では、国際的援助の条件について書かれており、どの締約国も自国内の「顕著な普遍的価値」を持つ遺産に対して国際的援助の要請ができることや、自然災害などによる被災を原因とする要請は緊急な作業を必要とするため世界遺産委員会が使用することができる予備基金を設けることなどが定められている。また援助を要請する締約国は財政的に許す限りの割合の額を拠出し、国際社会は必要な経費の一部のみを負担する。国際的な援助を受ける国は、該当する遺産を引き続き保護・保全する責任を負う。

第6章では、締約国が**教育や広報事業計画などあらゆる適当な手段を用いて、自国民が文化遺産や自然遺産の評価し、尊重することを強化する**ように努めなければならないとしている。また国際的援助を受けた国は、援助の対象となった遺産の重要性と、国際的援助の果たした役割について周知させなければならない。

第7章では、各締約国が世界遺産条約を履行するために行った自国での立法措置や行政措置などを世界遺産委員会に報告し、世界遺産委員会はその報告をUNESCO総会に提出すること、第8章では世界遺産条約が英語とフランス語、アラビア語、ロシア語、スペイン語で作成され、20番目の国から受諾書が受託された3ヵ月後に発効すること、世界遺産条約はUNESCO総会で改正できること、世界遺産条約を国際連合事務局に登録し条約加盟国を国際連合に送付することなどが書かれている。

サン・ピエトロ大聖堂

● 世界遺産条約の構成

1章　文化遺産及び自然遺産の定義（第1～3条）

「文化遺産」と「自然遺産」の定義。その定義に基づき遺産を認定し、区域の策定を行うのは締約国の役割である。

2章　文化遺産及び自然遺産の国内的及び国際的保護（第4～7条）

自国内の文化遺産や自然遺産を認定・保護するのは、各締約国に課された第一の義務である。他国内の遺産保護活動に対する国際的援助・協力も求められる。

3章　世界の文化遺産及び自然遺産の保護のための政府間委員会（第8～14条）

21の締約国からなる世界遺産委員会の設置。「世界遺産リスト」と「危機遺産リスト」の作成。

4章　世界の文化遺産及び自然遺産の保護のための基金（第15～18条）

UNESCOの信託基金である世界遺産基金の設立。資金は世界遺産委員会の決定によってのみ用いられる。締約国は2年に1回定期的に世界遺産基金に分担金を支払うことを約束する。

5章　国際的援助の条件及び態様（第19～26条）

締約国は自国領域内の遺産のために国際的援助を要請することができる。世界遺産委員会は研究や技術の提供、専門家の養成、資金の貸与や供与などの援助をすることができる。

6章　教育事業計画（第27、28条）

教育や広報事業計画などあらゆる手段を用いて、自国民が世界遺産を評価し尊重できるように努める。国際的援助を受けた際には、対象となった遺産の重要性や国際的援助の役割を周知させる。

7章　報告（第29条）

締約国は、UNESCO総会が決定する期間に行った活動報告を世界遺産委員会に通知する。世界遺産委員会はそれをUNESCO総会に提出する。

8章　最終条項（第30～38条）

世界遺産条約への加入、廃棄、改正についての規定。

2.4 世界遺産委員会（The World Heritage Committee）

「顕著な普遍的価値を有する文化遺産及び自然遺産の保護のための政府間委員会（世界遺産委員会）」は、世界遺産条約第３章第８条に基づき、1976年の世界遺産条約締約国会議において設立された。当初は締約国の中から選ばれた15ヵ国で構成されていたが、世界遺産条約締約国が40ヵ国に達したため、1977年の第１回世界遺産委員会から21ヵ国に増枠された。

世界遺産委員会は、通常１年に１度*、UNESCO事務局長と世界遺産委員会議長の協議を経て議長の招集で６～７月頃に開催される。開催時期は2001年までは12月に開催*されていたが、2002年の第26回世界遺産委員会から時期が変更になった。世界遺産委員会では、**世界遺産委員会の議長と書記１名、副議長５名の７名（７ヵ国）で構成される任期１年のビューロー会議***を設置し、委員会の会期中に必要なだけビューロー会議を開催する。ビューロー会議のメンバーは、ビューロー会議の構成国になった各締約国の中から選ばれるが、個人の名前で議事進行を行う。ビューロー会議は世界遺産委員会の進行や作業日程の調整、決定などを行い、世界遺産委員会の最終日には、次回の世界遺産委員会のビューロー会議構成国が決定される。

世界遺産委員会には、ICCROM、ICOMOS、IUCNの代表各１人が顧問の資格で

1990年に「バージェス頁岩」から登録範囲拡大となった『カナディアン・ロッキー山脈国立公園』

一年に一度：手続規則では、「年１度以上の頻度で開催する」とされている。　**12月に開催**：1977年の第１回は6月、1978年の第２回から1981年の第５回までは9～10月に開催された。　**ビューロー会議**：「世界遺産ビューロー」とも訳される。

参加する他、締約国の要請により同様の目的を有する政府間機関やNGOの代表も顧問の資格で出席することができる。

世界遺産委員会の委員国は、2年に1度のUNESCO総会の会期中に開催される世界遺産条約締約国会議で選出される。委員国の任期は6年であるが、公平な代表性を確保し、各締約国に均等に機会が与えられるようにするため、自発的に4年で任期を終えることと、連続して再選することの自粛が望ましいとされている。また、世界遺産リストに登録遺産を持たない国は、世界遺産条約締約国会議に先立つ世界遺産委員会の決議に基づいて、一定の議席を割り当てられることもできる。

委員国がさまざまな地域や文化を代表するように、委員国の選出には**地域間の公平性**も考慮されている。UNESCO総会の選挙のグループ分けに準じて、「西欧・北米(グループI)」から2ヵ国、「東欧(グループII)」から2ヵ国、「ラテンアメリカ・カリブ海(グループIII)」から2ヵ国、「アジア・太平洋(グループIV)」から3ヵ国、「アフリカ(グループVa)」から4ヵ国、「アラブ(グループVb)」から2ヵ国が最低でも選ばれることが定められている。

● 世界遺産委員会の主な役割

❶ 暫定リストと締約国から提出された推薦書に基づき、**世界遺産リストへの記載の可否を決定**する
❷ 世界遺産リストに記載された遺産の保全状況を、**リアクティヴ・モニタリング***と定期報告を通じて調査する
❸ 危機遺産リストへの登録の可否と、すでに危機遺産リストに記載されている遺産の削除の可否を決定する
❹ 世界遺産リストに記載されている遺産に対し、リストからの抹消の可否を決定する
❺ 国際的援助の要請の手続きの決定と、事前の調査・協議を実施する
❻ 世界遺産基金の使い方を決定する
❼ 世界遺産条約締約国会議とUNESCO総会に対し、2年ごとに活動報告書を提出する
❽ 世界遺産条約の履行について定期的に調査と審査を行う
❾ 「**世界遺産条約履行のための作業指針***(作業指針)」の改訂と採択を行う
❿ 世界遺産基金を増額する方法を検討する

リアクティヴ・モニタリング:p.083参照。　**世界遺産条約履行のための作業指針**:p.033参照。

気候変動や港湾開発による環境への影響が懸念される『グレート・バリア・リーフ』

世界遺産委員会の大きな役割の1つに、世界遺産リストへの記載の可否がある。世界遺産委員会では、暫定リストの内容と推薦書、諮問機関から出された勧告書などを基に審議を行い、「**登録**」「**情報照会**」「**登録延期**」「**不登録**」の4段階で決議を行う。

❶ 登録（Inscription）

「顕著な普遍的価値」があるとして**世界遺産リストへの記載を認める決議**。諮問機関の指導により、その遺産の「顕著な普遍的価値の言明」を採択する。

❷ 情報照会（Referral of Nominations）

世界遺産委員会が追加情報を求める決議で、その場合は、**次回の世界遺産委員会に推薦書を再提出し、審査を受けることができる**。追加情報は世界遺産委員会での審議を求める年の2月1日までに世界遺産センター事務局へ提出し受理されなければならない。世界遺産センターは提出された追加情報を直ちに諮問機関に送り審査が行われるが、この時は現地での調査は行われない。各締約国は情報照会決議に対してどのように対応するか議論するために、諮問機関もしくは世界遺産センターに助言を求めることができる。また3年以内に再提出が行われない場合は、それ以降は新たな登録推薦とみなされる。

❸ 登録延期（Deferral of Nominations）

より綿密に評価・調査を行う必要が場合や、推薦書の本質的な改定が必要とされる遺産に出される決議で、推薦書が再提出され場合、諮問機関の現地調査を含む

1年半の再審議となる。各締約国は登録延期決議に対してどのように対応するか議論するために、諮問機関もしくは世界遺産センターに助言を求めることが奨励されている。

❹ 不登録（Decision not to inscribe）

世界遺産委員会が推薦遺産を世界遺産リストへ記載するのにふさわしくないと判断した決議で、不登録決議が出された遺産は**例外的な場合を除き再推薦が認められていない**。例外的な場合とは、新たな科学的情報が得られた場合や、別の登録基準によって推薦書を作成しなおした場合を指す。その場合は、新たに推薦書を作成し提出しなければならない。

世界遺産委員会は、世界遺産条約履行のための目標や目的を定義する「**世界遺産条約履行のための戦略的目標（5つのC）***」を策定し、それに従って審議が行われる。

❶ **Credibility（信頼性）**：世界遺産リストの信頼性の強化
❷ **Conservation（保全）**：世界遺産リスト記載遺産の効果的な保全の確保
❸ **Capacity-building（能力構築）**：締約国による効果的な能力構築の促進
❹ **Communication（情報伝達）**：コミュニケーションを通して世界遺産に対する国民の意識を高め、関与と支援を求める
❺ **Communities（共同体）**：世界遺産条約を履行する上でのコミュニティの役割の強化

文化交流の価値が認められている『ネムルト・ダーの巨大墳墓』

世界遺産条約履行のための戦略的目標（5つのC）：p.080参照。

世界遺産リスト記載数の上限は定められていないが、世界遺産リストの信頼性を確保することに加えて人的・財政的な状況も考慮し、**1締約国からの推薦上限を1回の世界遺産委員会につき1件**とし、以前の世界遺産委員会で**「情報照会」または「登録延期」の決議が出された遺産が再推薦された場合は2件まで推薦**することができる。また、**1回の世界遺産委員会での審議数は35件**までとされている。35件以上推薦書が提出された場合は、以下の優先順位で審議を行う。

● 推薦数が35件を超えた時の審議の優先順位

❶ 世界遺産リストに1件も遺産が記載されていない国から推薦された遺産
❷ 世界遺産リストに記載されている遺産数が3件以下の国から推薦された遺産
❸「情報照会」または「登録延期」の決議が出された後に再推薦された遺産
❹ 年間35件の審議制限と、この優先順位によって審議されなかった遺産
❺ **プレリミナリー・アセスメント**＊で諮問機関からの事前評価報告書を受理した後、5年目に推薦された遺産
❻ 自然遺産
❼ 複合遺産
❽ トランスバウンダリー・サイト
❾ アフリカ、太平洋地域、カリブ海地域の締約国から推薦された遺産
❿ 世界遺産条約を批准してから20年以内の締約国から推薦された遺産
⓫ 直近で5年以上推薦書が出されていない締約国から推薦された遺産
⓬ 世界遺産委員会の委員国としての任期中に自国の遺産の推薦を自主的に控えた締約国から推薦された遺産。この優先順位は委員国の任期終了後から4年間適用される
⓭ 以上の優先順位が適用される場合、世界遺産センターが推薦書を受理した日付は、以上の優先順位に該当しない遺産の優先順位の決定において二次的な要因として使用される

プレリミナリー・アセスメント：p.090参照。

2.5 世界遺産条約履行のための作業指針
(Operational Guidelines for the Implementation of the World Heritage Convention)

世界遺産条約の適切な履行を促すために、「**世界遺産条約履行のための作業指針（作業指針）**」が1977年の第1回世界遺産委員会で採択された。作業指針は、世界遺産委員会での審議を基に4 年の周期で改訂される他、毎年の世界遺産委員会でも実務上の修正点などが加えられた細かな改訂が行われている。最新版の作業指針は世界遺産センターの公式Webサイトで公開されている。

作業指針で定められる主な手続きは以下の4点である。

● 作業指針で示す手続き

❶ 世界遺産リストと危機遺産リストへの記載
❷ 世界遺産リストに記載された遺産の保護と保全
❸ 世界遺産基金に基づく国際的援助の付与
❹ 世界遺産条約を支える国家的・国際的な動員

作業指針では、世界遺産リスト作成の根幹である**「顕著な普遍的価値」の考え方**や登録基準、真正性や完全性の定義などの概念的な指針だけでなく、世界遺産リストへの申請・登録の手順やスケジュールといった実務的な指針、世界遺産基金に基づく国際的援助や保全状況の報告などの手続き、世界遺産委員会諮問機関や関連機関、関連条約といった世界遺産条約履行上の関連事項、世界遺産エンブレムの使用規定まで、細かく示されている。また、作業指針の主な対象者として5項目が挙げられている。

● 作業指針の主な対象

❶ 世界遺産条約締約国
❷ 世界遺産委員会
❸ UNESCOの世界遺産センター（世界遺産委員会事務局として）
❹ 世界遺産委員会の諮問機関
❺ 世界遺産リストに記載された遺産の保護に携わる遺産管理者、関係者、協力者

キリストの茨の王冠をモチーフとしているブラジリアの「カテドラル・メトロポリターナ」

2.6 手続規則（Rules of Procedure）

世界遺産条約を基に、1977年の第1回世界遺産委員会で採択された。世界遺産委員会の招集や会議運営、投票、保全状況報告、使用言語など、**世界遺産委員会に関係する手続規則**＊が細かく定められている。手続規則の改訂は、世界遺産委員会での投票で3分の2の賛成で可決される。作業指針と同じく、細かな改訂が加えられている。

2022年の第45回世界遺産委員会は、ロシア連邦のカザンで開催予定であったが、ロシアがウクライナに侵攻している状況でロシアが議長国を務める世界遺産委員会に対し国際的な反発があり開催が延期された。そのため、手続規則に則って議長国の変更が行われ、2023年にサウジアラビア王国のリヤドで2年分の審議を行う拡大会合として開催された。

2.7 暫定リスト（Tentative Lists）

暫定リストとは、「**潜在的なOUV**＊」があり世界遺産に推薦する可能性があると締約国が判断した各締約国内の遺産のリストのこと。締約国は、**暫定リストに記載されプレリミナリー・アセスメントを実施した遺産のみ**、世界遺産に推薦することができる。プレリミナリー・アセスメント実施の1年以上前には暫定リストに記載されている必要があり、少なくとも10年ごとに暫定リストの見直しが推奨されて

世界遺産委員会に関係する手続規則：世界遺産条約締約国会議にはまた別の手続規則が定められている。　**潜在的なOUV**：世界遺産委員会で正式にOUVが認められていないため、「潜在的なOUV（potential Outstanding Universal Value）」と呼ばれる。

いる。

暫定リストは、遺産の管理者や地方自治体、地域社会、先住民族、NGOなどの権利・利害関係者と協議しながら作成することが推奨されており、ICOMOSやIUCNが作成した世界遺産リストと暫定リストの分析を参考にすることで適切な遺産価値を示すことができる。また作成においてはアップストリーム・プロセス*を含む国際援助を要請することができる。

世界遺産委員会で「登録」と「不登録」の決議が出された遺産は、暫定リストから抹消される。

2.8 世界遺産条約締約国会議

(The General Assembly of States Parties to the World Heritage Convention)

世界遺産条約締約国会議は、**世界遺産条約を採択した全締約国による会議**で、2年ごとに開催されるUNESCO総会会期中に開催される。第1回世界遺産条約締約国会議は、1976年11月のナイロビでのUNESCO総会会期中に開催された。

世界遺産条約締約国会議では主に、**世界遺産基金への分担拠出金の分担比率の決定や世界遺産委員会委員国の選定**を行う他、世界遺産委員会から提出された活動報告書を受理する。会議では全ての締約国が1票の投票権を持つ。UNESCO事務局長は投票権を持たないが、締約国会議の議題に対して口頭もしくは文書で意見を述べることができる。また、世界遺産条約を締約していない国や地域も投票権のないオブザーバーとして会議に参加することができる。

2.9 世界遺産委員会事務局（世界遺産センター）

(The Secretariat to the World Heritage Committee (World Heritage Centre))

世界遺産センターは、世界遺産委員会を補佐する世界遺産委員会事務局の役割を担うため、1992年に設立された。パリのUNESCO本部内に常設されており、UNESCO事務局長は、世界遺産センター局長を世界遺産委員会の秘書に任命している。

世界遺産センターは、世界遺産委員会の決定や「世界遺産条約履行のための戦略的目標（5つのC）」、世界遺産条約締約国会議の決議に従い締約国や諮問機関を補佐するだけでなく、UNESCOの世界遺産以外の部門や世界各地のUNESCO地域事務所と連携しながら業務を行っている。また、世界遺産と世界遺産条約に関する広報活動も主な活動の1つであり、世界遺産条約に関する公式Webサイトを開設している。

アップストリーム・プロセス：p.089参照。

パリのUNESCO本部

世界遺産センターの主な活動内容は以下の10点である。

世界遺産センターの主な活動内容

1. 世界遺産条約締約国会議と世界遺産委員会の開催
2. 世界遺産委員会の決定と世界遺産条約締約国会議の決議の履行と実施状況の報告
3. **世界遺産リスト記載のための推薦書の受理**、事務局での登録、**書類内容が完全であるかの確認**、推薦書類の保管と関係する諮問機関への送付
4. **グローバル・ストラテジー** * の一環としての研究やその他の活動の調整
5. 定期報告の取りまとめ
6. リアクティヴ・モニタリングの調整と実施。また、締約国の要請により諮問機関が行う諮問活動の調整と必要に応じた参加
7. 国際的援助の調整
8. 世界遺産の保全と管理のための予算外の資金の確保
9. 締約国が世界遺産委員会の計画やプロジェクトを履行する際の援助
10. 締約国と諮問機関、一般市民に向けた情報発信を通じた、世界遺産と世界遺産条約のプロモーション

グローバル・ストラテジー：p.072参照。

2.10 世界遺産基金 (The World Heritage Fund)

世界遺産基金は、UNESCOの財政規則に基づき1976年に設立された信託基金。世界遺産条約締約国のUNESCO分担拠出金の1%を超えない額(実際には1%を適用)の拠出金と任意の拠出金の他、締約国以外の国や政府間機関、個人からの拠出金や贈与・遺贈、世界遺産基金の資金から生じる利子などを財源としている。締約国は2 年に1度、拠出金を支払わなければならない。この拠出金の支払いが延滞している締約国は、世界遺産委員会の委員国に選出される資格がないのと同時に、「**緊急援助**」以外の国際的援助も受けることができない。

世界遺産基金は、世界遺産委員会が決定する目的にのみ使用することができ、途上国の登録推薦書作成や保護管理計画書の作成の援助、専門家の調査・研究、専門家や技術者の要請、自然災害や紛争からの復興、リアクティヴ・モニタリングへの派遣、保全状況報告に基づく技術協力、危機遺産リストに記載された遺産への技術支援、教育・普及活動絵の支援、国際的援助などに充てられている。締約国は世界遺産基金に対する拠出に際し、いかなる政治的な条件もつけることはできない。現在、**世界遺産基金は資金が大きく不足**しており、「緊急援助」よりも「準備援助」に優先的に予算が振りわけられるなど、課題は多い。

2.11 国際的援助 (International Assistance)

国際的援助は、**世界遺産基金を第一の資金源とする国際的な支援の仕組み**。世界遺産リストや暫定リストに記載された遺産の保全と管理において、遺産を保有する国が国内で十分な人的・財政的資源を確保できない場合、保有国の取り組みを国際的に補助する。世界遺産条約では、締約国が自国内の文化遺産や自然遺産を保護するために国際的な援助を要請することができると定められてお

2022年2月に始まったロシアのウクライナ侵攻で被害が懸念されるキーウ・ペチェルーシク大修道院

り、世界遺産リストに記載されている遺産と、記載することになっている遺産が対象となる。

世界遺産委員会は以下の3つの分野で国際的援助の調整と範囲、割り振りを行い、2年ごとに予算を決定する。作業指針の中では、優先順位は「緊急援助」が最も高く、「準備援助」が最も低いとされる。

国際的援助の3つの分野

❶ **緊急援助**：大規模な災害や事故、紛争などで被害を受けた遺産の復興費用など

❷ **保全・管理援助**：専門家や技術者の派遣や機材の購入費用、遺産の保護・保全に従事する管理者や専門家の育成費用、遺産の価値や理念の教育・広報費用、国際協力促進費用など

❸ **準備援助**：事前調査への準備支援など

国際的援助は、危機遺産リストに記載されている遺産に対して優先的に供与されており、世界遺産委員会は確実に危機遺産リスト記載の遺産に予算が割り当てられるように、特別予算枠を設けている。世界遺産基金に対する分担拠出金または任意の拠出金の支払いが滞っている締約国は、「緊急援助」を除き、国際的援助を受けることができない。

世界遺産委員会は、「世界遺産条約履行のための戦略的目標（5つのC）」を達成するため、委員会の決定または定期報告のフォローアップとして行われる地域別プログラムで設定された優先順位に従い、国際的援助を行う。

加えて、国際的援助に波及効果や相乗効果があり、他の資金源からの財政的支援や技術的支援を引き出す可能性があるか、国際的援助が戦略的目標「5つのC」に及ぼす影響、科学的研究と費用対効果の高い保全技術の開発の模範となるか、**ジェンダー平等や地域コミュニティと先住民の関与についての活動**と関係しているかどうかなども考慮される。

『アーヘンの大聖堂』内部

③ UNESCOと世界遺産委員会の諮問機関

3.1 UNESCO（United Nations Educational, Scientific and Cultural Organization）

UNESCO（ユネスコ：国際連合教育科学文化機関）は、フランス共和国のパリに本部を置く国際連合の専門機関で、フランス共和国や英国、アメリカ合衆国を中心として1945年に「**国際連合教育科学文化機関憲章（UNESCO憲章）**」が採択された。国際連合が行う活動を前に進め、教育や科学、文化を通じて諸国民の連帯を促進し、人種や性、言語、宗教の差別なく正義や人権、基本的自由が尊重される**世界の平和と福祉に貢献**することを目的としている。

ヨーロッパを中心に世界各地を巻き込んだ第一次世界大戦と第二次世界大戦では、多くの人々が犠牲となり、都市や文化財、自然などが破壊された。戦争が終わると人々は、このような戦争を繰り返すことがないように世界各国が協力するための国際機関として1945年10月に国際連合を設立した。これは日本と連合国が降伏文書に調印し、第二次世界大戦世界大戦が終結した翌月のことである。全加盟国が平等な立場で参加する総会と、拒否権を持つ常任理事国を含む安全保障理事会が設置され、安全保障理事会には国際紛争を解決するための強力な権限が与えられた。

一方で、国連が発足した翌月の1945年11月1日に始まったロンドンでの国連会議に44カ国の国々が集まって、文化や教育を通して平和な世界を築くための国際機関を築くことで合意。国連会議の最終日である11月16日にUNESCO憲章が採択された。このように素早く憲章が採択された背景には、第二次世界大戦中の1942年に連合国側の教育大臣がロンドン*に集まった連合国教育大臣会議（CAME）において、戦後の教育や文化を通した復興が話し合われていたことがある。そして20ヵ国がUNESCO憲章を批准した1946年11月4日にUNESCO憲章が発効し、UNESCOが誕生した。「**諸国間、諸民族間の交流を進め、文化の多様性を理解・尊重しあうことが、世界の平和につながる**」と説いたこのUNESCO憲章前文の言葉に、その活動理念がよく表れている。

パリのアンヴァリッド

ロンドン：第二次世界大戦中、ヨーロッパ各国がナチス・ドイツの侵攻を逃れてロンドンに亡命政府を置いていた。

「戦争は人の心の中に生まれるものだから、人の心の中にこそ、平和のとりでを築かなければならない。相互の風習と生活を知らないことは、人類の歴史を通じて世界中の人々の間に疑惑と不信を引き起こした共通の原因であり、この疑惑と不信のために、世界中の人々の差異があまりにも多くの戦争を引き起こした。」（UNESCO憲章前文・部分）

That since wars begin in the minds of men, it is in the minds of men that the defences of peace must be constructed;
That ignorance of each other's ways and lives has been a common cause, throughout the history of mankind, of that suspicion and mistrust between the peoples of the world through which their differences have all too often broken into war;(The Constitution of UNESCO)

UNESCO総会と執行委員会、事務局がある。総会は通常2年に1度開催され、UNESCOが行う活動の方針や政策の決定、執行委員会が提出した計画の決議、執行委員会の選挙などを行う。58ヵ国の政府代表からなる執行委員会は2年に4回以上開催され、国際連合への助言やUNESCOの新加盟国の承認などを行う。事務局は、総会や執行委員会への提案書の作成やUNESCOの事業計画案や予算見積書、定期報告書の準備などを行う。

日本は国際連合に加盟する前年の1951年7月にUNESCOに加盟し、第二次世界大戦後の日本の国際社会復帰のきっかけとなった国際機関でもある。また日本人としてもアジア人としても初のUNESCO事務局長として**松浦晃一郎**（まつうらこういちろう）氏が第8代の2期（1999～2005、2005～2009）を務め、無形文化遺産条約の成立などに尽力した。

3.2 世界遺産委員会の諮問機関
(The Advisory Bodies to the World Heritage Committee)

世界遺産委員会の諮問機関は、ICCROM、ICOMOS、IUCNである。世界遺産委員会とビューロー会議に顧問として出席する。

諮問機関の主な役割は、**それぞれの専門分野について世界遺産条約履行に関する助言を行う**こと、世界遺産委員会文書及び会議議題の作成、世界遺産委員会決議の履行に関して世界遺産センターを補佐すること、グローバル・ストラテジーや戦略的目標「5つのC」、定期報告の作例や履行に関して補佐すること、世界遺産基金の効果的な活用の強化、世界遺産の保全状況の監視、国際的援助の要請の審査などで

UNESCO本部からも近いパリの「エッフェル塔」

ある。

ICOMOSとIUCNは、推薦された遺産に対する事前の専門調査を行い、世界遺産委員会の決議と同じ「登録」「情報照会」「登録延期」「不登録」の4段階の勧告を含む評価報告書を世界遺産センターに提出する。文化遺産はICOMOSが、自然遺産はIUCNが専門調査を行うが、複合遺産の場合は、文化遺産面をICOMOS、自然遺産面をIUCNが行う。また文化的景観については、ICOMOSがIUCNと協議しながら行う。

諮問機関は、専門性に基づきさまざまな助言や補助を行っているが、近年ではアップストリーム・プロセスやプレリミナリー・アセスメントなども含めて業務量が増えており、**諮問機関の負担の増加が課題**となっている。また、専門家で構成される非政府機関（NGO）であるICOMOSは人的・財政的な限界があるにも関わらず、取り扱う遺産が圧倒的に多い文化遺産を担当しているため、特に負担への対策が求められている。

3.3 ICCROM（the International Centre for the Study of the Preservation and Restoration of Cultural Property）

ICCROM（**イクロム**：文化財の保存及び修復の研究のための国際センター）は、本部をイタリア共和国のローマに置く国際的な政府間機関。かつては「ローマセンター」とも呼ばれたため、ICCROMの前身である「国際保存センター（the International Centre for Conservation）」と「ローマセンター（the Rome Centre）」の頭文字を取ってICCROMと呼ばれる。

第二次世界大戦後の動産と不動産を含む文化財の保存や修復に関する調査研究のため、1956年の第9回UNESCO総会でICCROMの設立が採択された。1959年からローマに本部が置かれている。

不動産や動産の文化遺産の保全強化を目的とした研究や記録の作成、助言、技術支援、技術者や専門家の研修や養成、普及・広報活動などを目的としている。文化遺産に関する研修・養成において主導的な協力機関になることが求められており、さまざまな教育プログラムが考えられて世界各地で実施されている他、保全に関する資料、レポート、専門誌、書籍、画像、デジタルデータなどの、世界有数の書庫を持っている。文化遺産の保全状況の監視や国際的援助要請の審査なども行う。2年に1度総会が開催され活動方針が決定される。

ICCROMの本部が置かれるローマにある「パンテオン」

3.4 ICOMOS (the International Council on Monuments and Sites)

ICOMOS(イコモス：国際記念物遺跡会議)は、本部をフランス共和国のパリに置く非政府機関(NGO)で、**ヴェネツィア憲章***の原則を基に、1965年に設立された。建築遺産や考古学的遺産の保全のための理論や方法論、科学技術の応用を推進することを目的としている。

世界遺産センターからの依頼を受けて、世界遺産リストへ登録推薦された文化遺産(複合遺産における文化遺産の価値を含む)の専門的調査や審査を行い、世界遺産委員会に勧告を含む評価報告書を提出する。他にも、文化遺産の保全状況の監視や国際的援助の要請に対する審査、戦略的目標「5つのC」における能力構築への助言や支援なども行う。

総会は毎年開催され、会長1名と5名の副会長を含む20名の理事会で運営が行われる。理事は3年に1度改選され、日本からは**大窪健之**氏が2021年より理事を

ICOMOSの本部が置かれるパリにある「ノートル・ダム大聖堂」のレリーフ

ヴェネツィア憲章：p.097参照。

務めている。また2017年から2020年まで会長を務めた**河野俊行**（こうのとしゆき）氏は名誉会長を務めている。ICOMOSはUNESCO加盟国内で活動するため、各国に国内委員会が組織されており、各国の専門家がICOMOSの国際的な活動に参加する際の窓口にもなっている。

3.5 IUCN（the International Union for Conservation of Nature）

IUCN（**アイユーシーエヌ**：国際自然保護連合）は、本部をスイス連邦のグランに置く世界的組織で、UNESCOやフランス政府、スイス自然保護連盟などの呼びかけにより、国家や政府機関、非政府機関（NGO）、科学者などをメンバーとして1948年に設立された。日本からは環境省や日本自然保護協会などが加入している。

自然の完全性や多様性を保全し、平等で生態学的に持続可能な自然資源の利用を担保するために、世界中の科学者を支援することを目的としている。世界遺産センターからの依頼を受けて、世界遺産リストへ登録推薦された自然遺産（複合遺産における自然遺産の価値を含む）の専門的調査や審査を行い、世界遺産委員会に勧告を含む評価報告書を提出する。また、**文化的景観の価値で推薦された文化遺産の自然の価値や保全管理などについてICOMOSへ助言を行う**。他にも、自然遺産の保全状況のモニタリングや国際的援助の要請に対する審査、戦略的目標「5つのC」における能力構築への助言や支援なども行う。

IUCNの本部が置かれるスイスにある『スイスのサルドナ上層地殻変動地帯』

4 世界遺産の定義

4.1 顕著な普遍的価値（Outstanding Universal Value）

「顕著な普遍的価値」とは、国家や文化、民族、宗教、性別などという枠組みを越え、**人類全体にとって現在だけでなく将来世代にも共通した重要性を持つ**ような、傑出した文化的な意義や自然的な価値を意味する。世界遺産はこの「顕著な普遍的価値」を持つ遺産である。英語の頭文字をとってOUVとも呼ばれる。

「顕著な普遍的価値」には、真正性や完全性、法的な保護や**バッファー・ゾーン**＊の設定を含む保全管理、登録基準との適合などが含まれる。世界遺産リスト記載に向けて推薦される推薦書には、そうした「顕著な普遍的価値」を保護するために、法的、科学的、技術的、行政的、財政的な措置を締約国が政策上で可能な限り採ることを示さなければならない。

世界遺産リストに遺産を記載する際には、世界遺産委員会は「**顕著な普遍的価値の言明**」（Statement of OUV：**SOUV**）を採択する。この言明は、該当する世界遺産の保護管理を効果的に進めていくための根拠を示すものである。世界遺産登録の際に、「顕著な普遍的価値の言明」が必要であるが、1978～2006年までに登録された遺産はそれがなされていなかったため、既に登録済みの遺産も、遡って言明＊する必要性が2010年の世界遺産委員会で決定した。各締約国が推薦時に用意する「顕著な普遍的価値の言明」案は、英語またはフランス語を用いてA4サイズ2枚以内でまとめなければならない。

また作業指針の中には、世界遺産条約は重大な関心や重要性、価値を持つ遺産の全てを保護することを目指すものではなく、国際的な見地から見て最も顕著な価値を持つ遺産を選定し、それを保護するものであると書かれている。世界遺産リストは、国家的に重要な遺産や、地域において価値を持つ遺産を記載するものではない。

『バガン』のパゴダ

バッファー・ゾーン：p.077参照。　**遡って言明**：日本の遺産は、2014年までにすべての遺産について言明され承認されている。

4.2.文化遺産（Cultural Heritage）

人類の歴史が生み出した記念物や建造物群、遺跡、**文化的景観**などで、登録基準(i)～(vi)のいずれか1つ以上を認められている遺産。推薦書が提出された遺産はICOMOSが事前調査を行う。

世界遺産条約1章第1条には、次のように定義されている。

- **記念物**：建築物、記念的意義を有する彫刻と絵画、考古学的な性質の物件と構造物、金石文(きんせきぶん)*、洞窟住居、並びにこれらの物件の組み合わせで、歴史上、芸術上または学術上、「顕著な普遍的価値」を有するもの。
- **建造物群**：独立または連続した建造物の群で、その建築様式、均質性または景観内の位置のために、歴史上、芸術上または学術上、「顕著な普遍的価値」を有するもの。
- **遺跡**：人間の作品（自然と人間の共同作品を含む）と考古学的遺跡を含む区域で、歴史上、芸術上、民族学上または人類学上、「顕著な普遍的価値」を有するもの。

登録されている遺産の8割弱を文化遺産が占めている。

アラベスクが美しいイスファハーンのマスジェデ・ジャーメ

金石文：金属や石などに記された文字や記号資料のこと。

4.3 自然遺産（Natural Heritage）

地球の生成や動植物の進化を示す、地形や景観、生態系などで、登録基準(vii)〜(x)のいずれか1つ以上を認められている遺産。推薦書が提出された遺産はIUCNが事前調査を行う。

世界遺産条約1章第2条には、3つ定義されている。

- 無生物または生物の生成物、生成物群からなる特徴のある自然の地域であって、美観もしくは自然科学の観点から、「顕著な普遍的価値」を有するもの。
- 地質学的または地形学的形成物、および脅威にさらされている動物または植物の種の生息地、自生地として区域が明確に定められている地域であって、自然科学もしくは保全の観点から、「顕著な普遍的価値」を有するもの。
- 自然の風景地及び区域が明確に定められている自然の地域であって、自然科学、保存もしくは美観の観点から、「顕著な普遍的価値」を有するもの。

登録されている遺産の2割弱が自然遺産となっており、文化遺産との登録数のアンバランス解消も課題となっている。

自然の雄大さを伝えるセレンゲティ国立公園

4.4 複合遺産（Mixed Cultural and Natural Heritage）

文化遺産と自然遺産、両方の価値を兼ね備えているもので、登録基準（i）～（vi）のいずれか1つ以上及び登録基準（vii）～（x）のいずれか1つ以上を認められている遺産。推薦書が提出された遺産は、文化遺産の価値をICOMOSが、自然遺産の価値をIUCNが事前調査を行う。

世界遺産条約には複合遺産についての定義はなく、作業指針の中で次のように定義されている。この定義は2005年の作業指針の改訂で加えられたもので、それ以前には作業指針でも定義されていなかった。

- 世界遺産条約の第1条、第2条に規定されている文化遺産及び自然遺産の定義（の一部）の両方を満たす場合は、「複合遺産」とみなす。

奇岩の上に修道院がたつメテオラの修道院群

4.5 危機遺産（World Heritage Site in Danger）

危機遺産とは、「危機にさらされている世界遺産リスト（危機遺産リスト）」に登録されている遺産を指す。世界遺産リストに登録されている遺産が、**重大かつ明確な危険**にさらされており、その**脅威が人間の関与により改善可能**であること、保全のためには大規模な作業が必要であること、などに加え、**世界遺産条約に基づく援助がその遺産に対し要請されている**場合、世界遺産委員会はその遺産を危機遺産リストに記載することができる。1979年にモンテネグロの『コトルの文化歴史地域と自然』が、地震の被害のために世界ではじめて危機遺産リストに記載された。

文化遺産の場合は、自然的要因と人為的要因の両方が脅威となり得る。一方で、自然遺産の場合はほとんどの脅威が人為的なもので、自然的要因が脅威となるのは、伝染病など極めてまれな場合に限られる。状況によっては、資産の完全性に対する脅威や有害な影響を、大規模公共事業の中止や法的位置づけの強化などの行政的、立法的な措置により改善することが可能な場合もある。

世界遺産条約第11条では、次のような危機が例示されている。

世界遺産における重大かつ特別な危機の例

❶ 急速に進む破損
❷ 大規模な公共工事、民間事業、急激な都市開発事業、観光開発事業に起因する消失の危機
❸ 原因が不明である大規模な変化
❹ 理由のいかんに依らない放棄
❺ 武力紛争の勃発（ぼっぱつ）、またはその恐れ
❻ 大規模な災害、異変、大火、地震や地滑り、噴火や水位の変化、洪水や津波

都市開発が問題となっているウィーンの歴史地区

危機遺産リストへの登録基準には「**明白な危機**」と「**潜在的な危機**」があり、作業指針の中で文化遺産と自然遺産でそれぞれ定められている。

文化遺産の危機の場合

- **明白な危機**：遺産が次に示すような、明確かつ証明された差し迫った危機に直面している場合

（ⅰ）材料の重大な劣化
（ⅱ）構造と装飾の両方、もしくはどちらかの重大な劣化
（ⅲ）建築または都市計画上の一貫性の重大な劣化
（ⅳ）都市空間または農村空間、あるいは自然環境の重大な劣化
（ⅴ）歴史的真正性の重大な消失
（ⅵ）文化的意義の重大な消失

- **潜在的な危機**：遺産が次に示すような、遺産の固有の特徴に有害な影響を与え得る脅威に直面している場合

（ⅰ）保護の程度を低下させるような資産の法的位置づけの変更
（ⅱ）保全に関する政策の欠如
（ⅲ）地域計画事業による脅威
（ⅳ）都市計画による影響
（ⅴ）武力紛争の勃発または脅威
（ⅵ）気候的要因、地質学的要因、その他の環境要因による驚異的な影響

自然遺産の危機の場合

- **明白な危機**：遺産が次に示すような、明確かつ証明された差し迫った危機に直面している場合

（ⅰ）病気など自然的要因または密猟など人為的要因による、資産が法的保護下に置かれる根拠となった絶滅危惧種やその他の「顕著な普遍的価値」を持つ生物種の個体数の重大な減少
（ⅱ）人間の移住、資産の重要部分を浸水させる貯水池の建設、工業・農業開発（農薬および化学肥料の使用、大規模公共事業、採掘、汚染、伐採、薪の採取など）などによる、資産の自然美又は科学的価値の重大な劣化
（ⅲ）資産の完全性を脅かす、資産境界または上流域への人間活動の侵食

- **潜在的な危機**：遺産が次に示すような、遺産の固有の特徴に有害な影響を与え得る脅威に直面している場合

（i）関係地域の法的保護状況の変更
（ii）資産の範囲内または資産を脅かす影響を持つような場所に計画された移住計画または開発計画
（iii）武力紛争の勃発または脅威
（iv）管理計画または管理体制の欠如、もしくは不備、または不十分な執行
（v）気候的要因、地質学的要因、その他の環境要因による脅威的な影響

世界遺産委員会は、文化遺産や自然遺産の危機遺産リストへの記載を検討する際には以下の要素についても補足的に考慮することが望ましいとされる。

❶ 世界遺産に影響する決定を下すのは、一国の政府があらゆる要素を秤にかけた後である。世界遺産委員会の助言を、遺産が脅威にさらされる前に出すことができれば、しばしば決定的な役割を果たすことができる。
❷ 特に、「明白な危機」の場合は、遺産が受けた物理的または文化的劣化は、その影響の強さに照らして判断し、状況に応じて分析すべきである。
❸ 特に「潜在的な危機」の場合は次の点に配慮すべきである。
  - 遺産が置かれている社会的・経済的枠組みの通常の展開に照らして、脅威の評価を行うべきである。
  - 武力紛争の恐れなど、文化遺産または自然遺産に対する影響を評価することが不可能な脅威もしばしば存在する。
  - 人口増加など、ある種の脅威は本質的に「差し迫った」ものとはなり得ず、単に予見されるだけである。
❹ 世界遺産委員会は評価を行うにあたって、文化遺産または自然遺産を脅かす要素として、**未知の原因又は 予期できない原因**についても考慮すべきである。

危機遺産リストに遺産の記載を検討する時には、世界遺産委員会は可能な限り遺産を保有する締約国と協議をしつつ「**危機にさらされている世界遺産リストから当該遺産を削除するための望ましい保全状況**」と**改善措置計画**を策定し採択する。改善措置計画を策定するために、世界遺産委員会は世界遺産センターに対し、遺産を保有する締約国と協議を行いつつ、遺産の現状や遺産を脅かす危機、改善措置の実

行可能性などについて確認することを要請する。世界遺産委員会はまた、諮問機関やその他の機関を派遣して**リアクティヴ・モニタリング**を行い、遺産を訪問して遺産を脅かす危機の性質や範囲を評価し、実施すべき措置を提案することを決定する場合がある。

このようにして得られた情報は、締約国や関係諮問機関、その他の機関からのコメントと共に世界遺産センターから世界遺産委員会に提出される。世界遺産委員会は得られた情報を基に審議を行い、危機遺産リストへの記載の可否を決定する。危機遺産リストに記載された場合、新たな危機遺産リストを公表し、世界遺産委員会は実施すべき改善措置計画を定める。この改善措置計画は、すぐに実行されることを前提に締約国に提示される。

危機遺産を保有する締約国は、世界遺産委員会の協力の下、保全計画の作成と実行が求められる。その際には、世界遺産基金の活用や、世界遺産センターや各国の政府、民間機関などからの財政的・技術的援助を受けることができる。世界遺産委員会では、危機遺産リストに記載された遺産の保全状況についてリアクティヴ・モニタリングを行い、毎年審議する。

また、「顕著な普遍的価値」があることが明らかな暫定リスト記載の遺産で、危機に直面している遺産を、通常の登録手順を取らず緊急的に登録することがある。「**緊急的登録推薦**＊」と呼ばれるもので、世界遺産リスト記載と同時に危機遺産リストに記載される。

毎年の審議の中で、追加の措置が必要かどうか、危機遺産リストから削除可能な状況に改善しているかどうか、世界遺産リストに記載した際の「顕著な普遍的価値」が損なわれていた場合は世界遺産リストから抹消すべきかどうかの決定を行う。

世界遺産の「顕著な普遍的価値」が損なわれたと判断された場合は、世界遺産リストから抹消される。世界遺産委員会では、「顕著な普遍的価値」が失われるほど遺産の状況が悪化している場合と共に、世界遺産の本来の特

内戦による政情不安であるリビアのレプティス・マグナ

緊急的登録推薦：p.085参照。

徴が推薦の時点で既に人間の行為により脅かされており、推薦時に締約国が作成した改善措置が予定されて期間内に実施されなかった場合、世界遺産リストから抹消する。

そのような状況でも、世界遺産委員会では一方的に世界遺産リストから削除することはせず、世界遺産センターが締約国と協議を行い、現状の情報提供を求める。提出された状況を基に審議が行われ多数決により決議される。**締約国と協議が行われていない場合は、世界遺産委員会は世界遺産リストからの抹消を決定することはできない**。

これまでに世界遺産リストから抹消された遺産は3件ある。

❶ アラビアオリックスの保護地区

オマーン国の「アラビアオリックスの保護地区」は、アラビアオリックスの保護が不十分であっただけでなく、オマーン政府が石油や天然ガスなどの天然資源採取のために保護地区を90%削減する政策をとったことにより、危機遺産リストに記載されることなく、2007年に世界遺産リストから抹消された。当時、UNESCO事務局長を務めていた松浦晃一郎氏は、後に「アラビアオリックスの保護地区」の抹消は、世界遺産活動における最初の大きな挫折(ざせつ)であったと語っている。

❷ ドレスデン・エルベ渓谷

ドイツ連邦共和国の「ドレスデン・エルベ渓谷」は、生活の利便性を向上するためにエルベ川に近代的な橋を建設することが、住民投票を経て決定したため、推薦時に示された保全管理が不十分で景観破壊が起こる懸念から危機遺産リストに記載された。その後、計画通りヴァルトシュレスヒェン橋の建設が開始されたため、2009年に世界遺産リストから抹消された。

歴史的景観が損なわれたリヴァプール

❸ リヴァプール海商売都市

英国の「リヴァプール海商都市」は、2012年にウォーター・フロントの都市開発計画が問題となり危機遺産リスト入りすると、毎年状況報告が行われ、とうとう2019年の第43回世界遺産委員会で状況が改善されなければ世界遺産リストから抹消することが決定した。しかし、高さ制限などの計画変更をしながらも開発が実行に移された他、新たなサッカー・スタジアムの建設計画などがあり保全状況の改善が見込めなかったため、2021年の第44回世界遺産委員会*で歴史的な港湾景観が損なわれたとして、世界遺産リストから抹消された。

世界遺産そのものが削除されたわけではないが、構成資産が抹消されたものとして、ジョージアの『**ゲラティ修道院**』がある。もともとは「バグラティ大聖堂とゲラティ修道院」として大聖堂も構成資産に含まれていたが、バグラティ大聖堂で行われた再建工事が真正性を損なったとして2017年に大聖堂のみが構成資産から削除され、「ゲラティ修道院」単体での世界遺産登録となった。

構成資産が抹消され単体での登録となった『ゲラティ修道院』

4.6 負の遺産（負の側面を持つ遺産）

「負の遺産」とは、近現代の戦争や紛争、人種差別など、人類が犯した人道的な過ちを記憶にとどめ将来への教訓とする遺産と考えられる。**世界遺産条約では定義されていない**。

文化遺産はどの遺産でも「光の側面」と「影の側面」を含んでいると言えるが、「負の遺産」と考えられる遺産は、その「影の側面」を重視している。奴隷貿易の証拠であるセネガルの『ゴレ島』や、ホロコーストの非人道性を伝えるポーランドの「アウシュヴィッツ・ビルケナウ」、人種差別の証拠である『ロベン島』など、人類の過ちを伝える遺産も人類の歴史全体を記録する上で目を逸（そ）らすことができない遺産である。

2021年の第44回世界遺産委員会：第44回世界遺産委員会は2020年に開催予定であったが、新型コロナウイルス感染症の感染拡大の影響で延期された。

一方で、世界で初めて非人道的な兵器である核爆弾が使用された証拠となる『広島平和記念碑(原爆ドーム)』は、核爆弾による悲劇を伝える遺産ではなく、恒久平和を訴える遺産として登録されており、世界遺産としての価値だけ見ると「負の遺産」というカテゴリーに含めにくい。また遺産が持つ「影の側面」を、遺産の価値を超えてどの時代まで遡(さかのぼ)るのかという問題もある。

2023年の第45回世界遺産委員会では、国家とその国民(少なくとも国民の一部)もしくはコミュニティが、記憶に残したいと考える出来事が起こった場所を登録する「**記憶の場*(サイト・オブ・メモリー)**」の登録も新たに始まった。こうした遺産は、平和や人権を扱う教育の場において重視されている他、ダークツーリズムのように、観光の場でも注目を集めている。

「働けば自由になる」と掲げられたアウシュヴィッツの第1収容所

5 顕著な普遍的価値の評価基準

5.1 登録基準(Criteria)

「顕著な普遍的価値」の評価基準として、作業指針の中で**10項目からなる登録基準**が定められている。「顕著な普遍的価値」が認められるためには、この**登録基準の中から1つ以上が認められなければならない**。

登録基準はかつて、文化遺産の登録基準(i)〜(vi)と、自然遺産の登録基準(i)〜(iv)に分かれていたが、2003年の第6回世界遺産委員会特別会合にて登録基準の統合が決議され、2005年の作業指針の改訂で文化遺産と自然遺産共通の登録基

記憶の場:p.078参照。

準（ⅰ）～（ⅹ）にまとめられた。2007年の第31回世界遺産委員会で審議される遺産から、この10項目の登録基準が適用されている。

共通の登録基準ではあるが、その内容により、登録基準（ⅰ）～（ⅵ）が文化遺産に、登録基準（ⅶ）～（ⅹ）が自然遺産に適用されている。また登録基準（ⅰ）～（ⅵ）から1つ以上、登録基準（ⅶ）～（ⅹ）から1つ以上の、合わせて2つ以上の登録基準が認められている遺産が複合遺産となる。

● 登録基準

(i)	人類の創造的**資質を示す傑作**。
(ii)	建築や技術、記念碑、都市計画、景観設計の発展において、ある期間または世界の文化圏内での重要な**価値観の交流**を示すもの。
(iii)	現存する、あるいは消滅した**文化的伝統**または**文明の存在**に関する独特な証拠を伝えるもの。
(iv)	人類の歴史上において代表的な段階を示す、**建築様式**、**建築技術**または**科学技術の総合体**、もしくは**景観**の顕著な見本。
(v)	ある文化（または複数の文化）を代表する**伝統的集落**や**土地・海上利用**の顕著な見本。または、取り返しのつかない変化の影響により危機にさらされている、**人類と環境との交流**を示す顕著な見本。
(vi)	「顕著な普遍的価値」を持つ出来事もしくは生きた伝統、または**思想**、**信仰**、**芸術的・文学的所産**と、直接または実質的関連のあるもの。（この基準は、**他の基準とあわせて**用いられることが望ましい。）
(vii)	ひときわ優れた**自然美**や美的重要性を持つ、類まれな自然現象や地域。
(viii)	生命の進化の記録や地形形成における重要な地質学的過程、または地形学的・自然地理学的特徴を含む、**地球の歴史の主要段階**を示す顕著な見本。
(ix)	陸上や淡水域、沿岸、海洋の生態系、また動植物群集の進化、発展において重要な、現在進行中の**生態学的・生物学的過程**を代表する顕著な見本。
(x)	**絶滅の恐れ**のある、学術上・保全上「顕著な普遍的価値」を持つ野生種の生息域を含む、**生物多様性の保全**のために最も重要かつ代表的な自然生息域。

5.2 登録基準の概要

● 登録基準（ⅰ）

人類の創造的資質や人間の才能を示す遺産で、世界的に有名な文化遺産の多くがこの基準を満たしている。一方で、この登録基準は「ある天才の作品」であることは意味しておらず、製作者が不明であっても認められるし、産業遺産などの機能美でも認められる。

2024年3月時点で、登録基準（ⅰ）のみで登録されているのは、インドの『タージ・マハル』とオーストラリア連邦の『シドニーのオペラハウス』、カンボジア王国の『プレア・ビヒア寺院』のみである。かつてはフランス共和国の「シャンボール城」も登録基準(i)のみで登録されていたが、2000年に登録範囲が拡大され『ロワール渓谷』に組み込まれた際に、登録基準(i)(ii)(iv)となった。

インド・イスラム建築の最高傑作のタージ・マハル

登録基準(ii)

文化の価値観の相互交流を示す遺産で、交易路や大きな文化・文明の接する位置に存在する遺産に認められることが多い。かつては西欧文明を中心とする文化伝播の価値を重視していたが、現在は異文化および同一文化圏内の文化相互交流を重視している。また、当初は建築や記念碑が主な対象であったが、現在は都市計画や景観設計、科学技術などへ対象が広がっている。

東洋文化と西洋文化が接する場所にあるトルコ共和国の『イスタンブルの歴史地区』や、大陸から仏教文化やオリエント文化が伝わった『法隆寺地域の仏教建造物群』などで認められており、日本の文化遺産では認められることが多い。

大陸から文化が伝わった法隆寺

登録基準（iii）

文化的伝統や文明の存在に関する証拠を示す遺産で、古代文明に関する遺産などで多く認められる他、ローマ帝国やビザンツ帝国、エジプト文明、奈良時代など、人類史に残る帝国や時代などに関する遺産を登録する際にも認められる。もともとは考古学的遺跡を対象としていたが、文化的伝統の要素が加わった。ここでの「伝統」とは、人々の生活や習慣を規定するような伝統を指し、遺産が文化や伝統、文明の証拠を具体的に示している必要がある。また、現在その文化や文明が存続しているものも、途絶えてしまっているものも対象に含まれ、途絶えてしまっている文化や文明の遺産には、**人類の化石遺跡**なども含まれる。

巨石文化の存在を伝える英国の『ストーンヘンジ、エイヴベリーの巨石遺跡と関連遺跡群』や、ハイデルベルク原人の化石が発見されたスペインの『アタプエルカの考古遺跡群』、奈良時代の文化的伝統を伝える『古都奈良の文化財』などで認められている。一方で、『古都奈良の文化財』とよく似た構成資産を持つ『古都京都の文化財』は、特定の時代や文明を代表する遺産ではなく、長い年月の間、日本の政治や文化の中心として影響を与え続けた点が評価されているため、登録基準（iii）は認められていない。

巨石文化の存在を伝えるストーンヘンジ

登録基準（iv）

建築様式や建築技術、科学技術の発展段階を示す遺産で、建築が特徴の遺産の多くがこの基準を満たしている。しかし人類の歴史上の「代表的な段階」と結びついているという点も重視され、遺産自体が物理的に代表的な出来事との関連を示していなければならない。かつては個別の建造物の建築様式などが評価の対象として挙げられていたが、現在は景観や科学技術の集合体も重視されるようになってきており、工場住宅地や産業遺産、産業景観などでも認められる。

オーストラリア連邦の『シドニーのオペラハウス』は、ヨーン・ウッツォンのデザインが世界の建築史上の「代表的な段階」から外れた傑作であるため、この登録基準は認められていない。また、日本国の『平泉－仏国土（浄土）を表す建築・庭園及び考古学的遺跡群－』でも、浄土庭園や建築は日本独自のものであり人類史の「代表的な段階」を示しているとは言えないとして、この登録基準は認められなかった。

8世紀から地域の智の集積地の役割も担ったスイス連邦の『ザンクト・ガレンの修道院』や、日宋貿易の航路沿い海上に建てられた『厳島神社』などで認められており、日本の文化遺産では認められることが多い。

ロココ様式のザンクト・ガレンの修道院付属図書館

● 登録基準（v）

独自の伝統的集落や、人類と環境の交流を示す遺産で、その存続が危ぶまれている集落や景観も多く含まれている。当初は伝統的な建築様式や集落が主な対象であったが、伝統的な土地利用や人類と環境の交流にまで対象が広げられた。ここでの伝統的集落や土地利用は都市部にも当てはまるが、長期間にわたって居住や土地利用が行われている必要がある。また自然との相互利用によって形成された点を遺産から読み取ることができなければならない。土地や海上利用の代表例として、**農業景観や文化的景観が特徴の遺産**もこの基準を満たしている。

伝統的なバリ・ヒンドゥーの哲学に基づき形成された景観が特徴のインドネシア共和国の「バリの文化的景観」や、山間部での伝統的生活に基づく農村景観が特徴の『白川郷・五箇山の合掌造り集落』などで認められている。

自然環境と灌漑システムの調和が特徴のバリの文化的景観

● 登録基準（vi）

人類の歴史上の出来事や伝統、宗教、芸術などと強く結びつく遺産に認められる。遺産が信仰の対象であることや、芸術家に着想を与えたこと、歴史上の重要な出来事と強く関連することなど**無形の要素が重要**になっており、他の基準とは異なり、無形の要素が遺産に与えた影響を物理的に証明する必要はない。

この登録基準には「他の基準とあわせて用いられることが望ましい」という括弧（かっこ）書きの記述が追記されている。これは1996年の第20回世界遺産委員会での『広島平和記念碑（原爆ドーム）』の審議の際に、登録基準（vi）のみで登録することの是非が議論されたことと関係している。『広島平和記念碑（原爆ドーム）』での議論を経て、1997年の作業指針の改訂で、「世界遺産員会は、特別な事情がある場合、**または**、他の文化遺産もしくは自然遺産の登録基準に当てはまる場合に、この基準で世界遺産リストに記載できると考える」と書かれていた文中の赤字の「または」のところが、「**および**」に変更された。この変更により、登録基準（vi）のみでの登録ができなくなった。

その後、2005年の作業指針の改訂で、括弧書きの記述が「他の基準とあわせて用いられることが望ましい」に変更された。2005年の記述の変更は、アジアやアフリカの文化などの無形の文化側面や、ヨーロッパなどの歴史的都市景観における無形の側面などを評価することを念頭に、登録基準（vi）の運用が少し柔軟になったとも考えられる。日本の文化遺産では認められることが多い。

また、登録基準（vi）のみで登録されている遺産は、他の登録基準が認められにくい「負の遺産」と考えられるものが多い。

登録基準の記載に影響を与えた広島平和記念碑

登録基準（vii）

自然美や景観美、独特な自然現象を示す遺産で、世界的に有名な自然遺産の多くがこの登録基準を満たしている。この登録基準には、客観的に測定可能な「最高の自然現象」と、客観的な評価が難しい「並はずれた自然美と美的重要性」という異なる2つの考え方が含まれている。自然美や美的重要性を評価する方法として、文化遺産の登録基準が当てはまる文化遺産や文化的景観に対する真正性の評価とは異なるアプローチを採らなければならない。

火山活動によってできた美しい景観が見られるパラオ共和国の『ロック・アイランドの南部ラグーン』や、ヤクスギを中心とする鬱蒼（うっそう）とした原生林の景観が特徴の『屋久島』などで認められている。

無人の島々やサンゴ礁などが美しい景観をつくるロック・アイランド

登録基準（viii）

地球の歴史の主要段階を示す遺産で、現在進行中の重要な地質学的なプロセスを含む地層や地形だけでなく、**恐竜や古代生物の化石遺跡**も地球の歴史を示すものとして、この登録基準が認められる。具体的には「①地球の歴史」、「②生命の記録」、「③地形の変化において進行中の重要な地質学的プロセス」、「④重要な地形もしくは地理学上の特徴」の4つの点が対象として含まれる。

プレートが地上に露出した「ボニナイト」が見られる『小笠原諸島』では、この基準も含んで推薦されたが認められず、2024年3月時点で、日本からこの登録基準が認められている遺産はない。

プレート活動によって形成され風雨によって削られて卓状台地ができたベネズエラ・ボリバル共和国の『カナイマ国立公園』や、世界最大級の恐竜化石層が残るカナダの『ダイナソール州立公園』などで認められている。

テーブルマウンテン(卓状台地)が残るカナイマ国立公園

● 登録基準(ix)

動植物の進化や発展の過程、独自の生態系を示す遺産で、ここには現在進行中の生態学、生物学の代表例も含まれている。この基準を客観的に評価するために、森林や湿地、海洋および沿岸地域、山地、小島嶼の生態系、北方の森林などでIUCNと関連団体は継続的な研究を行っている。

絶滅危惧種のヨーロッパバイソンなどの希少生物が生息するロシア連邦の『西カフカス山脈』や、アフリカ最大級の動物保護区であるタンザニア連合共和国の『セルー動物保護区』などで認められる他、日本の多くの自然遺産で認められている。

『ガラパゴス諸島』のアオアシカツオドリ

登録基準（x）

絶滅危惧種の生息域でもある、生物多様性を示す遺産で、自然環境の変化や開発などの影響を受けやすいため、危機遺産リストに記載されている自然遺産の多くでこの登録基準が認められている。この基準を客観的に評価するために、IUCNのレッドリストや植物多様性センター（CPD）*、世界の固有鳥類エリア（EBA）*の他、世界自然保護基金（WWF）が地球規模の生物多様性にとって重要なエコリージョン（生態域）を選定した「地球上の生命を救うためのエコリージョン・グローバル200」などを参照することができる。

オカバンゴ・デルタのレイヨウの群れ

植物多様性センター（CPD）：世界自然保護基金（WWF）とIUCNの共同分類イニシアティヴとして1998年に設立された。
世界の固有鳥類エリア（EBA）：鳥類の保護にとって重要であるとしてバードライフ・インターナショナルが1987年から選定している地域。

6 世界遺産に関係する概念

6.1 真正性（Authenticity）

真正性とは文化遺産に求められる概念で、文化遺産が持つ価値を評価する上で最も重視される指標である。締約国が自国の遺産を世界遺産リストに推薦する際には、建造物や景観などの文化遺産や、その遺産が持つ価値が、形状や意匠、素材、用途、機能などの点において、**それぞれの文化的背景の独自性や伝統を継承している**と証明されていることが求められる。真正性は、歴史的建造物の保存と修復に関する1964年のヴェネツィア憲章の考え方を反映している。

真正性の条件となる属性

1. 形状と意匠
2. 材料と材質
3. 用途と機能
4. 伝統と技能、管理体制
5. 所在地と周辺環境
6. 言語と、無形遺産のその他の要素
7. 精神性と感性
8. その他の内部・外部要素

精神性や感性と言った属性を真正性の条件として適用するのは簡単ではないが、伝統や文化的連続性を維持している共同体にとっては、その土地の特徴や土地の感覚を示す重要な指標となる。

こうした属性が信用に足るものかどうかを判断するための証拠は、文化遺産の本質や特性、意味、歴史を知ることを可能にする、全ての物証や伝承、表象的存在であると定義されている。そうした証拠を利用することで、文化遺産の芸術的側面や歴史的側面、社会的側面、科学的側面について詳しく検討することが可能になる。締約国が推薦書を作成する際には、真正性の属性を全て特定する必要があり、「真正性の言明」の中ではその属性の1つ1つでどれほどの真正性があるのかを証拠を示して証明しなければならない。

シリアル・ノミネーション・サイトの場合は、**個別の構成資産の真正性だけでなく、資産全体としての真正性が評価**される。当初「バグラティ大聖堂とゲラティ修道院」として登録され、バグラティ大聖堂の修復が真正性を損なったため構成資産から削除されたジョージアの『ゲラティ修道院』のように、1つの構成資産の真正性が損なわれた場合はその遺産を構成資産から削除しなければ、遺産全体の真正性が損なわれていると判断され、遺産全体が世界遺産リストから抹消されることにもなりかねない。

真正性はかつて、遺産が建造された当時の状態がそのまま維持・保存されていることが重視されていた。これは、遺産が時代を経ても大きく変化しにくい石の文化である西欧などの思想に基づいており、日本やアフリカなどの木や土の文化には必ずしも対応していなかった。1993年の『法隆寺地域の仏教建造物群』の世界遺産登録の際に、木造建造物などの保存について国際社会の理解を深める必要性を感じた日本は、1994年に奈良市にて「**真正性に関する奈良会議**」を開催し、日本主導による「**奈良文書***」が採択された。

世界中のさまざまな文化地域に存在する文化遺産の「真正性」は、文化ごとに異なる可能性がある。そのため奈良文書では、遺産の保存・保全方法と真正性は遺産がある場所の**地理や気候、環境などの自然条件と、文化・歴史的背景などの文化的文脈との関係の中で評価すべき**であるとされた。つまり、日本の遺産であれば、日本の気候風土や文化・歴史の中で営まれてきた保存技術や修復方法でのみ真正性を

奈良にある東大寺大仏殿

奈良文書：p.099参照。

担保できる。この奈良文書により真正性の考え方は柔軟になり、遺産の真正性は形状・意匠や材料・材質、工法、環境(セッティング)などを各文化に即して解釈、検討されるようになった。

その文化ごとの真正性が保証される限りは**遺産の解体修復や再建＊**なども可能であるが、作業指針の中では、考古学的遺跡や歴史的建造物、歴史的地区を再建することが正当化されるのは例外的な場合に限られ、再建は完全かつ詳細な資料に基づいて行われた場合のみ認められると書かれている。そこに憶測の余地があってはならない。再建や復元における地下遺構への影響や景観的影響、真正性の根拠とする時代の設定、後世への影響など、考慮すべき点は少なくない。

6.2 完全性（Integrity）

完全性とは全ての世界遺産に求められる概念で、**世界遺産の「顕著な普遍的価値」を構成するために必要な要素が全て含まれ**、また長期的な保護のための法律などの体制も整えられていることが求められる。もともとは自然遺産の価値を評価するための概念であったが、文化遺産でも都市景観や文化的景観などのように、遺産の内部に多くの要素が含まれる遺産が審議されるようになり、2005年の作業指針の改訂で文化遺産にも完全性が求められるようになった。

テ・ワヒポウナムのミルフォード・サウンド

遺産の解体修理や再建：都市全体を再建・復旧したポーランド共和国の『ワルシャワの歴史地区』は、真正性の解釈に波紋を残し、都市全体を再建・復旧した遺産を登録するのはワルシャワ市以外に認めないと決められた。

完全性を証明する条件として、次の3点が具体的に作業指針に記されている。

❶「顕著な普遍的価値」を表現するのに必要な要素が全て含まれているか
❷ 遺産の重要性を示す特徴や背景を不足なく代表するために、適切な大きさが確保されているか
❸ 開発あるいは管理放棄による負の影響を受けていないか

文化遺産では、遺産の価値を証明する構成資産が全て含まれていること、遺産の劣化の進行がコントロールされていること、歴史的な街並や文化的景観、その他の生きている遺産の場合はその独自性を特徴づけるそれぞれの関係性や動的な機能が維持されていること、景観に悪影響を与える恐れのある開発などが行われていないことなどが求められる。また、推薦書で「顕著な普遍的価値」を示すとされる時代と実際の構成資産の年代が一致していることや、価値を証明する建造物などがしっかりと構成資産に含まれていることなども必要である。この時に、時代や価値の異なる不必要な遺産が含まれていたり、不必要な範囲まで含まれていてはいけない。

一方で自然遺産は、**生物学的な過程や地形上の特徴が比較的無傷であること**が求められる。しかし、どの自然遺産でも完全な原生地域であることは難しく、自然遺産もまた人間との関わりの中で常に変化する動的なものである。生物学的多様性と文化的多様性は密接に関連して相互依存しており、伝統的社会や地域社会、先住民族の活動などを含む人間の活動は自然の中で多く行われている。そのため、自然遺産の中での人間の活動は、生態学的に持続可能なその地域の「顕著な普遍的価値」と矛盾しないものでなければならない。

また**自然遺産では、登録基準ごとに完全性の条件が定義**されている。

- 登録基準（vii）：遺産の美しさを維持するために不可欠な広さを持っていること。例えば滝を中心とした景観の場合は隣接集水域や下流域を含むことが求められる。
- 登録基準（viii）：自然の関係性の中で鍵となる、相互に関係があり、かつ相互依存している要素の全てもしくはほとんどを含んでいること。例えば、「氷河時代」の地域であれば、雪原や氷河それ自体、削られた氷河の形状、堆積、植物相の定着の例などを含んでいることや、火山の場合は、一連の火山作用が含まれ、さまざまな噴出物や噴火様式の全てもしくは大部分が代表されていることが求められる。

- 登録基準(ix):生態系やそこに含まれる生物多様性を長期的に保全するために不可欠なプロセスの鍵となる側面を表すために十分な大きさがあり、必要な要素を含んでいること。例えば熱帯雨林地域は、標高の変化によるヴァリエーションや、地形と土壌の種類による変化、多様に種が混ざり合ったシステムや自然再生する種の環境などが含まれていることが求められる。
- 登録基準(x):生物多様性の保全にとって最も重要な存在であること。生物学的に見て、最も多様性や代表性の高い資産のみがこの登録基準を満たすことができる。生物地理学的な地区の特徴である動植物の多様性を維持するための生息環境を含んでいることが求められる。例えば、渡りの習性を持つ生物種を含む地域では渡りのルートの保護も求められる。

6.3 文化的景観 (Cultural landscapes)

文化的景観*は、1992年の第16回世界遺産委員会で採択され、作業指針に記載された概念で、世界遺産条約1章第1条の「遺跡」の定義の中の、「**自然と人間の共同作品**」に相当するものである。**人間社会が自然環境による制約の中で、社会的、経**

世界で最初に文化的景観の価値が認められたトンガリロ国立公園

文化的景観:日本の文化財保護法における文化的景観とは対象が異なっている。

済的、文化的に影響を受けながら進化してきたことを示す遺産に認められる。文化的景観には、自然の景観と人工の景観の両方が含まれ、文化遺産に分類されるものの、文化遺産と自然遺産の境界に位置する遺産といえる。当然、文化遺産と自然遺産の両方において「顕著な普遍的価値」を持つ場合は、複合遺産として文化的景観の価値が認められることになる。

文化的景観は、**そこで暮らす人々が持続可能な土地利用のために進化させた独自の技術や、人々と自然との精神的なつながりを反映していることが多い**。そのため、文化的景観を保護することで、現在における持続可能な土地利用の技術をより良いものにし、景観における自然の価値をより向上させることができる。そして自然と共にあった伝統的な土地の利用が続いてゆくことは、世界の多くの地域で生物多様性を支えることにつながる。

これにより、従来の西欧的な文化遺産の考え方よりも柔軟に文化遺産を捉えることが可能になり、世界各地の文化や伝統の多様性の保護につながっている。1993年、ニュージーランドの『**トンガリロ国立公園**』**において、世界ではじめて文化的景観の価値が認められた**。

日本で初めて文化的景観が認められた紀伊山地の霊場と参詣道

また文化的景観の概念が採用された時には、作業指針における文化遺産の登録基準が「景観の観点」を評価できるものに修正された。中でも、文化的景観の価値で登録される遺産には、「人類と環境との交流を示す顕著な見本」として登録基準(v)が認められるものも多い。

文化的景観は、大きく次の3つのカテゴリーに分類される。

❶ **意匠された景観：人間によってデザインされ創造された景観**。宗教的もしくは記念碑的建物などで構成される、美しさを求めて造られた庭園や公園が含まれる。

❷ **有機的に進化する景観：社会や経済、政治、宗教などに対応して生まれ、自然環境に対応しその関連性の中で形成された景観**。農林水産業などの産業とも関連している。また景観の構成要素や形成のプロセスによって更に2つに分類される。

　ⓐ 残存する景観：過去のある時点で景観の発展過程が終了しているが、その重要な特徴を実体として確認できる景観。

　ⓑ 継続する景観：伝統的な生活様式と密接に結びついたもので、現代社会においても社会的な機能を残し、今も発展過程にある景観。景観が時間と共に発展したことを示す重要な物証となるもの。

❸ **関連する景観**：自然の要素がその地の民族に大きな影響を与え、文化的要素よりも**自然的な要素が、宗教的、芸術的、文学的な要素と強く関連する景観**。

文化的景観の価値を証明するためには、価値を示す全ての要素を含む、十分な広さを持った遺産でなければならない。また、文化的な重要性を持つ道や運河など輸送のための道や、文化的な交流や通信を行うネットワークなど、**長い直線状のエリアも文化的景観の対象**となる。

保護と管理の上では、文化と自然の両方の面で注意を払う必要があり、地元の共同体との協力や世界遺産登録への承認を得ることが不可欠である。文化的景観では人々が伝統的な生活を送っていることが多く、「顕著な普遍的価値」を持つプロパティとバッファー・ゾーンの設定が難しい。推薦の際には、その明確な範囲区分の設定とその根拠を明示しなければならない。

6.4 グローバル・ストラテジー

(The Global Strategy for a Representative, Balanced and Credible World Heritage List)

「世界遺産リストにおける不均衡の是正及び代表性、信用性の確保のためのグローバル・ストラテジー(**グローバル・ストラテジー**)」は、1994年の第18回世界遺産委員会にて採択された。世界遺産リストはかつて、登録されている文化遺産の内容が、西欧の中世から19世紀にかけての宮殿や城塞、キリスト教関連の教会や修道院など**「記念碑」的な遺産に偏っており**、また世界遺産条約を締約していながら世界遺産を1件も持たない国があるなど、地域的な不均衡もあったため、世界遺産リストが正しく世界の文化や文明、生態系、地理環境を代表していないのではないかとの批判が出ていた。

それを受けて、世界遺産リストの不均衡を是正して、世界遺産条約への信頼性を取り戻すために、UNESCOは選考基準や方法を見直し、テーマ別研究や地域別比較研究を推進し、アフリカ地域の登録の強化などを推進してきた。他にも、十分に世界遺産リストに記載されていない文化遺産の分野の検討や、棚田や産業遺産、現代建築に関する研究、文化的景観の「関連する景観」に関する検討、登録基準の観点から地質に関する遺産の検討などに取り組んでいる。

グローバル・ストラテジーの採択から10周年に当たる2004年の第28回世界遺

天文学に関する遺産であるジョドレルバンク天文台

産委員会で、ICOMOSとIUCNが用意した最新の世界遺産リストと危機遺産リストについて、地域や時系列、地理、テーマに沿って分析が行われた。ICOMOSの分析では、世界遺産リストに不均衡が生じているのは「世界遺産の推薦過程や、文化財の保護と管理に関する構造的な原因」と「遺産の特性が認識、評価される方法に関する数値化できない原因」の2つあるとされた。一方でIUCNの分析では、自然遺産と複合遺産は世界の生息地と地域がバランスよく世界遺産リストに記載されているが、熱帯や温帯の草原やサバンナ、湖、ツンドラ、極地、寒冬(かんとう)砂漠などの分野が不足しているとされた。

グローバル・ストラテジーを進めていく上で、**遺産の適切な評価を行うための暫定リストの作成**と、不備のない推薦書を作成するための**能力構築(Capacity-building)**が欠かせない。そのためにプレリミナリー・アセスメントやアップストリーム・プロセスなどが導入された。

6.5 シリアル・サイト (Serial properties)

シリアル・サイト(連続性のある遺産)は、文化や歴史的背景、自然環境などが共通する遺産を、全体として「顕著な普遍的価値」を持つ1つの世界遺産として登録したもの。「同一の歴史・文化群に属するもの」、「地理区分を特徴づける同種の資産であるもの」、「同じ地質学的、地形学的、または同じ生物地理区分もしくは同種の生態系に属するもの」などを登録するもので、最近では構成資産をつなぐストーリーも重視される。

シリアル・サイトは、**必ずしも個々の構成資産が「顕著な普遍的価値」を持っている必要はなく、全体として「顕著な普遍的価値」を持っていればよい**。つまり、構成資産に含まれる個々の遺産の価値ではなく、一連の遺産で証明される全体の価値が重視される。また、最初に登録される「遺産が顕著な普遍的価値」を持っていれば、構成資産を追加するために複数年にわたる審議を前提とした推薦書を提出することができる。シリアル・サイトとして世界遺産登録を目指す遺産は、シリアル・ノミネーション・サイトとも呼ばれる。

シリアル・サイトは、『古都京都の文化財』のように1つの国内に全ての構成資産が含まれる場合もあれば、イタリア共和国など9カ国にまたがる『ヨーロッパの大温泉都市群』のように国境を越えてトランスバウンダリー・サイトとなる場合もある。その場合は、関係締約国は遺産全体を管理する共同管理委員会などの機関を設立しなければならない。

また、『ル・コルビュジエの建築作品：近代建築運動への顕著な貢献』のように、シリアル・サイトがトランスコンチネンタル・サイト（大陸を越える遺産）となる場合もある。大陸を越える場合、法制度や保全体制の各国の差異が大きく、遺産全体としての管理・監督が難しいという側面もある。

フランスにあるル・コルビュジエ設計のサヴォワ邸

6.6 トランスバウンダリー・サイト（Transboundary properties）

自然は本来、国家の概念とは関係なく存在するものである。トランスバウンダリー・サイト（国境を越える遺産）は当初、そうした人為的な国境線にとらわれない自然遺産の登録推薦の際に提案されたもので、多国間の協力の下で遺産を保護・保全することを目指していた。

これは自然遺産の場合、自然環境の地質的・生態系的な特徴を国境線で明確に分断することが不可能なため、保護すべき自然環境や隣接する地域が異なる国に属する場合には、その国とも協力しながら保護する必要があるためである。しかし、文化遺産の場合でも、ベルギー王国とフランス共和国にまたがる『ベルギーとフランスの鐘楼群』のように、かつて1つの民族や文化圏であった地域が、近代的な国家の成立の際に国境で分断されてしまうことがあり、そうした遺産の保護にもこの概念が用いられ、共同で保護が行われる。

作業指針の中では、**できる限り関係締約国が共同で登録推薦書を作成**し、共同管理委員会などの機関を設立して遺産全体の管理を監督することが強く推奨されている。また、現在1つの締約国内にある遺産が、拡大登録によってトランスバウンダリー・サイトになる場合もある。トランスバウンダリー・サイトのバッファー・ゾーンや遺産名を変更する際には、全ての関係締約国の同意が必要となる。

一方で、国境を接する遺産であっても別々の遺産として登録されているアルゼンチン共和国とブラジル連邦共和国の『イグアス国立公園』や、スペインの「サンティアゴ・デ・コンポステーラの巡礼路」とフランス共和国の『フランスのサンティアゴ・デ・コンポステーラの巡礼路』などは、トランスバウンダリー・サイトとはみなされない。

ベルギー、ゲントの鐘楼（ベルギーとフランスの鐘楼群）

6.7 人間と生物圏計画（Man and the Biosphere Programme [MAB]）

「人間と生物圏計画（**MAB計画**）」は、社会生活や商工業活動などの人間の営みと自然環境の相互関係を理解し、環境資源の持続可能な利用と環境保全を促進することを目的に、UNESCOが1971年に立ち上げた研究計画。人類と環境の接点に注目し、そこで起こりつつある問題の解決を目指しており、生物多様性と経済活動を機能的に結びつけるための、科学的な研究やモニタリング、人材育成などが行われている。

世界遺産における自然遺産と異なるのは、**自然遺産が「顕著な普遍的価値」を持**

つ自然を厳格に保護することを目的としていることに対し、MAB計画では自然保護と地域社会が両立した持続可能な発展を目指している点である。

MAB計画の主な活動

❶ **生物圏の変化を特定し評価：**人間のさまざまな活動や自然の活動や、気候変動などの変化が人間や環境に与える影響などを評価する。

❷ **生態系と社会・経済的なプロセスの相互関係の研究：**人間の幸福度を上げるために生態系から必要な要素が提供されている一方で、そうした要素が生物学的多様性と文化的多様性が失われることで阻害されていることなどを、生態系と社会・経済的なプロセスの相互関係から研究する。

❸ **人間の基本的な福祉と住みやすい環境の確保：**急速な都市化とエネルギー消費という環境変化を促す要因の中で、人間の基本的な福祉と快適な住環境を確保する。

❹ **知識の交換と伝達を促進：**環境問題とその解決策についての知識の交換と伝達を促し、持続可能な開発のための環境教育を促進する。

アルタイの豊かな自然

MAB計画では、生物多様性を保全し、地域の自然資源を活用した持続可能な経済活動を進めるモデル地域として「生物圏保存地域*(Biosphere Reserve)」を定めている。生物圏保存地域では、生物多様性を「核心地域(コア・エリア)」「緩衝地帯(バッファー・ゾーン)」「移行地帯(トランジション・エリア)」の三段階の区域に分けて重層的に保護している。

「核心地域」とは、生物多様性を保全する区域そのもので、その核心地域の周囲に生物多様性の保全を妨げる活動を制限する「緩衝地帯」、さらにその周囲に保全を基調とした持続可能な社会経済開発ができる「移行地帯」が設定されている。

世界遺産では、生物圏保存地域から**「核心地域」と「バッファー・ゾーン」の概念を援用**し、「核心地域」に該当する範囲を「顕著な普遍的価値」を持つ「プロパティ」としている。

一方で、トランジション・エリアの概念は採用しておらず、バッファー・ゾーンの外側である「**広域な周辺環境(wider setting)**」での森林伐採や都市開発などが大きな課題となっている。現在では「広域な周辺環境」での開発などが世界遺産の「顕著な普遍的価値」に影響を与える場合、諮問機関から懸念や、危機遺産リストへの記載勧告が出されることもある。

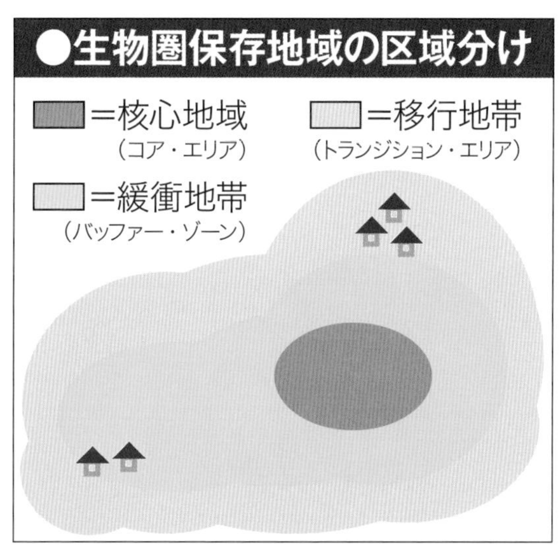

6.8 バッファー・ゾーン(緩衝地帯)(buffer zone)

バッファー・ゾーンは、世界遺産を効果的に保護するために、遺産の周囲に設定されるエリアのこと。バッファー・ゾーンでは利用や開発を法的もしくは慣習的に規制することで、遺産の周辺環境や景観などが守られる。

当初は、バッファー・ゾーンの概念は採用されておらず作業指針にも言及がなかったが、2005年の作業指針の改訂でバッファー・ゾーンが組み込まれ、その設定は必須ではないものの価値を適切に守るために、**バッファー・ゾーンの設定が自然遺産と文化遺産双方において厳格に求められる**ようになった。バッファー・ゾーン

生物圏保存地域:日本では「ユネスコエコパーク」の名前でも知られ、『紀伊山地の霊場と参詣道』の大峯山を含む「大台ケ原・大峯山・大杉谷」と「屋久島・口永良部島」などが登録されている。

自体は世界遺産登録の範囲に含まれないが、推薦の際にはバッファー・ゾーンがどのように世界遺産を保護するのかの説明や、バッファー・ゾーンの範囲と特性、バッファー・ゾーンで許可される用途、正確な境界を示す地図などを提出することが求められる。バッファー・ゾーンを設定しない場合は、その理由を推薦書に明記しなければならない。また、世界遺産リストへの記載後にバッファー・ゾーンの変更や新たに設定する場合は、「**軽微な変更***」の手続きで世界遺産委員会の承認を得る必要がある。

第一次世界大戦の戦没者を慰霊する軍人墓地

6.9 記憶の場（Sites of Memory）

2023年の第45回世界遺産委員会で新たに採択された概念で、**国家とその国民（少なくとも国民の一部）もしくはコミュニティが、記憶に残したいと考える出来事が起こった場所**とされる。

2018年の第42回世界遺産委員会に向けてフランス共和国とベルギー王国から「第一次世界大戦（西部戦線）の慰霊（いれい）と記憶の場」が推薦された際に、近年に起こった戦争に関する遺産は評価が定まっておらず、関係当事者の間でも認識に違いがある

軽微な変更：p.095参照。

ため世界遺産として評価するには充分な議論を経ていないとしてICOMOSからの勧告が見送られた。また、世界遺産委員会でも、近年の戦争や紛争に関わる遺産を世界遺産リストに記載することは世界遺産条約の主旨に合わないのではないかとの意見が出たため、審議そのものが延期された。続く2019年の第43回世界遺産委員会でもフランス共和国から推薦された「1944年のノルマンディー上陸作戦の海岸」についても同様に審議が延期されたことを受け、2021年の第44回世界遺産委員会で「近年の紛争に関連した記憶の場所に関するオープンエンドの作業部会」が設置され、検討が進められた。同時に、「**近年の紛争（リーセント・コンフリクツ）**」に関する遺産の評価を一時停止することが決定した。

2023年1月の第18回世界遺産委員会特別会合で作業部会からの報告があり、同年9月に開催された第45回世界遺産委員会で「近年の紛争」における議論を前提とした「**記憶の場**」に関する世界遺産が3件登録された。

2023年に登録された「記憶の場」

❶ ESMA 博物館と記憶の場：拘禁（こうきん）と拷問（ごうもん）、虐殺（ぎゃくさつ）のかつての機密拠点（アルゼンチン共和国）
❷ 第一次世界大戦(西部戦線）の慰霊と記憶の場（ベルギー王国/フランス共和国）
❸ ルワンダ虐殺の記憶の場：ニャマタ、ムランビ、ギソジ、ビセセロ（ルワンダ共和国）

作業部会では、「近年の紛争」に関連した「記憶の場」を世界遺産リストに記載することは、UNESCOが平和な世界の構築のために果たすべき役割であり、推薦に際しては**関係締約国の対話を通じた合意が重要**であるとされた。また「記憶の場」に特有の課題に対応するために、締約国や遺産の管理者、地域社会などに能力開発を促している。

また以下の点を理解し留意すべきであるとしている。

❶ **紛争**：戦争や戦闘、大虐殺、拷問、軍事占領、民族自決運動、レジスタンス運動、植民地化に対する抵抗運動、アパルトヘイトや占領、亡命、国外追放、大規模な人権侵害といった出来事や、国家の領土維持に潜在的な影響を与える出来事や講堂が含まれる。
❷ **近年**：20世紀以降に起こった出来事を指す。紛争の記憶は非常に繊細なものであり、その記憶は時間の枠組みを超えて何世紀も続いてゆくことを理解しなければならない。

❸ **記憶の場**：国家や国民、コミュニティが記憶に残したい出来事が起こった場所。近年の紛争に関する場所とは、世界遺産条約の文化遺産と自然遺産の定義に従った物的証拠のある場所、もしくは紛争の犠牲者を追悼する記念碑的な側面と結びつく景観のことである。一般に開放される「記憶の場」としての遺産は、和解や追悼、平和的な反省が行われる場所を代表しており、**平和と対話の文化を促進するために教育的な役割を果たさなければならない。**

推薦において登録基準(vi)を「記憶の場」に適用する場合には、他の基準と共に用いることや、近年の紛争と記憶のつながりが明確に示されていること、有形の直接的な証拠があること、類似の特徴を持つ遺産との比較研究がなされていることなどが求められる。

推薦書には有形の遺産と関連する記憶の真正性の評価が含まれ、異なる見解が出てくる可能性を念頭に置き、**記憶の歪曲を避けるために事実の正確さを証明する必要**がある。また地域や国家、国際レベルで不協和音が起こった場合に、それを最小限に抑えるための努力を行ってきたこと、推薦の準備過程で影響を受ける可能性がある全ての利害関係者が参加し、推薦する遺産の意味や価値、解釈に関する合意を得るための真剣な努力がなされてきたことも推薦書に明示しなければならない。

「解釈戦略(インタープリテーション・ストラテジー)」として、正確な遺産の内容や紛争が起こった場所の位置、その解釈などを、平和と対話構築の観点から示す他、「教育と情報プログラム」として高い倫理的・学術的基準を満たす教育と情報プログラムを用意すること、現在も価値観が争われている場所であれば、特定の意見や見解を不当に優遇したり排除したりしないこと、「近年の紛争」の和解が多くの困難を伴うことを念頭に、和解のためのプロセスを文書化して示すことなどが決められた。

また「記憶の場」の世界遺産登録が、世界遺産委員会やUNESCOの意見表明を意味するものではないこと、登録に異議のある他の締約国は書面で異議申し立てができることも改めて確認された。

6.10 世界遺産条約履行のための戦略的目標（5つのC）
(Strategic Objectives (the 5 Cs))

世界遺産条約採択30周年にあたる2002年に、ハンガリーのブダペストで「世界遺産に関するブダペスト宣言」が採択され、国際協力の下で世界遺産の「顕著な普遍的価値」を守り、世界遺産が持続可能な社会の発展に貢献するために、戦略目標「4

つのC」が示された。その後、2007年にニュージーランドで行われた第31回世界遺産委員会で「Communities(共同体)」が加えられ、「5つのC」が世界遺産条約履行の戦略目標となった。

毎年の世界遺産委員会において、世界遺産センターは1年間の活動を「**5つのC**」の分類に当てはめて報告し、戦略的目標がどのように実行できているのかを確認している。

● 世界遺産条約履行のための戦略的目標（5つのC）

❶ **Credibility（信頼性）**：世界遺産リストが、「顕著な普遍的価値」を持つ文化遺産と自然遺産を代表し、地理的にバランスが取れたものとなるよう、世界遺産リストの信頼性を強化する。

❷ **Conservation（保全）**：世界遺産リストに記載された遺産の効果的な保全を確実なものとする。

❸ **Capacity-building（能力構築）**：推薦書作成の援助や、世界遺産条約や関係機関に対する理解や履行の援助を含む効果的な能力構築の措置の発展を促す。

❹ **Communication（情報伝達）**：コミュニケーションを通して、世界遺産に対する国民の意識や関与、支援を高める。

❺ **Communities（共同体）**：世界遺産条約を履行する上でのコミュニティの役割を強化する。

2007年に新たに「5つ目のC」として加わった「Communities(共同体)」は、国家レベル以外の全ての共同体や関係団体、機関などを含むもので、先住民や地域住民、非政府機関(NGO)、民間団体、民間企業、地方自治体などさまざまな単位に及ぶ。カナダの『ピマチオウィン・アキ』の登録に際して、一帯で自然と調和する伝統的な生活を送るアニシナアベ族が文化と自然を分けて評価する世界遺産の評価方法に反対するなど、世界遺産登録や保護・保全に積極的に関与する共同体も増えてきている。

また近年では、諮問機関の勧告と世界遺産委員会の決議の食い違いや、推薦書内容に対する誤認、内容が十分とは言えない推薦書が提出されることなど、特に

「Credibility（信頼性）」が問題視されており、「Credibility（信頼性）」の強化に力を入れてゆくことが世界遺産委員会で確認されている。

ブダペストのくさり橋と国会議事堂

6.11 定期報告

（Periodic reporting on the implementation of the World Heritage Convention）

定期報告とは、締約国が世界遺産委員会を通じてUNESCO総会に提出する報告のこと。締約国は、自国の世界遺産の保全状況や、世界遺産条約を履行するために自国で採った立法・行政措置などを自己評価して報告する。可能な限り締約国が自主的に行い、世界遺産センターは定期報告のプロセスの調整や推進を行う。

定期報告の主な目的は次の４点である。

定期報告の主な目的

❶ 締約国の世界遺産条約の履行状況を評価すること。
❷ 世界遺産リストに記載された遺産の「顕著な普遍的価値」が守られているか評価すること。
❸ 変化する周辺状況や遺産の保全状況を記録し、世界遺産に関する最新の情報を提供すること。
❹ 世界遺産条約の履行と世界遺産の保全に関して、締約国間で地域協力や情報・経験の共有などを行うための仕組みを提供すること。

各締約国は**6年ごとに定期報告を行う**。定期報告のシステムは、6年間で1つのサイクルとなっており、「①アラブ」、「②アフリカ」、「③アジア・太平洋」、「④ラテンアメリカ・カリブ海地域」、「⑤ヨーロッパ・北米」の順番で毎年地域を変えて、地域ごとに報告がなされる。そして6年目は定期報告のシステムの評価と改善が行われる。

また定期報告は、世界遺産がある地域ごとの交流や協力のためのよい機会であり、特にトランスバウンダリー・サイトの場合は、関係国の間で積極的に交流を行い協力することが望ましい。

『ブハラの歴史地区』にあるカラーン・モスク

6.12 リアクティヴ・モニタリング（Reactive Monitoring）

リアクティヴ・モニタリングは、世界遺産センターやUNESCOの他部署、世界遺産委員会の諮問機関などが、脅威にさらされている特定の世界遺産の保全状況について行う報告のことで、2015年の第39回世界遺産委員会で決定し、作業指針にも加えられた。報告のために、予期せぬ状況に陥った場合や、「顕著な普遍的価値」や保全状況に影響を与えかねない工事が行われる場合などには、**その都度、締約国は個別の報告書と影響調査を提出**する。これにより、危機に陥る可能性がある遺産の報告を直ちに受けることができるようになった。世界遺産委員会は締約国に対して、世界遺産委員会に代わって各世界遺産の保全状況の確認と報告を行う諮問機関に協力するよう勧告している。

締約国から遺産の「顕著な普遍的価値」に影響する大規模工事などの計画があるとの報告を受けて行われたリアクティヴ・モニタリングの報告書には、次の3点が記載されていなければならない。

❶ 世界遺産委員会に対して最後に報告が行われてから、遺産への脅威もしくは保全に関して明らかな改善が見られるかどうか。
❷ 遺産の保全状況報告に関する世界遺産委員会の以前の決定に対して、どのようなフォローアップが行われたか。
❸ 世界遺産リストに記載された時に認められた「顕著な普遍的価値」や真正性、完全性に対する脅威や、そもそもそうした価値自体が損なわれたり、失われたりしていないか。

2007年にドイツの「ドレスデン・エルベ渓谷」が世界遺産リストから抹消されたことを受け、保護・保全のための世界遺産委員会の決議の確実な履行や、世界遺産リストから抹消される遺産を無くすことなどを目的に、リアクティヴ・モニタリングが決定した。そのため、**危機遺産リストに記載されている遺産や、記載される可能性がある遺産に実施される他、世界遺産リストから抹消される可能性のある遺産も対象**となる。

ドレスデンの景観を損なったとされるヴァルトシュレスヒェン橋

世界遺産センターから世界遺産委員会に提出される報告書は、世界遺産リスト記載の遺産は審議が行われる世界遺産委員会の前年の12月1日まで、危機遺産リスト記載の遺産や緊急を要する事態に陥っている遺産は審議が行われる世界遺産委員会の年の2月1日までに提出しなければならない。

世界遺産委員会では、事態が重大でなく復元が可能であると判断した場合は世界遺産基金を使った技術協力の提案や、諮問機関による協力を仰ぎ、報告内容が不十分な場合は、リアクティヴ・モニタリング調査団の派遣や、専門家による指導などを行う。一方で、危機遺産リストに記載されている遺産で、その価値が失われてしまっている場合は、締約国に通知した後に世界遺産リストからの抹消を決定する。

6.13 緊急的登録推薦 (Nomination dossiers to be processed on an emergency basis)

諮問機関などの報告から**「顕著な普遍的価値」があることに疑いがないと考えられる遺産**が、災害などの自然現象や戦争・破壊などの人的行為による被害を受けている場合、もしくは重大で具体的な危機に直面している場合、世界遺産リストへの通常の推薦プロセスを経ずに審議が行われ世界遺産リストに記載される。こうした緊急での推薦プロセスは「緊急的登録推薦」と呼ばれる。また、**世界遺産リストに記載されるのと同時に、危機遺産リストにも記載される**。

締約国は、緊急的登録推薦の要請と同時に推薦書を提出する。推薦する遺産は、暫定リストに記載されている必要があるが、記載されていない場合は直ちに記載し

緊急的登録推薦で登録されたベツレヘムの聖誕教会

なければならない。世界遺産委員会では、推薦書に記載されている次の5点を基に審議を行い、緊急登録の可否の判断や、国際的援助の検討を行う。また必要であれば、登録後できるだけ早く世界遺産センターと諮問機関によって追加調査(フォローアップ・ミッション)が行われる。

● 緊急的登録推薦の推薦書に記載が必要な内容

❶ 遺産の内容と正確な境界線
❷ 登録基準に照らした「顕著な普遍的価値」の証明
❸ 完全性と真正性の証明
❹ 保護管理体制についての説明
❺ 緊急性の性質や、遺産への被害と特定の危機の内容と程度、遺産を確実に保護するために世界遺産委員会が直ちに動かなければならない理由の説明

6.14 遺産影響評価 (Heritage Impact Assessment (HIA))

世界遺産リストに記載された遺産が持つ**「顕著な普遍的価値」の属性 * が受ける影響について評価**するもの。2009年にICOMOSが開催した国際ワークショップで指針が示され、それが2011年に「「世界文化遺産の遺産影響評価についてのガイダンス」にまとめられた。2022年にはUNESCOと諮問機関によって「世界遺産における影響評価のためのガイダンスおよびツールキット」が発行された。

周辺の環境の保護も必要な『万里の長城』

属性：世界遺産が持つ真正性を評価する観点。p.065参照。

世界遺産の内部や周辺で計画・実施される開発プロジェクトによる圧力が、近年特に高まってきており、そうした開発プロジェクトの実施判断を行う前に**遺産影響評価（HIA）**を行うことが、世界遺産の「顕著な普遍的価値」の損失を防ぎ、持続可能な保護のための選択肢を見つけるうえで重要であるとされる。そのため、ガイダンスとツールキットの中では、**「影響評価」とは「行動する前に考えること」**とも説明されている。

世界遺産条約の第４条には、各締約国が自国の世界遺産を保護するために最善を尽くさなければならないと書かれており、作業指針の中でも世界遺産の遺産影響評価を行い、「顕著な普遍的価値」に対する**正と負の両方の影響を特定**し、世界遺産とバッファー・ゾーン、「広域な周辺環境」を含むエリアでの負の影響の緩和措置を採らなければならないとされている。それが、世界遺産が持つ「顕著な普遍的価値」の長期的な保護と、災害や気候変動に対する対応力の強化につながる。

遺産影響評価の11の手順

❶ **スクリーニング**：影響評価の必要性の可否や、遺産の「顕著な普遍的価値」属性の洗い出し。

❷ **スコーピング**：どのデータ、影響、地理的範囲、期間を影響評価の対象とするのかなどの方法書の作成。

❸ **ベースライン**：現在の「顕著な普遍的価値」やその属性の確認。

❹ **予定された行為と代替案**：現在予定されている開発などの計画の確認と、その計画が負の影響を与えると考えられる場合の合理的な代替案の検討。

❺ **影響の特定と予測**：予定されている計画もしくは代替案が実施された場合の、負もしくは正の影響の検討と、環境や社会、その他へ与える影響の検討。

❻ **影響評価**：予定されている計画もしくは代替案が実施された場合の、影響の大きさの測定。

❼ **緩和と強化**：予定された計画に負の影響が予測される場合、それを回避または軽減しながら実行するための合理的な代替案や緩和策の検討。また正の影響があるとしたらそれを強化することの可能性の検討。

❽ **報告**：影響評価のプロセスと結論を伝える方法の検討。

❾ **報告書のレビュー**：報告書が世界遺産委員会での意思決定の情報源になるかどうかの検討。
❿ **意思決定**：予定された計画は許可されるべきか、許可する場合は何を条件とすべきかなどの検討。
⓫ **フォローアップ**：どのような緩和策を実施すべきかなどの検討。

歴史の積み重ねが見られるプラハ

6.15 歴史的都市景観（Historic Urban Landscape）

歴史的都市景観とは、UNESCOが2011年に採択した「歴史的都市景観に関する勧告」で定義した概念で、文化・歴史的な価値や自然の価値の積み重なりと、伝統文化、経験の蓄積によって認識される都市の範囲で、「歴史地区」や「関連建造物群」などの概念を超えたより広い都市の状況や地理的背景を含んでいる。

そこには、建築や景観だけでなく、空間構成や地下遺構などの、都市構造を構成する全ての要素が含まれている他、都市での社会的・文化的な慣行や価値、経済的な作用などの遺産が持つ無形の側面も含まれている。こうした歴史的都市景観を世界遺産として保護していくためには、遺産の価値の保全と開発計画などを関連付けて考える必要があり、遺産影響評価などを含めた「広域な周辺環境」までも対象とした保全計画を立てていくことが重要になる。

7 世界遺産リストへの推薦

7.1 アップストリーム・プロセス（Upstream Process）

アップストリーム・プロセスは、暫定リストの作成や改訂、プレリミナリー・アセスメントの実施の前に**任意で行われるプロセス**で、締約国と諮問機関の協議や、諮問機関による分析、アドヴァイスからなる。基本的な原則は、**暫定リストへの記載準備から世界遺産登録までの全てのプロセスにおいて、諮問機関と世界遺産センターが締約国に直接働きかけて助言や能力強化などの協力を行うことができるようにすること**で、締約国はできるだけ早い段階でアップストリーム・プロセスを実施することが推奨されている。アップストリーム・プロセスでは、書類審査だけでなく現地調査やワークショップの実施などが行われることがある。また任意のプロセスであるため、実施費用は締約国が負担する。

2010年に出された「推薦のアップストリーム・プロセス：推薦プロセスにおける創造的なアプローチ」に関する専門家会議の報告を受けて、2011年からアップストリーム・プロセスのパイロット・プロジェクトが始まり、2015年に改訂された作業指針に記載された。**アップストリーム・プロセスを受けて世界遺産登録されたのは、2013年の『ナミブ砂漠』が第1号**である。

アップストリーム・プロセスを受けて登録された『ナミブ砂漠』

必須のプロセス：2023年から2026年までは移行期間で、2027年に推薦される遺産からは全ての遺産に必須となる。

7.2 プレリミナリー・アセスメント（事前評価）(Preliminary Assessment)

プレリミナリー・アセスメント（事前評価）は、世界遺産リストへ推薦書を提出する前の**全ての遺産に必須のプロセス**＊で、世界遺産登録の実現に向けて締約国と諮問機関が「事前評価申請書」に基づいた協議を行い、諮問機関は書類審査と協議を通して**OUVが認められる可能性の有無**や、具体的な助言・アドヴァイスを「事前評価報告書」として締約国に提供する。

推薦書を提出する遺産の登録可能性を高める目的であるが、グローバル・ストラテジーに沿った国家間の遺産数の不均衡是正を目指す世界遺産委員会の決議と、遺産のOUVの評価や保護・保全体制などを重視する諮問機関の勧告の間に齟齬（そご）が生じていることへの対策でもあった。2021年の第44回世界遺産委員会で正式に決まり、同委員会で改訂された作業指針にも記載された。

締約国と諮問機関の対話の機会強化が特徴で、遺産価値に対するお互いの評価や認識の違いなどを解消して登録の可能性が高い推薦書の作成に繋げるものとされる。一方で、作業指針には「登録の可能性が低い遺産の推薦準備に労力を割くのを防ぐ」ことに役立つとも書かれている。

● プレリミナリー・アセスメントの概要

❶ 世界遺産登録は、プレリミナリー・アセスメントと本推薦の**2段階のプロセス**となる
❷ 諮問機関は書類審査で事前評価報告書を作成する
❸ 暫定リストに記載された遺産が対象
❹ 各締約国は1年に1件のみ申請できる
❺ 全締約国からの申請数の年間上限は35件＊
❻ トランスバウンダリー・サイトの場合は、どの国の枠で申請するか選ぶことができる
❼ 必須のプロセスのため、締約国の費用負担はない
❽ 事前評価報告書の**有効期限は5年**
❾ 世界遺産委員会で審議される**推薦書には事前評価報告書が添付**される
❿ 事前評価報告書を受理してから推薦書を提出するまでに最低でも**12ヵ月**必要である

35件：上限を超えた場合は、本推薦と同じ優先順位で申請書が受理される。

諮問機関の書類審査は、暫定リストの段階で出された資料やアップストリーム・プロセスで受けたアドヴァイスなどを含む事前評価申請書に基づいて行われる。締約国は諮問機関から追加資料などの提出を求められた場合には、必要書類を世界遺産センターに提出しなければならない。また締約国は、いつでも申請書を取り下げることができる他、事前評価報告書の内容に関わらず推薦書を作成するかどうかの判断を行うことができる。一方で、プレリミナリー・アセスメントは推薦書の準備に関わることはできない。

日本では「彦根城」がはじめて、プレリミナリー・アセスメントの申請書を2023年に提出している。

7.3 世界遺産リスト記載の流れ

世界遺産条約を批准した各締約国は、自国内にある「潜在的なOUV」を持つ遺産の暫定リストを作成し、UNESCOの世界遺産センター事務局に提出する。暫定リストは、遺産の名称や位置、遺産の簡単な説明、「潜在的なOUV」の根拠などが英語またはフランス語で書かれており、内容が完全であると認められると、関係機関に伝達され世界遺産センターの公式サイトで公開される。この暫定リスト作成の早い段階でのアップストリーム・プロセスの活用が推奨されている。

ジュラ紀の魚竜の化石などが発見されたドーセット海岸

締約国は、自国の暫定リストの中から推薦を目指す遺産を第1段階のプレリミナリー・アセスメントにかけるため、**9月15日までに事前評価申請書**を世界遺産センター事務局に提出する。翌月の10月15日までに事務局は申請書を確認し、内容が完全であれば諮問機関に評価を依頼する。諮問機関は締約国と協議を行いながら書類審査を行い、翌年の10月1日までに事前評価報告書を事務局に提出する。

世界遺産センター事務局から事前評価報告書を受け取った締約国は、その12ヵ月後以降の**2月1日までに第2段階の本推薦に関わる推薦書**を世界遺産センター事務局に提出する。

その際、前年の9月30日までに推薦書の草案を事務局へ提出し、コメントなどを求めることができる。草案を受け取った事務局は内容を検討し、修正の必要性や情報が十分かどうかなどを同年の11月15日までに文書で締約国に戻す。日本の遺産の場合は、夏頃に世界遺産条約関係省庁連絡会議*で推薦する遺産が決定され、推薦書提出の直前の1月に閣議了解される。

2月1日までに提出された推薦書は、事務局で内容が完全であると認められると、同年3月1日までにICOMOSまたはIUCNに推薦書が送られ、諮問機関による専門調査・評価が行われる。ICOMOSとIUCNは夏頃に現地調査と審査を行い、翌年の1月31日までに評価の状況や評価に関する問題点、補足情報の要求などを短い**中間報告書**にまとめる。中間報告書は世界遺産センター事務局を通して締約国に送られ、コピーが世界遺産委員会に提出される。締約国は補足情報を求められた場合は、同年の2月28日までに世界遺産センター事務局に提出する。修正が推薦書本文の変更に及ぶ場合は、推薦書の修正版を提出する。

その後、**世界遺産委員会の6週間前**までに審査結果と提言が評価報告書にまとめられ、世界遺産委員会の決議と同じ「登録」、「情報照会」、「登録延期」、「不登録」の**4段階の勧告**と共に、世界遺産センター事務局を通して締約国と世界遺産委員会に提出される。評価報告書において事実誤認があれば、締約国は世界遺産委員会開催の少なくとも14日前までに内容を詳しく述べた書簡を世界遺産委員会議長に、コピーを諮問機関に送ることができる。

6月もしくは7月に開催される世界遺産委員会では、評価報告書をふまえながら審議が行われ、**基本的には合意形成という形で4段階の決議**が出される。委員国の意見がまとまらず投票による決議の動議が出された場合は、直ちに審議が止められ、委員国による投票の2/3以上の同意で可決される。

世界遺産委員会終了後すぐ、世界遺産センター事務局から推薦書を提出した全ての締約国と遺産管理者に、登録範囲とOUVを含む世界遺産委員会の決定が通知さ

世界遺産条約関係省庁連絡会議：外務省、文化庁、環境省、林野庁、水産庁、国土交通省、宮内庁、内閣官房、経済産業省で構成される（2024年3月時点）。

れ、事務局によって最新の世界遺産リストが発行される。その後、世界遺産委員会の閉会翌月に、世界遺産委員会の全ての決定に関する報告書が全締約国に送付される。

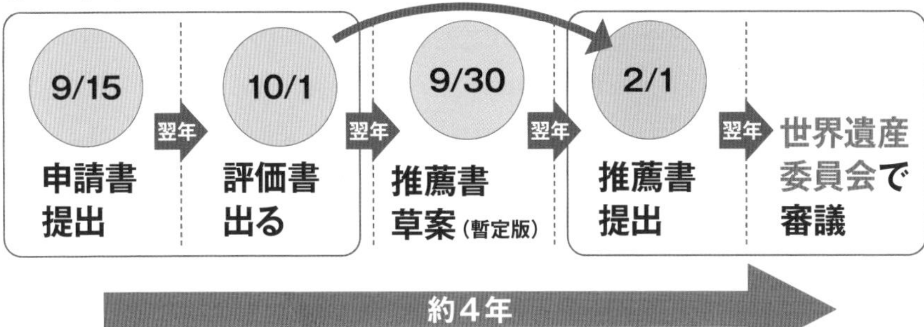

7.4 推薦書

推薦書には、作業指針に付属するフォーマットに従い、以下の内容が含まれている必要がある。

● 推薦書に記載する内容

❶ **資産の範囲**：所在国と所在地、遺産の名称（句読点とスペース込みで200文字以内）、地理的座標、プロパティの境界と緩衝地帯の境界を示す地図と計画書、プロパティの面積と緩衝地帯の面積。

❷ **内容**：文化遺産に含まれる全ての要素、自然遺産の地質的な特徴や生態学的特徴、絶滅危惧種の存在、遺産が現在の状態に至るまでの歴史と変遷などの遺産の内容説明。

❸ **価値証明**：地理的内容や歴史的内容などの事実情報の概要と、人々にとって持続的な「顕著な普遍的価値」を示す資質の概要。世界遺産リスト記載が提案される根拠となる登録基準とその価値証明、完全性と真正性の言明、保護管理の要件、類似する遺産との比較分析、世界遺産委員会が採択する「顕著な普遍的価値の言明」案など。

❹ **保全状況と遺産に影響を与える諸条件**：現在の保全状況と、開発圧力や環境圧力、自然災害と防災措置などの遺産への影響要因、世界遺産への訪問客数と許容可能な訪問客数、遺産とバッファー・ゾーン内の居住者数など。

❺ **遺産の保護管理**：所有権の所在と、法的規制や計画などの保護指定、保護措置を実施する方法、遺産がある自治体での関連する保護計画、その他の管理体制、保護のための資金源と規模、保護管理技術の専門性や研修の提供元、訪問者用の施設とインフラ、遺産の公開と広報に関する政策とプログラム、人員配置と専門知識など。

❻ **モニタリング**：保全状況を測定するための主要な指標、遺産のモニタリングのための行政措置、過去にラムサール条約やMAB計画などの国際協定に出した報告書があればその報告結果など。

❼ **資料**：写真や視聴覚資料の目録と使用許諾書、保護指定や遺産管理計画に関する文書、遺産の最近の記録、記録や史料が保管されている場所の名称と住所、参考文献など。

❽ **管理機関の連絡先**：世界遺産センターが最新の世界遺産情報を提供するための連絡先、作成担当者の個人の指名と所属、管理を担当する地方自治体、その他機関、公式ウェブサイトなど。

❾ **締約国代表署名**：締約国を代表して署名する権限を与えられた政府職員による署名。

2018年に登録された中国の『梵浄山』

7.5 登録後の変更

世界遺産リストに記載された後に、記載内容に変更*があった場合は、変更案を提出し世界遺産委員会の承認を受ける。

❶ 範囲の軽微な変更：軽微な変更とは、**遺産の範囲に重大な影響を及ぼさず、「顕著な普遍的価値」に影響を与えない変更**のこと。世界遺産委員会で**審議が行われる年の2月1日まで**に、変更の範囲、変更の概要、変更の理由、「顕著な普遍的価値」への貢献度、法的保護への影響などを記載した申請書類を世界遺産センターに提出する。世界遺産委員会で承認の決議が必要とされるが、多くの場合、諮問機関の確認を経た後で書類承認される。

❷ 範囲の重大な変更：重大な変更とは、**遺産の境界線に重大な影響を及ぼし、「顕著な普遍的価値」にも影響を与えるような変更**のこと。新規登録を行う時と同じプロセスを経る必要があり、**審議を希望する世界遺産委員会の前年の2月1日まで**に再推薦書を提出する。これは、登録範囲の縮小にも適用されるため、2017年にジョージアの「バグラティ大聖堂とゲラティ修道院」から「バグラティ大聖堂」のみが削除された際もこの方法が採られた。

❸ 登録基準の変更：世界遺産リストに記載された時に認められた登録基準と異なる基準で記載を希望する場合や、登録基準の追加を希望する場合は、新規登録を行うときと同じプロセスを経る必要があり、**審議を希望する世界遺産委**

2004年に重大な変更が行われた北京の故宮

記載内容に変更：本書では、「軽微な変更」を「範囲の変更」、「重大な変更」を「範囲拡大」と記載している。

員会の前年の２月１日までに再推薦書を提出する。世界遺産委員会の審議では登録基準に関してのみ審議され、そこで新しい登録基準が認められなかった場合も、世界遺産リストから抹消されることはない。

❹ 名称の変更：世界遺産リストに記載されている名称の変更を希望する場合は、**審議を希望する世界遺産委員会の３ヵ月前まで**に世界遺産センターに申請書を提出する。

8 世界遺産条約と関係する憲章・条約など

8.1 アテネ憲章（Athens Chapter for the Restoration of Historic Monuments）

「歴史的記念建造物の修復のためのアテネ憲章(**アテネ憲章***)」とは、1931年にギリシャ共和国のアテネで開催された第1回「歴史的記念建造物に関する建築家・技術者国際会議」にて採択された憲章*で、記念物や建造物、遺跡などの保存・修復に関する基本的な考え方を初めて明確に示したものである。以下に挙げる点などが推奨された。

小高い丘の上にある『アテネのアクロポリス』

アテネ憲章：1933年にCIAMが採択した都市の歴史的遺産に関する「アテネ憲章」とは異なる。　**採択された憲章**：実際は、この会議では「憲章」の採択は行われず、「会議の結論」が採択された。

アテネ憲章の概要

- 修復の際には**いかなる時代の様式も無視せずに過去の歴史的・芸術的作品を尊重**すること
- **「完全な復元」は行わない**こと
- 記念建造物の用途を維持しながら歴史的・芸術的特質を尊重する目的で使用すること
- 遺跡などで発見された当初の部材を可能な限り用いて修復する(**アナスタイロシス***)こと
- 修復の際には鉄筋コンクリートなどの**近代的な材料や技術を用いることができる**こと
- 記念建造物は周辺に配慮し、修復では**元の外観や性格を尊重**すること(近代的な材料を使用した場合は可能な限り隠す)
- 歴史的建造物の周辺では広告や電柱などを撤去すること
- 保存の助言や実務レベルで力を持つ国際的な組織を設立すること、
- 人々の尊敬と愛着が保存において最も重要であるため、記念物や建造物を尊重する教育を行うこと

アテネ憲章は、文化遺産を尊重し保護・修復するという点で世界遺産条約と深くつながっている一方で、**修復の際に近代的な技術と材料の使用を認める点**が、大きく異なっている。また、アテネ憲章で重要な点は、「歴史的記念建造物の修復に関する具体的な事例はそれぞれ異なる解決法があり得るほどに多様である」としている点で、「歴史的遺産の保存に関する諸問題は各国の国内法で解決しなければならない」という点と合わせて考えると、真正性の多様な解釈を求めた奈良文書にも通じる考え方を示しているとも言える。

8.2 ヴェネツィア憲章 (International Charter for the Conservation and Restoration of Monuments and Sites (The Venice Charter))

「記念建造物及び遺跡の保全と修復のための国際憲章(**ヴェネツィア憲章**)は、1964年にイタリア共和国のヴェネツィアで開催された第2回「歴史的記念建造物に関する建築家・技術者国際会議」にて採択された、記念物や建造物、遺跡などの保存・修復に関する憲章。

歴史的に重要な記念建造物は、過去からのメッセージを豊かに含んでおり、**長き**

アナスタイロシス：発掘された当初の部材を集めて元に戻すこと。「円柱を再建する」というギリシャ語が語源。

会場となった『ヴェネツィアとその潟』

にわたる伝統の生きた証拠として現在に伝えられている。人々はますます「人類の価値が一致している」と意識するようになっており、記念建造物も人類全体にとっての財産とみなすようになってきた。そのため未来の世代のために、こうした記念建造物を守ることは人類共通の責任であると認識されており、真正性の価値を守り伝えることが我々の義務である。前文では、このようにヴェネツィア憲章を採択する意義が述べられている。

ヴェネツィア憲章の概要

- 歴史ある建築の**保存と修復の考え方を国際的な基盤に基づき一致**させ、各国がそれぞれの独自の文化と伝統の枠の中でこの考え方を適用することが不可欠である。
- 歴史的記念建造物には、単一の建築作品だけでなく、**都市景観や田舎の建築環境**も含まれる。
- 記念物や建造物、遺跡などを**芸術作品かつ歴史的証拠として保護**する。
- 記念建造物を社会的に活用することは望ましいが、建築の設計や装飾を変更してはならない。特に建築における1つのまとまり（塊（かたまり））や色彩の関係を変えるような構築や破壊、改造は許されない。

- 記念建造物を、その歴史的背景や建築的環境から切り離すことはできない。保護のために不可欠な場合や、国家的・国際的な利害が移築を正当化する場合にのみ、移築が認められる。
- 修復の目的は記念建造物の**美的価値と歴史的価値を保存して示す**ことである。そのため、**修復の際には建設当時の工法や素材を尊重**し、推測による修復を行ってはならない。
- 伝統的な技術や素材が不適切であることが明らかな場合は、近代的な技術や素材を用いて補強することができる。近代的な技術が使われた場合や、必要な付加工事が行われた場合は、その個所がオリジナルと異なるとわかるように明示しなければならない。
- 記念建造物に寄与した全ての時代の様式を尊重しなければならない。

基本的には1931年のアテネ憲章の「文化遺産を尊重し保護・修復する」という理念を継承しつつも、より強く具体的に方向性を示している。また修復方法の考え方が大きく異なっており、**近代的な技術を用いることができるのは、伝統的な技術が明らかに不適切である場合のみ**である。『姫路城』の昭和の大修理の際に、天守の重量を支えきれていなかった礎石を鉄筋コンクリート製の基礎構造物に置き換えたのは、その事例である。

ヴェネツィア憲章では、修復にあたって科学的かつ考古学・歴史学的な検証を行った上で、オリジナルの材料や色彩、建築環境などを可能な限り保存することが求められる。そこで「真正性」の概念も登場し、真正性を検証する機関としてヴェネツィア憲章採択の翌年にICOMOSが設立された。

ヴェネツィア憲章のもう1つの大きな特徴が、「人類の価値が一致」しており、文化財の保護のために「保存と修復の考え方を国際的な基盤に基づき一致」させるべきであるとしている点だ。この点が少し曖昧(あいまい)であったアテネ憲章とは異なり、「1つの価値観」を強く打ち出していると言える。そして国際憲章とは言いながら、憲章を起草したメンバー23人中、19人*がヨーロッパ、1人*が北米のメンバーであったことからも、欧米的な価値観で「真正性」の考え方が始まっていることが伺える。

8.3 奈良文書 (The Nara Document on Authenticity)

奈良文書は、1994年11月に奈良市にて開催された**「真正性に関する奈良会議」**で採択された文書のことで、この文書により**「真正性」の概念が多様性を持つ**ようになった。

19人：ICCROMのポール・フィリポー氏とハロルド・ブレンダーリース氏も、出身国を考慮して数に含んでいる。 **1人**：UNESCO代表で参加したハワイ生まれの日系2世ヒロシ・ダイフク氏をカウントしている。

奈良会議が開催された背景には、ヨーロッパ中心に1992年に世界遺産条約を批准した日本の文化財の保存方法に対する誤解があり、そのままでは日本の文化財の真正性が認められないという懸念があった。この誤解は、伊勢神宮などで行われている遷宮(せんぐう)*が知られていたために、日本では遷宮のように解体して新しい材料を用いて建て直す修復方法が主流であるというものであった。これは、真正性の中で前提とされているアナスタイロシスとは相容れないと考えられた。

しかし実際には、気候が温暖で湿度が高く、地震などの自然災害が多い日本では木造の建造物の修復が頻繁に行われており、その際には解体を行わずに傷んだ部分のみを取り替える方法が採られていた。記録を残しながらできる限りオリジナルの部材を活かして修復を行う点で、ヴェネツィア憲章の考え方と通じる点も少なくなかった。

一方で、世界遺産委員会やICOMOSの中にも、ヨーロッパ中心の価値観に基づく真正性では世界の多様な文化を評価することができないとの問題意識が広がっていた。そこで世界遺産条約を批准したばかりの日本が「真正性に関する奈良会議」を開催し、真正性に関する定義と評価に関する議論が行われた。

傷んだ部分のみ修復している法隆寺の柱

奈良文書の概要

- 世界の**文化と遺産の多様性**は、全人類にとって精神的かつ知的な豊かさのかけがえのない源である。
- 文化遺産の多様性は、時間と空間の中に存在しており、他の文化とその信念体系の全ての側面を尊重することを求めている。
- 全ての形式や時代区分によって文化遺産を保全することは、その遺産が持つ価値に根ざしている。
- **固定された基準の中で価値と真正性の評価を下すことは不可能**である。全ての文化を尊重することは、遺産が属する文化の文脈の中で考慮され、評価されなければならない。

遷宮:定期的に新しい社殿を建ててご神体に遷っていただくこと。

全ての文化と社会に属する文化遺産は、それを構成するそれぞれ有形や無形の文化的背景、気候風土に根ざしており、世界遺産の真正性を評価するためにはそれらを尊重しなければならないとされた。奈良文書をもって真正性は多様性を持つようになったが、多様性の名の下に何でも許されるわけではなく、文化遺産の保全のための国際憲章や条約などを順守すべきであることも書かれている。世界の各文化が、国際的な基準を守りながら、自らの文化遺産の保護の方法について真正性の観点から自ら考えるきっかけとなっている。

これにより、日本の木造文化だけでなく、木造教会を持つ北欧や中欧の木の文化や、日干し煉瓦などを用いるアフリカの土の文化、歴史地区や文化的景観などでも柔軟に真正性が評価されるようになった。

8.4 ハーグ条約

(Convention for the Protection of Cultural Property in the Event of Armed Conflict)

「**武力紛争の際の文化財の保護に関する条約**(ハーグ条約)」は、1954年にオランダ王国のハーグにおいてUNESCOが採択した条約で、1956年に発効した。国際紛争や内戦、民族紛争などから文化財を守るための基本方針を定めている。

戦争時の文化財を標的とする襲撃は歴史的に繰り返されてきたが、第二次世界大戦ではナチス・ドイツなどを中心に美術館や博物館を計画的に襲撃して、文化財の略奪や破壊を行うことが問題となった。また歴史的建造物や都市などの多くも破壊の被害に合ったことを受け、武力紛争の最中にあっても文化財の保護を行う必要性の認識が国際的に高まったことが背景にある。

1954年の第一議定書と1999年の第二議定書は、「保護に関する一般規程」と「特別保護」、第二議定書で追加された「強化保護」の3つの保護体制で構成されており、自国の文化財だけでなく他国の文化財の保護も行うことや、軍事的に文化財を標的としないこと、武力紛争時だけでなく平時においても文化遺産や美術館、図書館を保護することなどを義務付けている。

ブルーシールド

また、特別な保護下にある不動産の文化財や、保護下にない文化財、臨時避難施設、文化財の輸送、文化財の保護に携わる人員などは「ブルーシールド」と呼ばれる標識をつけることができる。「特別保護」にある文化財には、ブルーシールドが3つ並べてつけられる。

1899年に採択され1907年に改訂された「陸戦ノ法規

慣例ニ関スル条約(ハーグ陸戦条約)」の延長線上にある1954の第一議定書の内容を見直し、1999年の第二議定書が出された背景には、1990年代にユーゴスラビア紛争のような民族や宗教の対立による紛争が増加して、文化やアイデンティティの象徴である文化遺産が紛争の主要な攻撃対象となる可能性が高まったことがある。第二議定書では、世界遺産委員会を参考に「武力紛争の際の文化財の保護のための委員会」が設置されるなど、世界遺産条約なども参照しながら制度設計がなされた。

オランダのアムステルダム中心部の運河地区

8.5 ウィーン・メモランダム (The Vienna Memorandum: World Heritage and Contemporary Architecture - Managing the Historic Urban Landscape)

ウィーン・メモランダムとは、2005年5月にオーストリア共和国のウィーンで開催された国際会議「世界遺産と現代建築－歴史的都市景観の管理」でまとめられた、歴史的都市景観や都市開発に関する原則や基準のこと。

2003年、世界遺産『ウィーンの歴史地区』のバッファー・ゾーンに位置するウィーン中央駅周辺で高層ビルを含む再開発計画が立ち上がり、歴史的都市景観の保護が問題となった。それを受けた2003年の第27回世界遺産委員会で歴史的都市景観と現代建築に関する国際会議の開催が要請され、2005年に国際会議が開かれた。

会議は、オーストリア政府やウィーン市、世界遺産センター、ICOMOS、ICCROM

の他、世界遺産都市機構（OWHC）＊や国際建築家連合（IUA）＊などが協力して、都市景観と現代建築に関する約70の事例を基に議論が行われ、ウィーン・メモランダムがまとめられた。

ウィーン・メモランダムでは、歴史的都市景観にこれまでの世界遺産の「歴史地区」や「遺跡群」、「周辺」を超えたより広域な景観が含まれており、世界遺産に登録された都市だけでなく、世界遺産を含む大都市も対象としている。

● ウィーン・メモランダムの概要

- 歴史的都市景観の中で行われる現代建築では、経済成長を促進させる開発に対応すると同時に、街の風景や景観を尊重することが課題となる。
- 歴史的都市景観での開発行為と現代建築の決定においては、歴史面と文化面での配慮や、政策決定者・都市開発者・地域住民など利害関係者との協議、専門家のノウハウが必要である。
- 新規開発においては、重要な建造物だけでなく考古学的な埋蔵物などの文化財についても直接的な影響を最小限に留めなければならない。
- 世界遺産都市における現代建築が、**歴史的都市景観の価値を高めることを確実にし、街の歴史的な性格を損ねない範囲に留める**ための特別な配慮が必要である。
- 現代建築が歴史的都市景観に溶け込むことに重点を置き、文化的・景観的な影響評価分析を開発計画の提案と同時に行うべきである。
- 現代建築の規模やデザインは固有の歴史的建築と街並にふさわしいものでなければならず、本体を取り壊し外観だけを残すファサーディズムは、開発行為の適切な方法とはなり得ない。
- 歴史的都市景観が街のブランド力や観光的・不動産的価値の向上につながる。

ウィーン・メモランダムを受けて、2005年10月の第15回世界遺産条約締約国会議において「歴史的都市景観の保全に関する宣言」が採択された。政策決定者や都市計画者、文化財保護担当者、建築家などは文化や歴史に十分配慮しながら都市遺産の保護のために協力すること、生活環境や利便性を確保することで住民の生活の質や生産効率を向上させること、世界遺産に関しては特に**歴史的都市景観の概念を推薦書等の保護計画に含むこと**などが推奨されている。また、**世界遺産の「顕著な普遍的価値」の保護は、どんな保護方針や運営方針よりも中心に据えられるべきであることをより深く再認識すること**が必要であるとしている。

世界遺産都市機構（OWHC）：世界遺産のある都市の間で保護のための相互協力を促進することを目的とした非政府組織。
国際建築家連合（IUA）：建築家や国、地域が専門的な交流を行うための非政府組織。

クリスマスのウィーンの街並

8.6 ラムサール条約 (Convention on Wetlands of International Importance especially as Waterfowl Habitat (Ramsar))

「特に水鳥の生息地として国際的に重要な湿地に関する条約(**ラムサール条約**)」は、1971年2月にイランのラムサールで開催された国際会議で採択された条約。

水鳥の生息地を保全するために湿地の生態系と生物多様性を保護し、調査、保全のための措置を取ることや、湿地を持続可能な範囲で適正に利用するために計画を立てて実行すること、各締約国が領域内にある国際的に重要な湿地を1カ所以上指定することなどが定められている。

ラムサール条約の3つの柱

❶ **湿地の保全と再生**:水鳥の生息地としてだけでなく、人々の生活を支える重要な生態系として湿地の保全と再生を行う。

❷ **湿地の賢い利用**:湿地の生態系を維持しながら、湿地を持続的に活用する。

❸ **交流と学習**:湿地の保全と再生や、賢い利用を促進するために、交流や学習、能力開発などを行う。

シアン・カーン自然保護区のブラウンペリカン

8.7 その他の条約や勧告、憲章

・文化財の不法な輸入、輸出及び所有権譲渡の禁止、並びに防止の手段に関する条約

1970年の第16回UNESCO総会で採択された条約で、1972年に発効した。保護管理体制の不備などにより盗難された**文化財の密貿易などを禁止**する条約である。

加盟国には、文化財の認定や目録の作成、文化財の保護のための機関の設置、不法に輸出された文化財の復旧を保証する加盟国間の協定の締結、摘発のための国際協力、善意の購入者への補償、教育活動などが求められる。文化財の密貿易は、今なお文化遺産を保護する上で最も懸念される課題の1つであり続けている。

・公的または私的の工事によって危機にさらされる文化財の保存に関する勧告

ヌビアの遺跡群の救済活動を受け、1968年の第15回UNESCO総会で採択された勧告。世界の諸文化の個性をつくり上げている文化財が、国民の精神の一部となることによって自己の尊厳を自覚できるように、文化財をその歴史的・芸術的な重要性に応じて可能な限り、社会的・経済的な発展による変化との調和を図りながら保護し、公開することなどを各国の義務として求めている。

・水中文化遺産の保護に関する条約

2001年に第31回UNESCO総会で採択された世界で唯一の水中の文化財に関する条約で、2009年に発効した。水中文化遺産とは、文化的、歴史的、または考古学的な性質を持つ人類の存在の全ての痕跡（こんせき）であり、その**一部もしくは全部が100年以上水中にあったもの**を指す。海中に沈んだ船舶や航空機、港湾遺跡、都市遺跡、貝塚なども保護の対象に含まれる。

主な目的は、水中文化遺産の商業利用の禁止と、移動の禁止である。水中文化遺産は移動したり引き上げたりしてはならず、発見された場所で保存することが原則とされており、移動が認められるのは港湾工事や盗掘などによって破壊される危険性がある時だけとなる。

・絶滅のおそれのある野生動植物の種の国際取引に関する条約（ワシントン条約）

1973年にアメリカ合衆国のワシントンで開催された「野生動植物の特定の種の国際取引に関する条約採択のための全権会議」で採択された条約で、1975年に発効した。

この国際会議は、1972年にストックホルムで開催された「国連人間環境会議」において、絶滅の恐れのある野生動植物の種の保護を図るため、野生動植物の輸出入等に関する会議の開催が勧告されたことを受けたもので、自然のかけがえのない一部をなす**野生動植物の特定の種が過度に国際取引に利用されることがないように保護する**ことを目的としている。

絶滅の恐れがあり、保護が必要と考えられている野生の動植物種を3つに分類し、必要に応じて国際取引の規制を行っている他、はく製や毛皮のコート、皮革製品、象牙加工品なども規制の対象になっている。

・ニジニー・タギル憲章

2003年に「**国際産業遺産保存委員会（TICCIH）**」がロシアのニジニー・タギルで採択した産業遺産に関する憲章で、産業遺産は、歴史的、技術的、社会的、建築学的、科学的価値のある産業文化の遺物からなり、建物、機械、工房、工場や製造所、炭坑、エネルギーを製造・伝達・消費する場所、輸送と全てのインフラだけでなく、住宅や宗教施設、教育など産業に関わる社会活動のために使用される場所全てで構成されると定義された。

ギリシャのパルテノン神殿から取り外され、英国の大英博物館に納められた「エルギン・マーブル」

9 世界遺産条約誕生の背景

9.1 世界遺産条約採択までの流れ

世界遺産条約は、文化遺産の保護と自然遺産の保護を1つの条約で行っている点が、大きな特徴の1つと言える。こうした文化と自然を共に保護する考え方は、ヨーロッパの歴史の中では主流ではなく、世界遺産条約以前では、文化財の保護と自然環境・生態系などの保護は別々の動きであった。この点が、文化財や自然、文化的景観、無形文化財などを保護の対象とする日本の文化財保護法などとは大きく異なっている。

自然遺産の保護にとって大きなルーツの1つが、1872年にアメリカ合衆国で**『イエローストーン国立公園』が世界で最初の国立公園に指定されたこと**である。これはUNESCOで世界遺産条約が採択されるちょうど100年前に当たる。当時のアメリカは、南北戦争も終わり西部開拓も終わり*に近づいた時代で、資源開発と工業国への発展に力強く進んでいた。そうした動きには自然環境の破壊も伴っており、自然学者や地質学者、歴史家、探検家などの中からは、自然保護を望む動きが出てきた。

中でも類まれな自然現象や景観美、生態系が残されていたイエローストーンに注目した地質学者のフェルディナンド・ヴァンデヴィア・ヘイデンや探検家のナタニ

西部開拓も終わり：1890年に西部開拓のフロンティアが消滅したとされる。

エル・P・ラングフォードなどが、イエローストーンの雄大な自然を報告書にまとめ、国立公園として守るように国に働きかけを行った。背景には、鉄道会社の開発によって観光地になってしまった「ナイアガラの滝*」への反省もあった。イエローストーンの保護を求める動きは、ヨセミテの自然保護運動などと共に大きくなり、1872年にユリシーズ・グラント大統領が「イエローストーン国立公園保護法」に署名し、世界初の国立公園が制定された。そして、1948年にIUCNが誕生すると、1958年のIUCN総会で国連加盟国が国立公園と同等の保護地域のリストを作成し、更新してゆくことを求める決議がなされた。それを受けて、1962年に開催された第1回世界公園会議では81ヵ国の国立公園と保護地域の国連リストが公表された。

一方で文化遺産の保護では、1899年にオランダ王国のハーグで開催された　第1回万国平和会議にて採択された条約の1つ「陸戦ノ法規慣例ニ関スル条約（**ハーグ陸戦条約***）」がある。ハーグ陸戦条約では、軍事目的に使用されていない歴史的記念建造物や宗教施設、学校施設などを攻撃してはならないことや、こうした建造物などは攻撃されないように印をつけることなどが定められた。続いて、第一次世界大戦後の1935年に米州諸国会議で採択された「芸術上及び科学上の施設並びに歴史上の記念工作物の保護に関するワシントン条約（レーリッヒ条約）」で、戦争時

『イエローストーン国立公園』の間欠泉

ナイアガラの滝：アメリカ合衆国とカナダの国境に位置する、北米で最大の水量を誇る滝。　**ハーグ陸戦条約**：1907年に改定された。

においても文化的な建造物の保護を優先すべきとの理念が示された。第二次世界大戦では、こうした条約などに加え、各都市の非武装化と都市部の文化財の保護を求める「**無防備都市**」を赤十字国際委員会などが進め、パリやローマ、アテネなどが無防備都市の宣言を行ったが、多くの都市や文化財が甚大な被害を受けた。

第二次世界大戦を経てUNESCOが誕生すると、早い段階から文化遺産を保護するための国際的な取り組みが検討されるようになった。1950年代に文化遺産保護の動きが本格化し、1954年にハーグ陸戦条約の流れの上で「武力紛争の際の文化財の保護に関する条約(ハーグ条約)」が採択され、1956年にICCROMの設立が採択された。そして1959年に、エジプトとスーダンの両政府から要請を受け、UNESCOが中心となって行った「**ヌビアの遺跡群救済キャンペーン**」が大きな契機となった。

ヌビアの遺跡群救済キャンペーンを経て、UNESCOは文化遺産の保護のための本格的な国際規模の体制づくりを現実的な課題と捉えるようになった。1964年のヴェネツィア憲章を受けて1965年にICOMOSが設立されると、ICOMOSの協力の下でUNESCOは、1966年の地盤沈下や大洪水により水没の危機にあるヴェネツィア救済のキャンペーンや、1968年の風化や劣化が進むボロブドゥールの仏教寺院群救済のキャンペーンなどを行い、世界遺産条約の下地が整えられていった。

ICOMOSの設立と同じ1965年、アメリカのワシントンで行われたホワイトハウス国際協力会議「自然遺産の保全と開発に関する委員会」で、文化遺産と自然遺産の両方を保護する「**世界遺産トラスト**」の構想が出され、1968年に同様の提案を加盟国に対して行っていたIUCNと共に検討が進められていた。1971年2月、アメリカ大統領のリチャード・ニクソンが環境政策に関する国際的な取り組みの演説の

1968年に救済キャンペーンが行われた『ボロブドゥールの仏教遺跡群』

中で、『イエローストーン国立公園』設立100周年に当たる1972年に「世界遺産トラスト」を設立することが望ましいと述べたことで、国際的な体制づくりが一気に加速した。

一方でUNESCOもICOMOSの協力を得ながら、「普遍的価値を有する記念碑、建造物群、遺跡に関する国際的保護条約」案をまとめ、1971年7月に国際連合加盟国へ回覧していた。1971年9月、比較的に自然保護に重点が置かれた「世界遺産トラスト」案が、スウェーデンのストックホルムで開催される世界初の国際環境会議である「**国連人間環境会議**」の準備会合に提出されると、UNESCOが比較的に文化遺産に重点を置いた条約案をまとめて既に各国に回覧していることから、両方の案を1つにしてUNESCOが条約にまとめ上げることが望ましいとの結論に至った。そこから1972年6月の国連人間環境会議で採択するのは難しいとの判断から、1972年10月17日から11月21日にかけてパリで開催されるUNESCO総会での採択を目指すこととなった。

1972年2月、アメリカはUNESCO案への別案として独自に「普遍的価値を有する自然地域及び文化的遺跡の保存と保護に関する世界遺産トラスト条約」案をUNESCOに提出した。アメリカの条約案は、全人類にとってかけがえのない価値を持つ優れた遺産をリスト化して保護することが目的で、UNESCOが出していた、緊急で保護が必要な遺産の中から特に重要なものを保護するための体制づくりを目

スウェーデン国王の居城にもなっているドロットニングホルム宮殿

的とするものとは、考え方が異なっていた。また基金の拠出方法や「トラスト」という名称*の使用などでも意見が分かれていた。そこから急いで議論が進められ、アメリカの条約案とUNESCOの条約案が1つにまとめられて、1972年11月16日に第17回UNESCO総会で「世界の文化遺産及び自然遺産の保護に関する条約(世界遺産条約)」が採択された。

9.2 ヌビアの遺跡群救済キャンペーン

「ヌビアの遺跡群救済キャンペーン」とは、UNESCOが国際社会の協力の下で、約20年かけてナイル川沿いにあるアブ・シンベル神殿からフィラエまでのヌビア地方の遺跡群を、開発による破壊から救った遺跡救済事業のこと。世界遺産の理念誕生に大きな影響を与えた。

1952年、エジプト政府はナイル川の洪水を防いで経済を安定させるためにアスワン・ハイ・ダムの建設を計画したが、エジプト革命によって計画は頓挫(とんざ)していた。しかし、エジプト革命によって誕生したガマール・アブドゥル・ナセル大統領は、アスワン・ハイ・ダムをエジプトの近代化のシンボルとすべく、ダムの建設計画を再開させた。巨大なダムが完成すると「アブ・シンベル神殿」などの貴重なエジプト文明の遺跡群がダム湖に沈んでしまうという問題があったが、エジプト政府は川の氾濫対策や農業用水の確保、経済成長などを優先し、計画が進められた。

丘の上に引き上げられたアブ・シンベル神殿

「トラスト」という名称：英語の「トラスト」に対応する語がフランス語などのラテン系言語にはなかった。

一方で、1958年にエジプトの文化大臣に就任した**サルワト・オカーシャ**は、エジプト文明の貴重な遺産が破壊されたり海外に流出*することを回避するため、ナセル大統領を説得して、1959年4月にUNESCOに遺跡群救済の協力を要請した。またダム湖には隣国スーダンにある「アクシャのラムセス神殿」や「ブヘンにある2つのエジプト文明の神殿」なども水没してしまうため、1959年10月にスーダン政府もUNESCOに救済協力の要請を行った。この時、救済の過程で海外の調査隊が発掘を行った場合、その発掘品の半分を救済の返礼として贈与することも表明された。

エジプトとスーダンの両政府から要請を受けたUNESCOは、UNESCOが取り組むにふさわしい事業であるとして、救済事業にとりかかった。1959年10月には考古学者や建築家、美術史家などの専門委員会による調査が開始され、報告を受けたUNESCOは1960年3月に事務局長の**ヴィットリーノ・ヴェロネーゼ**が世界に向けて、ヌビアの遺跡群の重要性と、国際協力によって遺跡を救済する意義などを訴え、「ヌビアの遺跡群救済キャンペーン」を呼びかけた。また、フランスの文化大臣**アンドレ・マルロー**もヴェロネーゼ事務局長の呼びかけで演説を行い、UNESCOによる「ヌビアの遺跡群救済キャンペーン」がいかに歴史的な出来事であるかを訴えた。

● アンドレ・マルローの1960年3月8日の演説の一部

ヌビアの神殿を救うことを提案しているためでなく、救済キャンペーンを通して最初の世界文明が世界の芸術を分割することのできない遺産として公に宣言するため、ヌビアの遺跡群救済キャンペーンの提案は歴史的な出来事と言えます。

Your appeal is historic, not because it proposes to save the temples of Nubia, but because through it the first world civilization publicly proclaims the world's art as its indivisible heritage.

しかし、この救済キャンペーンが呼びかけられた時代は冷戦時代であり、国際協調が簡単に進まない時代でもあった。ナセル大統領が1956年にイギリスとフランスの国策会社が運営するスエズ運河を国有化することを決定したため、イギリスとフランスはエジプトと対立関係にあったイスラエルを支援する形でエジプトに圧力をかけ、1956年10月から始まった第二次中東戦争でエジプトに侵攻していた。国

海外に流出：アメリカ合衆国の駐エジプト大使が、メトロポリタン美術館の館長と共にサルワトを訪ね、ダム湖に沈む遺跡の購入を申し出ていた。

際社会の批判や国連の介入もあり、英仏軍とイスラエル軍は1957年3月までにスエズ運河一帯から撤退したが、エジプトの遺跡救済に協力する状況ではなかった。そうした中で、UNESCOによる遺跡群の救済の方法や資金計画が立つ前に、1960年1月にはアスワン・ハイ・ダムの建設がソ連の資金援助によって開始された。

アスワン・ハイ・ダムの建設を見守るナセル大統領

一方でサルワトは、資金調達のため「黄金のマスク」などのツタンカーメン*の秘宝をアメリカやフランス、日本などでの展覧会に貸し出し、エジプト文明への理解と協力を求めた。また、ナセル大統領が1961年6月にヌビアの遺跡群救済の重要性を国際社会に訴えたこともあり、ヌビアの遺跡群に対する世界的な関心が高まって、約50の国や民間企業、個人などから約8,000万USDが集まった。

多くの遺跡が別の場所に移築されたり、内部の文化財が避難される中で、「ヌビアの遺跡群救済キャンペーン」で最大のプロジェクトとなったのが「アブ・シンベル神殿」の救済だった。ラメセス2世が築いた「アブ・シンベル神殿」は、岩山をくりぬいた巨大な建造物であるだけでなく、ナイル川沿いの崩れやすい岩山に築かれており、1年に2度朝日が神殿の奥まで差し込む複雑な設計など、他の遺跡と異なり移築が困難であった。世界中からさまざまな移築案が出される中で、最終的に神殿をブロックに切り分けダム湖の上まで64m引き上げるスウェーデンの案が採用され、1964年4月に移築が開始された。1968年9月に再建が完了した「アブ・シンベル神殿」の移築は、「世界の芸術は分割することができない」というマルローの演説を世界中が再認識するのにふさわしいものであった。

アブ・シンベル神殿の再建の様子

「ヌビアの遺跡群救済キャンペーン」は五大陸から40の技術派遣団の支援を受けて1980年3月8日まで続けられ、22の遺跡が6つのグループに分けて移築された。

ツタンカーメン：古代エジプト18王朝のファラオで、発掘された棺から出た「黄金のマスク」などの豪華な副葬品でも有名。

⑩ おわりに

世界遺産条約は、多くの国が加盟しており、最も成功した国際条約とも言われている一方で、グローバル・ストラテジーでも解消されない世界遺産リストの不均衡や、増えすぎたともいわれる登録遺産数、内容が不十分な推薦書も原因の1つとされる諮問機関と世界遺産委員会の評価の違いなど、「世界遺産」という冠の信頼性が揺らいでいるとの指摘もある。

地震や洪水などの自然災害や、火災や劣化、地球温暖化による環境破壊、21世紀になっても無くなることのない紛争や内戦による遺産破壊、経済開発や都市開発による脅威、過度の観光化による遺産劣化、そして遺産価値への無理解からくる人為的な遺産破壊など、世界遺産は様々な危機に直面している。世界遺産リストから抹消される遺産も今後増えてくるかもしれない。

加えて、新型コロナウイルス感染症の感染拡大や、ロシアによるウクライナ侵攻など世界遺産委員会が延期される事態も近年連続した。こうした事態は、世界遺産活動の安定運営と相容れないものである。

こうした状況だからこそ、世界遺産条約の存在意義は増している。世界遺産とは、世界中の人々の注目を集める冠である。世界遺産を世界中の人々の注目を集める中、保護・保全し次世代へ伝えてゆくことは、世界中の様々な文化や自然の価値を人々に再認識させ、世界遺産だけでなく身近な小さな文化の痕跡や自然を大切にする意識を芽生えさせる。つまり、世界遺産を守ることは、自分の属する文化や自然を守り、価値を高めることにつながる。

世界遺産条約は、国家や民族などを超えた「顕著な普遍的価値」を謳(うた)っているものの、国家が批准した体制に基づき運営される国際条約であるというジレンマを抱えている。その中で、国家が保護と保全の責任を持つのは大前提であるが、今後一層、世界遺産を持つ地域の人々の協力が重要になってくる。これは「世界遺産条約履行のための戦略的目標(5つのC)」に「Communities(共同体)」が加わったことや、2012年の世界遺産条約40周年の京都会合で地域社会の役割が再確認されたことからも明らかである。世界遺産条約の運用に関わる人だけでなく、私たち一人ひとりの「Capacity-building(能力構築)」が求められている。

2019年4月に火災の被害にあったパリのノートルダム大聖堂

JAPAN

日本の世界遺産

日本の世界遺産の特徴は、大きく分けて2つある。1つは木造建造物で、文化遺産20件（2024年3月現在）のうち17件が、木造建造物を含んでいる。もう1つは、森と海を中心とする複合生態系で、自然遺産5件（2024年3月現在）はどれも森と海と深く関係している。そして、文化と自然の特徴双方と関係しているのが、日本固有の信仰形態である自然崇拝を基本とする神道と、大陸との文化交流を示す神仏習合である。

概要

北海道南部及び本州北部において、紀元前13000年頃から前400年頃までの約1万年もの間続いた、農耕文化以前における人類の生活のあり方を顕著に示す17の遺跡群である。採集・漁労・狩猟による定住の開始から、定住生活の発展・成熟の過程や、人々の精神文化の発達をよく表している。

構成資産のある一帯には、山地や丘陵、平地、低地などのさまざまな地理的環境があり、近くには内湾や湖沼、水量が豊かな河川もある。また、ブナやミズナラ、クリ、クルミなどで構成される**冷温帯落葉広葉樹（北方ブナ帯）**の森林が海岸近くまで広がっていた他、近くの海洋は暖流と寒流が交差することでサケやマスなどの回遊魚が遡上する豊かな漁場となるなど、恵まれた環境であった。

17の構成資産は、集落遺跡、生活や環境を伝える貝塚、祭祀や儀礼など精神的な活動が行われた環状列石や**周堤墓**（しゅうていぼ）、有機質異物が良好な状態で残る**低湿地遺跡**＊などで構成される。それらは、縄文時代を「ステージⅠ 定住の開始」「ステージⅡ 定住の発展」「ステージⅢ 定住の成熟」の3つに区分し、それぞれをさらに2つに小区分した、6つの区分に分類されている。

低湿地遺跡：地下水を多く含む層に作られた遺跡で、空気に触れないため有機質遺物が分解されずに出土することが多い。

登録基準

●登録基準（iii）：

約1万年にわたり豊かな森林資源や水産資源を持続的に管理することで、農耕文化に移行することなく採集や漁労、狩猟を基盤とした定住社会を生み出したと同時に、豊穣への祈りや祖先崇拝などの精緻で複雑な精神世界の存在を証明している。

●登録基準（v）：

生活の拠点である集落の立地環境は、生業と深く関わると共に、人々の世界観が強く反映されていると推測される。河川や干潟の近く、ブナやクリの群生地など、集落の場所には多様性が見られ、立地に応じた道具や技術が発達した。また、気候変動による海水面の変化にも対応しつつ、森林資源や水産資源を持続利用できる集落の立地や土地利用のあり方を、集落の構造の変遷を通して証明している。

歴史

縄文時代*より古い旧石器時代は、ヴュルム氷期の末期に当たる寒冷な気候であった。海水面が低く海流が日本海にほとんど流入しないため、日本海は栄養素が低い生物の生息に厳しい環境であった。また陸域は亜寒帯気候の下、針葉樹の疎林*や草原が広がる程度で、食料となる山菜や堅果類（クリやクルミなど）の森林資源も乏しかった。

日本列島にマンモスやオオツノジカなどの大型動物を求めて大陸から人々が南下してきたのは紀元前38000年頃で、人々は集団単位で遊動生活を営んでおり、特定の場所に長期間滞在して集落を作ることはなかった。

紀元前13000年頃に世界規模の温暖化が進むと、海水面が上昇し、暖流の対馬海流が日本海を北上し、一部が津軽海峡を通って太平洋に流れ出るようになった。太平洋側では暖流の黒潮が北上して、北東北沖で寒流の親潮と交差するようになった。これにより、日本列島は温暖・湿潤な気候に変化し、紀元前7000年頃に迎えた温暖化のピークで**縄文海進***が進んだ。この海水面の上昇は、遠浅な内湾の出現や海流の活発化を促し、水産資源が豊富な環境へと変化した。

「定住の成熟」の時代の大森勝山遺跡

陸域では針葉樹林が減少し、ミズナラやブナなどが茂る落葉樹林へと変化した結果、森

縄文時代：日本独自の時代区分で、今から約15,000～2,400年前を指す。　**疎林**：枝や葉の密度が薄い森林。　**縄文海進**：縄文時代の始まりの頃の温暖化に伴う海水準上昇で、海岸線が内陸に移動した地質現象。

は山菜や堅果類などを豊富に確保できる天然の食料庫となった。北海道島南部から北東北では、北方ブナ帯と呼ばれる冷温帯広葉樹の森が広がり、ブナ林が人間の活動領域である平地から海岸線の近くまで広く分布した。

こうして北海道・北東北は、ブナ林が育む森林資源が春や秋の食料確保に大きく貢献すると共に、夏や冬などの森林資源が減少する季節には水産資源が利用でき、サケやマスなどの寒流魚が回遊して川を遡上するなど、通年で安定した食料が確保できる環境となった。これが採集や漁労、狩猟を生活基盤とする人々の生活が長く続いた理由と考えられる。

「定住の開始」の時代には、新たな食料資源を利用するために列島各地に先駆けて**煮沸用の土器**が出現しており、壊れやすく重い土器の出現は定住の始まりを示している。「定住の発展」の時代は、住居域や墓域に加えて、定住を安定させるための貯蔵施設や、衛生環境の保持と祭祀のための**捨て場＊**が作られ、集落の構成要素が多様になった。「定住の成熟」の時代には、集落が小規模化すると共に分散し、これまで生活空間としての利用が少なかった丘陵や山地への進出も行われた。分散化した集落間の結びつきを強めるため、共通の祭祀や儀礼の拠点となる共同墓地や環状列石などの施設が作られた。

集落展開及び精神文化に関する6つのステージ

紀元前1万3,000年 ▼ 紀元前7,000年 ▼ 紀元前5,000年 ▼ 紀元前3,000年 ▼ 紀元前2,000年 ▼ 紀元前1,500年 ▼ 紀元前400年 ▼

	ステージⅠ　定住の開始		ステージⅡ　定住の発展		ステージⅢ　定住の成熟	
集落の展開	Ⅰa 居住地の形成	Ⅰb 集落の成立	Ⅱa 集落施設の多様化	Ⅱb 拠点集落の出現	Ⅲa 共同の祭祀場と墓地の進出	Ⅲb 祭祀場と墓地の分離
	•土器の使用を開始	•居住域と墓域の分離 •独特な墓制の成立	•集落の施設の充実 •祭祀場的な捨て場が形成	•集落の祭祀場が多様となる •祭祀場が顕著となる	•集落は小規模となり分散 •集落外に共同の祭祀場と墓地を構築、持続・管理	•祭祀・儀礼が充実し、共同墓地・共同祭祀場が顕著となる
構成資産	**①大平山元遺跡**	**②垣ノ島遺跡**	**③北黄金貝塚 ④田小屋野貝塚 ⑤二ツ森貝塚**	**⑥三内丸山遺跡 ⑦大船遺跡 ⑧御所野遺跡**	**⑨入江貝塚 ⑩小牧野遺跡 ⑪伊勢堂岱遺跡 ⑫大湯環状列石**	**⑬キウス周堤墓群 ⑭大森勝山遺跡 ⑮高砂貝塚 ⑯亀ヶ岡石器時代遺跡 ⑰是川石器時代遺跡**
気候	氷期の終焉と温暖化の開始	温暖化と海進	火山噴火後に気候が安定	安定した温暖な気候	気候の一時的な寒冷化	冷涼な気候

①⑧⑰…内陸の河川付近、②③⑦⑨⑮…外洋の沿岸、④⑥⑯…内陸の沿岸、⑤…湖沼の沿岸、⑩⑭…山岳、⑪…山岳の河川付近、⑫⑬…丘陵

捨て場：食べかすや土器、石器などを捨てた場所で、祭祀や儀礼と関係していると考えられる。

比較研究

狩猟採集民の生活では『タッシリ・ナジェール』、貝塚における埋葬では『サルーム・デルタ』、居住と墓地の痕跡では「カルメル山の人類の進化を示す遺跡群」や「クジャター・グリーンランド」、『ポヴァティ・ポイントの記念碑的土塁群』、居住地と埋葬地の分離では『レンゴン渓谷の考古遺跡』などと比較研究されている。

保護と管理

17件の構成資産は、すべて文化財保護法の特別史跡や史跡に指定されており、国や地方公共団体が保存・管理を行っている他、関係地方公共団体では包括的保存管理計画を策定している。また、各構成資産を所管する地方公共団体では個別の保存管理計画を作成し、緩衝地帯に関しては景観法に基づく景観条例や景観計画を用いて管理を行っている。

TOPICS 構成資産

1. 大平山元遺跡(おおだいやまもと)(青森県東津軽郡)

史跡、ステージⅠa「居住地の形成」、内陸の河川付近に立地

土器を使用した定住の開始を示す集落遺跡で、持ち運びに適していない煮沸用の土器の出土などから定住が始まったことを示している。出土した土器は北東アジア最古のものと考えられる。また弓矢の使用開始を示す石鏃(せきぞく)*も出土している。

石鏃

2. 垣ノ島遺跡(かきのしま)(北海道函館市)

史跡、ステージⅠb「集落の成立」、外洋の沿岸に立地

居住域と墓域の分離など集落内の機能分化の開始を示す集落遺跡で、水産資源が豊富な太平洋に面した海岸段丘の上にある。墓には、この地域独特の葬送である子どもの足を押した足形付土版が副葬されることがあり、高い精神性を示している。

「コ」の字形の盛土遺構が残る

石鏃：矢の先につける石のやじり。

● 3. 北黄金貝塚（北海道伊達市）

史跡、ステージⅡa「集落施設の多様化」、外洋の沿岸に立地

さまざまな遺構群で構成され豊富な貝類や魚骨、海獣骨が出土する集落遺跡で、台地上に居住域と墓域、貝塚が近接して配置されている。貝塚からは、ハマグリやホタテガイなどの貝類、マグロやヒラメなどの魚骨、オットセイやクジラなどの海獣骨が出土している。

● 4. 田小屋野貝塚（青森県つがる市）

史跡、ステージⅡa「集落施設の多様化」、内湾の沿岸に立地

居住域と墓域、貯蔵施設、捨て場など、この時期の典型的な構造を示す集落遺跡で、半地下式の貯蔵穴が複数作られるなど定住を営むための施設もある。土坑墓からは出産歴のある女性の埋葬人骨が発見された。

● 5. 二ツ森貝塚（青森県上北郡）

史跡、ステージⅡa「集落施設の多様化」、湖沼の沿岸に立地

海水性と汽水性の貝塚が環境の変化を表す集落遺跡で、多くの竪穴建物跡や貯蔵穴がある大規模集落であった。貝塚は丘陵の北斜面と南斜面にあり、下層に海水性、上層に汽水性の貝塚が作られ、海進や海退による環境の変化を示している。

● 6. 三内丸山遺跡（青森県青森市）

特別史跡、ステージⅡb「拠点集落の出現」、内湾の沿岸に立地

さまざまな施設で構成される大規模な拠点集落で、祭祀場の発達が顕著な集落遺跡である。河岸段丘の上にあり、北側には竪穴建物や大型竪穴建物からなる居住域、東側には墓域と、明確に分けられており、貯蔵施設や**大型掘立柱建物**、捨て場や盛土*などもあった。大型掘立柱建物は、柱の太さが約2mもあり、柱の表面と底を焦がすことで腐らせない工夫もなされていた。列状に配置された墓からなる墓域や、祭祀や儀礼が行われた祭祀場であると考えられる大規模な盛土が長期間にわたっていくつも作られた他、多くの土偶や**ヒスイの大珠***など祭祀用の道具類も出土しており、自然崇拝や祖先崇拝などが継続して行われていたことを示している。

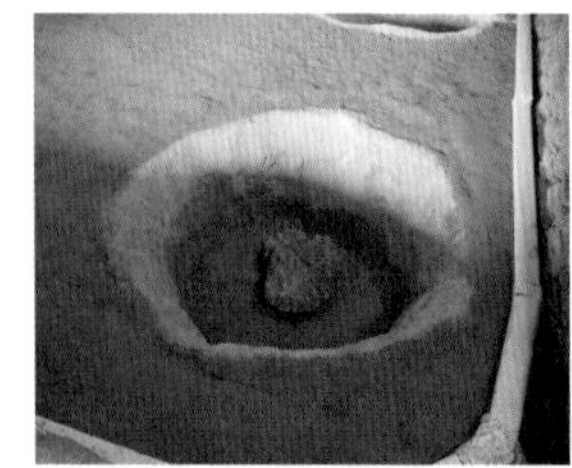
直径2mの掘立柱建物の柱跡

盛土：土と共に大量の土器や石器が捨てられた場所で、土偶なども出土していることから祭祀や儀礼と関係があると考えられる。
大珠：首飾りなどに使われたと考えられる孔（あな）のあいた加工品。

● 7. 大船遺跡(北海道函館市)

史跡、ステージⅡb「拠点集落の出現」、外洋の沿岸に立地

大規模な盛土といった祭祀場が顕著に発達した拠点集落の遺跡で、川に沿った段丘南側に竪穴建物や貯蔵施設、盛土、墓などの施設が分離して配置されている。100棟を超える竪穴建物跡や100基以上の土坑群がある他、竪穴建物跡は床を深く掘り込んだ大型のものが多く、深さ2mを超すものもある。

太平洋を望む丘の上にある

● 8. 御所野遺跡(岩手県一戸町)

史跡、ステージⅡb「拠点集落の出現」、内陸の河川付近に立地

豊富な堅果類などの森林資源に恵まれ、盛土など発達した祭祀場を伴う拠点集落で、盛土からは多くの土器や石器と共に焼かれたシカやイノシシなどの動物骨、クリやクルミ、トチノミなどの堅果類が出土し、**火を使った祭祀**が繰り返し行われたことを示している。

● 9. 入江貝塚(北海道洞爺湖町)

史跡、ステージⅢa「共同の祭祀場と墓地の進出」、外洋の沿岸に立地

複数の小規模集落で維持される多くの墓と貝塚が発見された集落遺跡で、墓域からは墓坑を伴わない埋葬人骨が確認され、そのうちの成人人骨1体は、ポリオ(小児マヒ)に感染して四肢が不自由なまま**周囲の手厚い介護**を受けながら成人まで生きたことを示している。

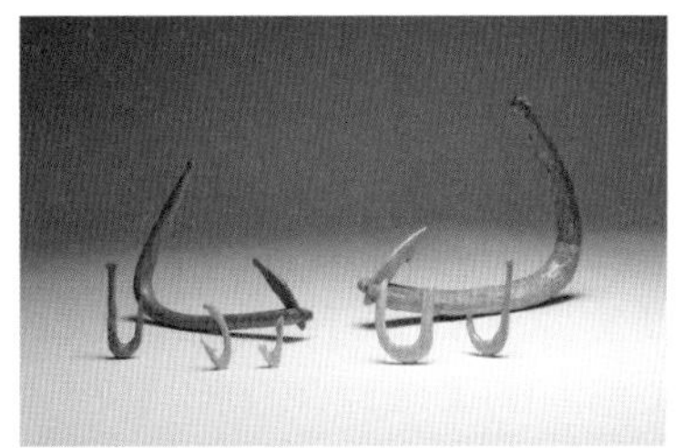
魚の骨や動物の角で作った釣針

● 10. 小牧野遺跡(青森県青森市)

史跡、ステージⅢa「共同の祭祀場と墓地の進出」、山岳に立地

複雑な配石構造を持つ単独の環状列石を伴う祭祀遺跡で、環状列石は共同墓地であると共に祭祀や儀礼の空間であった。中央帯が直径2.5m、内帯が直径29

m、外帯が直径35 mの三重となっている他、その周りを囲むように直径4 m前後の環状配石や一部四重となる列石などが配置され、全体で直径55 mに及ぶ。

11. 伊勢堂岱遺跡（秋田県北秋田市）

史跡、ステージⅢa「共同の祭祀場と墓地の進出」、山岳の河川付近に立地

４つの環状列石が集中し多くの祭祀具が出土した祭祀遺跡で、共同墓地であると共に祭祀や儀礼の空間でもあり、周辺に近接した環状列石がないため、広域にわたる複数の集落によって構築、維持・管理された祭祀場であったと考えられる。空港への県道建設の過程で発見され、保護された。

環状列石A

12. 大湯環状列石（秋田県鹿角市）

特別史跡、ステージⅢa「共同の祭祀場と墓地の進出」、丘陵に立地

規則的な構造を示す２つの環状列石で、広域にわたる複数の集落によって形成された典型的な祭祀遺跡である。最大径が52mの**万座環状列石**と、44mの**野中堂環状列石**の２つの環状列石は、川原石をさまざまに組み合わせた配石遺構を二重の環状に配置した構造となっている。それぞれの環状列石中心の石と「日時計状組石」が一直線に並ぶような配置になっており、両者を関連づけて構築した可能性が高い。２つの環状列石の間を通る県道の移設計画が進められている。

野中堂環状列石の日時計状組石

13. キウス周堤墓群（北海道千歳市）

史跡、ステージⅢb「祭祀場と墓地の分離」、丘陵に立地

高い土手で囲まれた円形の墓地が集中する特異な集団墓地の遺跡で、高い精神性と社会の複雑化を示している。周堤墓とは円形の竪穴を掘り、掘り上げた土を周囲に積み上げてドーナツ状の周堤を作り、その中に複数の墓を配置するもので、キウス周堤墓群では外径30 m以上の規模の大きな周堤墓が８基残る。

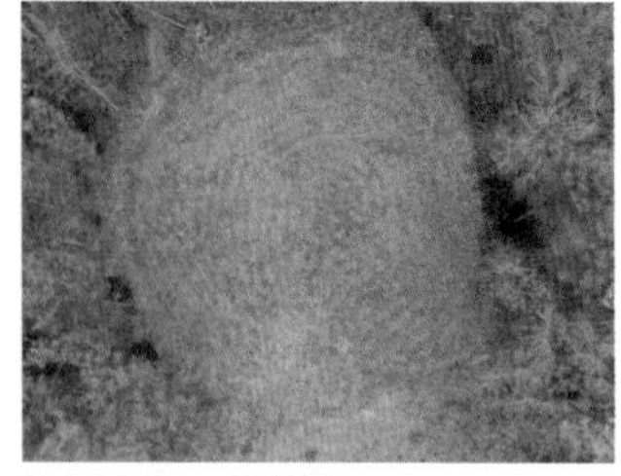
真上から見た６号周堤墓

● 14. 大森勝山遺跡（青森県弘前市）

史跡、ステージⅢb「祭祀場と墓地の分離」、山岳に立地

墓域が分離することによって精神文化の変容を示す大規模な環状列石で、環状列石は、台地上を整地した後、円丘状に盛土し、その縁辺部に77基の組石を配置して円環が作られている。また、土器や石器の他に、祭祀用である岩版や石剣なども出土している。

● 15. 高砂貝塚（北海道洞爺湖町）

史跡、ステージⅢb「祭祀場と墓地の分離」、外洋の沿岸に立地

貝類や魚類、海生哺乳類などの水産資源に恵まれた共同墓地の遺跡で、土坑墓と配石遺構からなる墓域からは、抜歯の痕跡がある人骨や胎児骨を伴う妊産婦の墓も見つかっている。

● 16. 亀ヶ岡石器時代遺跡（青森県つがる市）

史跡、ステージⅢb「祭祀場と墓地の分離」、内湾の沿岸に立地

芸術性豊かな土偶や多彩な副葬品が出土した大規模な共同墓地の遺跡で、墓域は長期間にわたって作られていることから祖先崇拝が継続して行われたことを示している。周辺の捨て場からは、**漆塗土器**や漆器、植物製品、玉類などが多数出土しており、1887年に出土した「**遮光器土偶**」の名前で知られる大型土偶が有名。

遮光器土偶

● 17. 是川石器時代遺跡（青森県八戸市）

史跡、ステージⅢb「祭祀場と墓地の分離」、内陸の河川付近に立地

竪穴建物や土坑墓、水場、捨て場などのさまざまな施設がある集落遺跡で、一王寺遺跡、堀田遺跡、中居遺跡の3つからなる。竪穴建物は少ないが、墓の数が多く墓域も広い。赤い顔料で染まった人骨も発見されている。

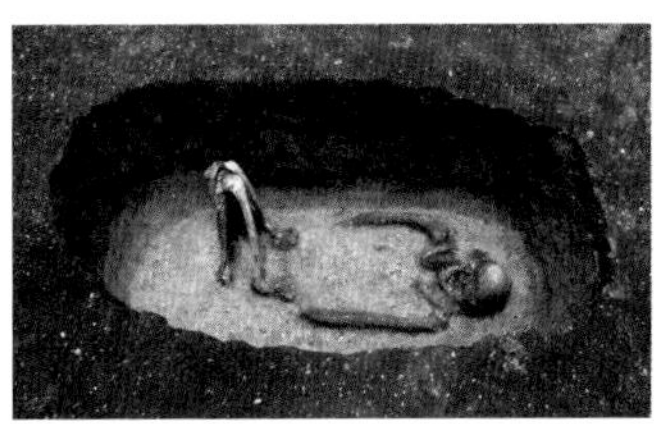

土坑墓と赤染人骨

概要

12世紀に日本の北方地域において、中央政権の支配領域や本州北部、更にその北方地域との活発な交易活動や文化交流を行いながら、日本固有の自然崇拝と結びつき独自の発展を遂げた仏教の**極楽浄土信仰を含む浄土思想**に基づき作られた寺院や景観からなる。

奥州藤原氏が造営した4つの寺院伽藍「**中尊寺**」、「毛越寺」、「観自在王院跡」、「**無量光院跡**」と、浄土思想に基づく寺院伽藍との関係で仏国土(浄土)*の方角を象徴する意味を持つ「金鶏山」は、奥州藤原氏が仏教に基づく理想社会を目指し、宗教を主軸とする独特な統治を行ったことを伝えている。

また、仏教と共に大陸から伝わった伽藍造営や作庭の理念、意匠、技術などが、日本古来の水景の理念や技術と融合し、周囲の自然地形を含めた**仏国土(浄土)を空間的に表現**する建築や庭園の理念や技術へと発展したことも示している。

登録基準

●登録基準(ii):

地域を超えた浄土思想の伝播と交流が、最東端の日本において、仏国土(浄土)を

仏国土(浄土):仏の国(世界)のことで、釈迦以外の諸仏が仏道に励む場所として固有の国土を清浄化したもの。6〜12世紀にかけて発展を遂げた日本独特の仏教では、現世に究極の仏の理想世界である仏国土(浄土)を実現できると考えられた。

空間的に表現した建築や庭園の独創的な事例を生み出した。日本固有の水辺の祭祀場における水景の理念や意匠、技術、そして山中を他界（死後世界）と見なす自然観なども融合し、他地域に類を見ない独特で多様な浄土庭園や阿弥陀堂建築の様式が確立した。

●登録基準（vi）：

仏教とともに日本に伝来した浄土思想は、**末法思想***が広がるにつれて、東アジアの他の地域と比べて特に重視されるようになり、12世紀の日本人の死生観を醸成する上で重要な役割を果たした。平泉の建築や庭園の造営に重要な意義をもった浄土思想は、今日の平泉地域における宗教儀礼や民俗芸能などにも確実に継承されている。

日本の世界遺産

歴史

11世紀末期から12世紀にかけての「末法思想」の隆盛期、中央集権が確立した機内では関白の藤原頼通が宇治に平等院鳳凰堂とその園地を造営し、阿弥陀如来の極楽浄土を表現しようとしていたが、11世紀後半の陸奥国*では戦乱が続いており、その時代を生き抜いた**藤原清衡**が法華経などの仏教的理念に基づく国づくりを行う原動力となっていた。

清衡は館を平泉に移すと、1105年に衣川を渡るのに適した要衝の地に中尊寺を造営した。これは、政治・文化の側面だけでなく地理的な側面においても、平泉が奥州の中心であることを決定づける意味があった。それ以後、基衡、秀衡、泰衡を含む奥州藤原氏は、約100年間にわたり**奥州の産金をもとに蓄積した莫大な富**を背景として、日本の北方世界における政治・行政上の拠点としての平泉を発展的に作り上げていった。

1128年に清衡が世を去ると、2代基衡は再興した毛越寺と妻が建立した観自在王院を中心に東西大路などの基幹道路を作るなど計画的な都市整備を行った。3代秀衡は、居住と政務の場である「平泉館（柳之御所遺跡）」の西に金鶏山を背景とする無量光院を造営し、阿弥陀如来の極楽浄土信仰に基づく政治と宗教、生活が一体化した空間構成が形成された。

毛越寺の大泉が池

末法思想：釈迦の入滅後、時代と共に正しい教えが正しく伝えられなくなり、最後には教えが全く守られない時代が来るという仏教の思想。日本では1052年が末法の世の初年とされた。　**陸奥国**：現在の福島や宮城、岩手、青森、秋田の一部などを含む北方地域。

しかし1189年、平泉に身を寄せていた源義経を4代泰衡が討つと、鎌倉の源頼朝は奥州に攻め入って奥州藤原氏を滅ぼし、平泉は北方における政治、行政上の拠点としての機能を終えた。平泉の寺院は鎌倉幕府の保護統制下に入ったが、1226年に毛越寺(円隆院)が焼失し、1337年には中尊寺でも金堂と一部の経蔵を除く諸堂が焼失した。

17世紀には仙台藩が遺跡保存のために寺院の仏堂の礎石や庭園の庭石を持ち出すことを禁止し、遺跡の周囲には杉並木が整備された。中尊寺の参道である月見坂が整備された江戸時代以降、松尾芭蕉など多くの文人墨客が平泉を訪れた。

藤原清衡(上)・基衡(右)・秀衡(左)

1877年に岩手県が「宝物保存規則書」を作成して中尊寺と毛越寺の保存事業に着手すると、1919年の「史蹟名勝天然紀念物保存法」と1929年の「国宝保存法」により**中尊寺金色堂**と毛越寺、無量光院跡は国家的な保護下に置かれた。1950年には「文化財保護法」が制定され、構成資産は全て文化財として保護されている。

比較研究

仏教に基づき造営された建築や庭園を含む遺産では、『古都京都の文化財』などと比較されるが、平泉の様に浄土思想に直接関係する建築や浄土庭園が残るものはなく、唯一残る平等院の園地も群として残り発展過程を伝える平泉とは異なる。海外では『石窟庵と仏国寺』にかつて浄土庭園があったが、意匠や空間装置としての橋などが異なる。

保護と管理

文化財保護法に基づき、国宝に「中尊寺金色堂」(1951年)、特別史跡に「毛越寺」(1952年)、「無量光院跡」(1955年)、「中尊寺境内」(1979年)、特別名勝に「毛越寺庭園」(1959年)、史跡に「金鶏山」(2005年)、名勝に「旧観自在王院庭園」が指定されている。また「平泉町景観計画」(2008年)などで街並景観や眺望景観が保護されている。

土塁や礎石のみ残る無量光院跡

TOPICS 構成資産

1. 中尊寺

850年に**慈覚大師円仁**が創建したと伝わる寺院で、藤原清衡が現世における仏国土(浄土)を表す中核として最初に造営した。1126年の「鎮護国家大伽藍一区」の建立にかかわる『**供養願文**』には、「蝦夷」の征討以来、奥州では多くの戦のために人々が命を落としており、その霊魂を敵味方の区別なく浄土へと導くと共に、辺境の地とされた奥州に法華経に基づく現世の仏国土(浄土)を作ろうとした清衡の強い願いが表れている。

境内にはにはかつて40の堂宇と300の僧坊があったとされるが、今は「金色堂」、「金色堂覆堂」、「経蔵」の他、「願成就院宝塔」、「白山神社能舞台」、「大池伽藍跡」など19の建造物などが残る。

白山神社能舞台

1-1. 中尊寺金色堂

1124年に創建された、阿弥陀如来の仏国土(浄土)を表す仏堂建築。国内に現存する同形式の阿弥陀堂建築の中で最も古い。また須弥壇の内部には**藤原氏三代(清衡、基衡、秀衡)の遺体**と泰衡の首級が安置されており霊廟としての性質も持つ。

一辺5.48mの方三間*の規模で、中心には阿弥陀三尊像が安置されている。金箔の装飾や蒔絵、螺鈿などの漆芸、金工の意匠や技術が尽くされており、部材には東南アジア産の紫檀や赤木、螺鈿には南海産の夜光貝などが用いられている。これは12世紀に国内外の広い範囲に及ぶ交易や交流が行われていたことを示している。金色に輝く金色堂は、「無量光*」とされる阿弥陀如来の極楽浄土を体現している。

金色堂の新しい覆堂

方三間：日本の伝統的な建築のひとつで、正方形(方)の一辺に柱が4本あり、柱の間が3つある(三間)。寸法の「間」とは異なる。
無量光：阿弥陀仏の発する十二光のひとつで、永久に無限の恵みをもたらす光明のこと。無量光仏は阿弥陀仏を指す。

2. 毛越寺

12世紀中頃に基衡が造営した寺院で、中尊寺と同じく850年に慈覚大師が創建したと伝わる。毛越寺の地割の東の端が金鶏山の山頂から南への延長線に合致することから、毛越寺の設計は金鶏山の位置と緊密な関係があったことがわかる。仏堂の前面に設けられた東西約190m、南北約60mの「大泉(おおいずみ)が池」を中心とする浄土庭園は、かつて洲浜や出島、立石(たていし)、築山など多様な構成要素を持っていた。北東岸には池に水を引き入れる**遣水(やりみず)**、南西岸には排水溝があり、緩やかに蛇行する遣水を通った水は池を東から西に流れるつくりで、平安貴族の歌遊び「**曲水の宴(ごくすいのえん)**」や儀式などに用いられていた。

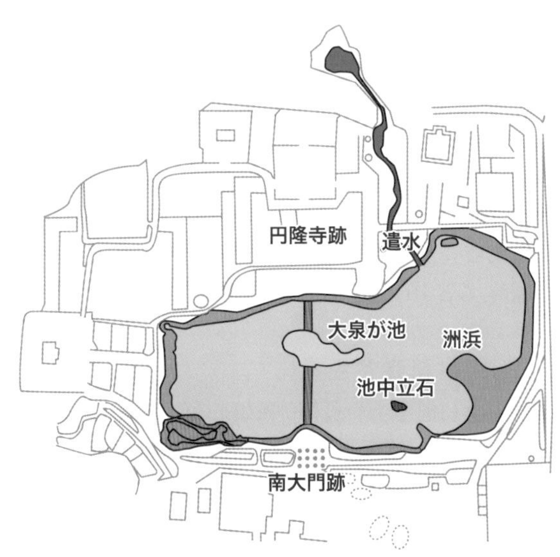

3. 観自在王院跡

基衡の妻が建立した寺院で、基衡の死後に住居を寺に改めたと考えられている。かつて存在した南北方向の通路状の広場を挟んで毛越寺の境内と接していた観自在王院は、発掘調査により北側に大阿弥陀堂や小阿弥陀堂などの主要な堂宇、南側に「舞鶴(まいづる)が池」と呼ばれる園池を中心とする浄土庭園があったことが分かっている。

浄土庭園として復元された舞鶴が池

4. 無量光院跡

秀衡が12世紀後半に建立した寺院の跡で、平泉中心部の東側に位置する。その西には金鶏山があり、東に接して居館の遺跡である柳之御所遺跡がある。阿弥陀堂は宇治の平等院鳳凰堂*を模して造られており、金鶏山との位置関係から、平等院よりも発展した仏堂と庭園の伽藍配置であったことがわかっている。南北に長い伽藍の中心線は、2つの中島と仏堂を通って背後の金鶏山の山頂と直線で繋がっている。東側の中島から西の仏堂を望むと、4月と8月の年に2度、仏堂を通って金鶏山の山頂近くに日が沈む。これは現世における**西方極楽浄土**(さいほう)*を表現している。

12世紀以後の記録は一切残されていないが、発掘調査により13世紀中ごろに焼失したと考えられる。

阿弥陀堂の再現図

5. 金鶏山

平泉中心部の西側丘陵にある、標高98.6mの丘。平泉の中心部から容易に見ることができるため、目印としての性質をもち、仏国土(浄土)の表現を目的とする寺院や、住居、政務の場としての居館を造営するにあたり、金鶏山との位置関係が重要な意味をもった。山頂部には奥州藤原氏が築いた経塚がある。

手前中央の山が金鶏山

平等院鳳凰堂:『古都京都の文化財』の構成資産。　**西方極楽浄土**:十万億の仏国土の先にある阿弥陀如来の極楽。

概要

8世紀末に僧の勝道上人が日光山を開山して以来、約1,200年の歴史を持つ山岳信仰の聖地であり、神道や仏教、徳川家墓所が周囲の自然環境と一体となってつくり上げる宗教的な霊地でもある。

250年以上にわたり日本を統治した徳川将軍家の祖である徳川家康を祀る東照宮が造営されて以降は、全国の各藩大名が参詣した他、代々の将軍の参拝や朝廷からの**例幣使**＊の派遣、朝鮮通信使＊の参詣など、日光山は徳川将軍家を事実上の頂点とする江戸時代の政治体制を支える上で重要な役割を果たした。

世界遺産には、「東照宮」「二荒山神社」「輪王寺」の二社一寺に属する建造物103棟が登録されており、17世紀に建てられた建物の多くは、**視覚的な効果を生み出すため山の斜面に配置**されている。また、江戸時代には建築の職人集団が日光の街に常駐し、幕府の管理の下でその時々の最高の技術を加えて定期的な修理が行われた。

神道と仏教が融合した「神仏融合」や、宗教建築群と数百年を経たスギ林などの周囲の自然環境との融合など、日本独自の信仰形態を示している。

例幣使：日光東照宮の例祭で神に幣物を捧げるために派遣された使い。日光例幣使とも。　**朝鮮通信使**：室町から江戸時代にかけて朝鮮から日本へ派遣された外交使節団。

登録基準

●登録基準(i):

大棟梁の**甲良豊後守宗広**や平内大隅守応勝、画家の**狩野探幽**などが意匠を行い、近世の始まりを代表する華やかな装飾をふんだんに用いた日光の建築は、個人の名を歴史に刻む類まれな芸術性を示している。

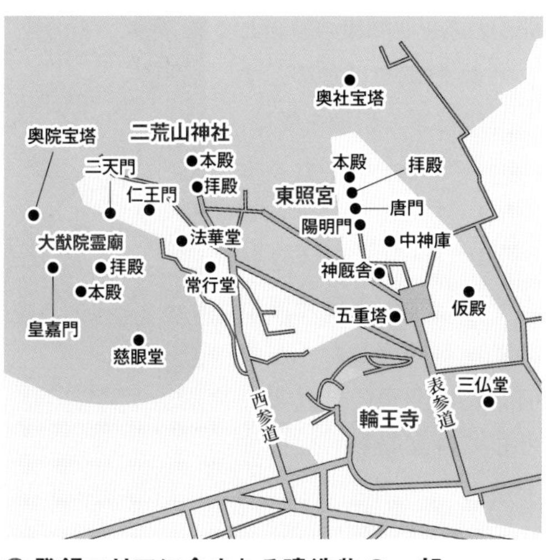

登録エリアに含まれる建造物の一部

●登録基準(iv):

東照宮と**大猷院霊廟**において、日本の宗教建築の様式としては最も近世的である**権現造***の形式が完成し、その後の霊廟建築や神社建築に大きな影響を与えた。また全体としては、建築装飾や建築物全体で統一感を生み出す配置や彩色効果など、優れた建築景観を生みだしている。神格化された山や森などの自然景観と、その前面の傾斜面に社殿が配置された立地は、日本の神社境内の代表的な景観構成を示している。

●登録基準(vi):

徳川家康の霊廟として江戸時代の政治体制を支える重要な役割を果たしただけでなく、神道や仏教などの日本の宗教空間の特質を示す顕著な例である。周囲の自然環境は、宗教活動空間と一体となり、自然に対する原始的な信仰から始まり特定の山や森を神格化した日本古来の宗教空間を受け継いでいる。また神道や仏教をはじめとする宗教儀礼や行事は現在も受け継がれ、市民の生活や精神の中に生き続けている。

歴史

日光山周辺は、古くから山岳信仰の霊場で、仏教者の修行の場であった。そこで明確に宗教活動が営まれるのは8世紀後半のこと。782年に勝道上人が男体山の登頂に成功し、その2年後に中禅寺を建立して日光山を開いたと伝わる。二荒山神社の起源とされる本宮神社や、輪王寺の起源とされる四本龍寺などもこの頃に築かれた。その後、日光山は日本古来の神の信仰と仏教の信仰が結びついた山岳信仰の

権現造:本殿と拝殿を「石の間」でつなぎ一棟とする建築様式。徳川家康の諡号が「東照大権現」であったことに由来する。

聖地として発展した。

12世紀末に鎌倉幕府が開かれると、関東の鎮護として源頼朝をはじめとする歴代将軍の崇敬を受け、多くの堂塔が築かれるなど大いに栄えた。またこの頃に日光山の峰々を結んで修行を行う**日光修験**の形態が確立した。室町時代には関東の一大霊場として日光修験も最盛期を迎えたが、室町時代末期には諸勢力の対立に巻き込まれ、1590年に豊臣秀吉の小田原征伐で後北条氏に味方したとして大部分の領地が没収されて衰退した。

狩野探幽の下絵で描かれた上神庫の象

江戸時代に入ると、徳川家康の側近である天海が再興に着手し、建造物の修繕なども進められた。1616年に徳川家康が没すると、その霊廟である東照社が1617年に造営され、徳川将軍家の祖を祀る霊廟の地として幕府から手厚い保護を受けた。幕府の政情が安定した3代将軍徳川家光の時代の1634年～1636年にかけて「**寛永の大造替**」と呼ばれる大改修が行われて現在みられるような権現造の豪華な社殿群となり、1645年には朝廷から宮号が授与され東照宮と改称した。1651年に徳川家光が没すると、1653年にその霊廟である「大猷院霊廟」が造営された。江戸時代を通して、二荒山神社の社殿群や、輪王寺の三仏堂、常行

東照宮の五重塔

堂、法華堂などの造営が行われた。日光山に集まる3街道*に植えられた日光杉並木は、東照宮を中心とする日光山の整備の過程で植林され、幕府の命で維持されてきた。

明治時代に入ると、一体のものと考えられていた日光山も1871の神仏分離令により二社一寺に分離され、いくつかの堂塔も信仰に合わせて移設された。また明治の急激な近代化の中で国内の文化財を軽視する風潮が生じ、日光の社寺も一時衰微した。

その一方で、1879年には日光の社寺を保護するための保晃会が町民や明治政府の幕臣などによって組織され、社寺の修理が行われた。その後1897年に古社寺保存法が制定されると、日光社寺修繕事務所が明治政府と二荒山神社、東照宮、輪王寺によって組織され、専任の技師の下で修復が行われた。

日光東照宮の唐門と拝殿

比較研究

『日光の社寺』は、信仰の長い伝統と建築群の高い芸術性、周囲の自然環境との調和などの点において傑出しており、このような価値観が組み合わさった比較可能な例は、他の世界遺産には存在しない。

保護と管理

構成資産である103棟の建物は文化財保護法で、周辺の自然環境は自然公園法で保護されている。重要文化財の国宝には、東照宮の「本殿と石の間、拝殿」、「陽明門」など8棟、輪王寺の「大猷院霊廟本殿と相の間、拝殿」の1棟の9件が指定されている。バッファー・ゾーンは都市計画法や森林法、自然公園法で保護されている。

3街道：日光街道、例幣使街道、会津西街道の3つ。

TOPICS 構成資産

1. 二荒山神社

二荒山神社は、日光の山岳信仰の中心地として**大己貴命**(おおなむちのみこと)、**田心姫命**(たごりひめのみこと)、**味耜高彦根命**(あじすきたかひこねのみこと)の三柱を祭神とする神社。この三柱はそれぞれ日光三山の男体山(二荒山)、女峰山(にょほうさん)、太郎山を神とみなしたものである。

社伝によると、850年に現在の東照宮の鐘楼の近くに移築された新宮社殿と、現在の本宮神社の近くにあった本宮社殿、滝尾神社の三社を合わせて日光三社と呼ばれた。1619年に東照宮の造営に伴い、徳川幕府によって本殿が造営された。

1.1. 本殿、石の間、拝殿

本殿と拝殿は1619年に造営され、1645年に他の社堂の造営に伴い移転された。本殿はその際に屋根の葺替え、塗装の塗替え、装飾金具の変更が行われたが、軸部や戸口、建具などには形式の変更はない。華やかで複雑な彩色や塗装、彫刻などの装飾は創建当時の様式を伝えている。拝殿も移転時に屋根の葺替えが行われたが、それ以外の形式の変更はなく、創建当時の様式を残している。本殿とは異なり彩色文様も彫刻もない。

八棟造(やつむねづくり)と呼ばれる様式で、入母屋造(いりもやづくり)*の屋根や向拝(こうはい)*などが複雑に入り組んだ構造と、本殿と拝殿の間を「石の間」でつなぐ配置からなる。後の権現造の原型となった。

本殿と「石の間」でつながる拝殿

入母屋造:切妻屋根と寄棟屋根の組み合わさった造りの屋根を持つ建築様式。　**向拝**:仏堂や社殿の屋根の、前方に張り出した中央の部分。階段の上に設けられることが多い。

● 1.2. 神橋

男体山を目指す勝道上人にまつわる伝説が残る朱塗りの橋で、左右の川岸に沿って石の橋脚が立てられている現在の橋の形は、1636年のもの。1902年に洪水で流失したが、1904年に元の形式で再建された。

寛永の大造替で朱塗りの橋となった

● 1.3. 神輿舎

1617年に東照宮の仮殿拝殿として造営されたもの。正面3間、側面2間の素木入母屋造で、**創建当時の東照宮建築を唯一残すもの**。現在は弥生祭に使われる御輿三基が納められている。

● 1.4. 別宮滝尾神社本殿

二荒山神社の別宮で、田心姫命が祀られている。825年に造営されたと伝わるが、1713年に建て替えられ、1941年の倒壊後に再建された。本殿背面の扉からは神体山である女峰山を拝むことができ、山岳信仰を示す形式となっている。

■ 2. 東照宮

徳川家康の霊廟として1617年に創建されたのが始まり。東照宮の建築では権現造の様式や彫刻、彩色などの建築装飾や、近世的な建築技術、建築群の配置などが確立された。**山の地形を利用して造営**され、石段や階段により境内を広く見せたり、参道に曲折をつけて奥行きのゆとりや緊張を見せる工夫がなされている。

造営以来、従来の形式と技法に従った修復が何度も行われてきたが、時代ごとの流行や工法により、技法や文様、主題などに変更が加えられることもあったため、1753年には装飾の形式や技法の変更を防ぐ「**日光御宮并御脇堂社結構書**（結構書）」が作成され、今日に至るまで修復の際の基準となっている。

● 2.1. 本殿、石の間、拝殿

1636年に造営されたもので、1654年に屋根の葺替え、1690年に本殿亀腹石*

亀腹石：建築物の基礎部分や鳥居の柱脚部分を饅頭形に囲む石。

の変更があったが、それ以外は創建時のまま。本殿と拝殿をつなぐ**「石の間」が本殿や拝殿よりも一段低く石敷になっている**「権現造」の完成形とされる。拝殿の左右には「将軍着座の間」と「法親王着座の間」がある。

2.2. 正面および背面唐門(からもん)

1636年造営。将軍に拝謁できる御目見得(おめみえ)のみが使うことが許されていた。正面唐門の屋根は四方の軒が唐破風(からはふ)形をしており、銅製彫刻が見られる。全体は胡粉で白く塗られ、地紋彫(じもんほり)や象嵌(ぞうがん)で「許由(きょゆう)と巣父(そうほ)*」や「舜帝朝見(しゅんていちょうけん)の儀*」などの細かな装飾が施されている。

破風の上には霊獣の恙(つつが)が載る

2.3. 陽明門(ようめいもん)

1636年造営で屋根の葺替えと塗装の塗替え以外は創建時のまま。後水尾天皇(ごみずのおてんのう)の筆とされる「東照大権現」の額がかかっている。

屋根は入母屋造の銅瓦葺で、四方の軒は唐破風形になっている。全体は約24万枚もの金箔が貼られ、全面に500以上の精緻な彫刻が施されるなど豪華な造りになっているだけでなく、漆塗や彩色、飾金具などを用いた**建築装飾技法は、表現や耐久性に応じて使い分け**られている。

彫刻は、建築構造部材であるべきものの一部を彫刻にしたり、構造部材や羽目板の表面に多くの彫刻を取り付けているなど、全面に隙間なく施されている。欄干に施された「**司馬温公(しばおんこう)の甕割(かめわ)り***」のようなメッセージ性の強いものから、霊獣の「龍」や、ブタのような鼻孔を持つ龍に似た「息(そく)」、馬のような蹄を持つ龍に似た「龍馬(りゅうば)」、聖域を守る霊獣の「唐獅子(からじし)」などの伝説上の生き物、中国から伝わった花の「牡丹(ぼたん)」やキジの一種の「錦鶏(きんけい)」、「鯉」なども見られる。

手前の白い龍が「龍馬」

許由と巣父：俗世での出世や栄誉を嫌う中国の伝説上の高士。　**舜帝朝見の儀**：中国の伝説上の皇帝である舜帝に多くの役人たちが新年の挨拶をする場面。　**司馬温公の甕割り**：水甕に落ちた友人を助けるため貴重な甕を石で割って助けた場面。

2.4. 東西廻廊

1636年造営。陽明門の左右二間ずつの袖塀から始まり、本殿などを南と東、西から囲うように造られている。全長は220mで、長押(なげし)*に雲、胴羽目(どうはめ)*に花鳥と動物、腰羽目(こしはめ)*に水鳥と彫刻が描き分けられている。南側は極彩色が施された透彫(すかしぼり)の花鳥の彫刻25枚で飾られ、内側は朱塗りの吹抜の廊下になっている。

2.5. 神厩舎(しんきゅうしゃ)

1636年造営の神馬(しんめ)をつなぐ厩。東照宮建築の中で唯一の素木造で、当時の武家の殿舎に用いられた**書院造の馬屋の形式**に則っている。昔から猿が馬を守るとされており、長押にある8面の猿の彫刻で人間の一生が風刺されている。「見ざる・言わざる・聞かざる」の三猿の彫刻が有名。

三猿

2.6. 五重塔

1650年に小浜藩主酒井忠勝によって奉納され造営されたが、1815年に焼失し1818年に再建された。**心柱は第四層目から吊り下げられ、下部は礎石から10cmほど浮いている**。これは塔の重心が常に中心から外れないようにする力学的な構造で、風害や地震対策になっている。一層目の屋根を支える部材の蟇股(かえるまた)には、五重塔を取り囲むように四面に十二支の彫刻が施されている。

2.7. 三神庫(さんじんこ)

祭礼に使う祭具を入れる上神庫、中神庫、下神庫の総称。中には春と秋の渡御祭(とぎょさい)「百物揃千人武者行列(ひゃくものぞろいせんにんむしゃぎょうれつ)」で使用される馬具や装束類が収められている。上神庫の屋根の妻には狩野探幽が下絵を描いた象の彫刻が施されているが、狩野探幽は象を見たことがなかったため「想像の象」とされる。

長押：屋根と壁面の間に取り付けられる化粧部材。　**胴羽目**：壁面に取り付ける羽目板。　**腰羽目**：腰の高さほどの低い腰壁に取り付ける羽目板。

2.8. 奥社宝塔

1622年に木造で創建されたが、1641年に石造に改められ、地震で倒壊後の1683年に鋳銅製になった。塔の下に徳川家康の遺骸が納められているため、雨水の流入を防ぐために石敷に勾配をつけ、宝塔の基壇石や周囲の石柵のつなぎ目には鉄の太柄や楔を入れ鉛を鋳込んで密着させるなど、当時の最高の技術が用いられている。

坂下門の先の長い石の階段を上った場所にある

3. 輪王寺

766年に勝道上人が創建した四本龍寺を起源とする天台宗の寺院。810年に満願寺、1240年に光明院、1655年に輪王寺と名称が変遷した。日光山の中心となる寺院として発展し、江戸時代初期の東照宮の造営に伴い輪王寺の堂宇も造営された。1653年に徳川家光を祀る大猷院霊廟が造営されると、輪王寺はその菩提寺として徳川幕府の尊崇を受けた。1871年の神仏分離令により本堂(三仏堂)と相輪塔が現在の場所へ移転された。

3.1. 本堂(三仏堂)

848年に創建されたと伝わる。現在の本堂は1647年に造営され1879年に移転されたもの。屋根を除き造営当初の様式に戻され、江戸時代前期の様式を残している。

内陣には**日光三所権現本地仏**(千手観音、阿弥陀如来、馬頭観音)の3体の大仏と、東照三所権現本地仏(薬師如来、阿弥陀如来、釈迦如来)の掛仏*という、2組の三尊仏が本尊として祀られている。千手観音は男体山、阿弥陀如来は女峰山、馬頭観音は太郎山の本地仏*で、仏が神の姿で現れる神仏習合の**本地垂迹**では、千手観音が大己貴命、阿弥陀如来が田心姫命、馬頭観音が味耜高彦根命に姿を代えて現れたとされる。

掛仏:鏡板に仏の像を取り付けたり刻んだりしたもの。　**本地仏**:神仏習合の考え方で、神々の姿をして現れた仏や菩薩の本来の姿。

3.2. 大猷院霊廟本殿、相の間、拝殿

1653年に造営された。本殿と「相の間」、拝殿は、東照宮と同じく権現造の様式だが、東照宮の「石の間」に相当する**「相の間」が拝殿と同じ高さにあり**中殿の形式になっている。また本殿の屋根が二層になっている点も異なる。家康公(東照宮)を凌いではならないという家光の遺言により、金と黒を使用した重厚な造りになっている。拝殿には狩野探幽の描いた唐獅子や140枚の龍の天井画も残る。

本殿

3.3. 大猷院霊廟唐門、夜叉門、皇嘉門(こうかもん)

1653年に造営され、以降の変更はない。唐門は向唐門(むかいからもん)*で、細かい地紋彫の彫刻や透彫の飾金具など優れた意匠や技術が見られる。夜叉門は八脚門(はっきゃくもん)*で、屋根の前後の軒が唐破風形となっている。彫刻は牡丹で統一され、正面左右の間に赤と青、背面に白と群青色に彩色された夜叉像(阿跋摩羅(あばつまら)、毘陀羅(びだら)、烏摩勒伽(うまろきゃ)、犍陀羅(けんだら))を安置している。皇嘉門は家光を祀る奥院の入口にある「竜宮造(りゅうぐうづくり)*」の門で、腰壁を**密陀塗(みつだぬり)***という特殊な技法で白色に塗装している。

皇嘉門

3.4. 常行堂(じょうぎょうどう)、慈眼堂(じげんどう)

848年に慈覚大師円仁(じかくだいしえんにん)により比叡山延暦寺の「にない堂」に模して建立され、1649年に再建された。和様の宝形造(ほうぎょうづくり)で、唐様の法華堂と渡り廊下でつながり、慈眼堂への入口にもなっている。慈眼堂は1649年の創建で、1643年に逝去した天海の霊廟。天海は1648年に朝廷より「慈眼大師」の諡号が贈られた。

向唐門:正面と背面の屋根に唐破風を持つ門。 **八脚門**:4本の親柱の前後に、控柱8本を持つ門。 **竜宮造**:漆喰塗りの下層と、木造の入母屋屋根を上層に持つ楼門の様式。 **密陀塗**:彩色のための顔料を練る乾性油に酸化鉛(密陀僧)を加えた技法。

概要

貿易を通じて世界経済が一体化していった19世紀後半から20世紀にかけて、**高品質な生糸の大量生産**を実現させた世界的な技術交流と技術革新を伝える産業遺産群。「富岡製糸場」、「田島弥平旧宅（たじまやへい）」、「高山社跡（たかやましゃ）」、「荒船風穴（あらふねふうけつ）」の4件で構成される。この産業遺産群は世界の絹産業を発展させ、**絹消費の大衆化**をもたらすと共に、日本経済の近代化にも大きく貢献した。

高品質な生糸の大量生産には、「**製糸技術の革新**」と、原料となる良質な繭（まゆ）の増産を支える「**養蚕（ようさん）技術の革新**」が必要であり、その中心的な役割を担ったのが、1872年に日本政府が西欧の近代的な器械製糸技術を導入し設立した富岡製糸場だった。養蚕技術の革新では、蚕の飼育技術を革新した田島弥平旧宅と、標準養蚕方法を確立した養蚕教育機関の高山社が重要な役割を果たした。また蚕種冷蔵施設の荒船風穴では養蚕多回数化が行われ、繭の大量生産を可能にした。

西欧の近代技術によって作られた富岡製糸場と、日本従来の独創技術を発展させた養蚕農民達の施設の両輪により、良質な繭を大量に安定して供給することに成功し、1930年代には日本の生糸が世界市場の80%を占めるまでに発展した。

登録基準

●登録基準（ⅱ）：

絹産業の発展をもたらした日本と他の国々との産業技術の相互交流により、20世紀初頭には高品質の生糸の大量生産が実現し、**民衆が絹製品を消費するという近代特有の消費文化**が生まれた。西欧の近代技術と工場システムが導入された富岡製糸場の製糸技術は、改良が加えられ日本各地だけでなく世界各地にも技術移転された。

●登録基準（ⅳ）：

19世紀後半から20世紀に高品質な生糸の大量生産を実現させた**製糸技術と養蚕技術の発展**を示している。西欧から導入された器械製糸機から日本で開発された自動繰糸機に至るまでの製糸技術の発展過程と、蚕の飼育技術の革新と普及を伝える遺産群で、この技術革新により絹産業における近代化と大衆化が世界中で進んだ。

歴史

養蚕や製糸技術は、紀元前後頃に中国から日本に伝わったと考えられている。奈良時代や平安時代には朝廷によって蚕糸業が奨励されたが、品質が良くなく高品質な生糸や絹織物は中国からの輸入に頼っていた。中国からの高品質な生糸（**白糸**）の輸入は江戸時代まで続き、江戸初期には欧州の貿易船によってもたらされる白糸が全輸入額の約75％を占めるほどになった。そこで幕府は1685年に白糸の輸入を制限し、国内の養蚕を奨励した。群馬県は土地の2/3が山地で、火山灰地が多く稲作に適さない土地が多いため、幕府の生糸生産の奨励をきっかけに現金収入の手段として養蚕や製糸が行われるようになった。

1859年に日本が海禁政策（鎖国政策）を排して外国との貿易を開始すると、欧州で蚕の病気である微粒子病*が流行して養蚕が壊滅的な被害を受けていたこともあり、生糸は日本の輸出品の8割を占めるほどになった。しかし、明治政府成立前後になると生糸の品質低下が外国から指摘されると共に、日本国内で外国資本の製糸工場の建設が要求されるようになった。日本は経済的な独立を

正門の奥に東置繭所が見える

微粒子病：蚕の幼虫に菌類が寄生してかかる病気。1870年にフランスのルイ・パスツールが防除法を確立した。

守るためこの要求を拒絶し、1872年に欧州の技術を全面的に取り入れた最新鋭の国営モデル工場である富岡製糸場を建設した。

フランス製の操糸器

同じ頃、有力養蚕農家を中心に従来の養蚕技術の改良が進められた。田島弥平は、自然の風を利用した換気システムを取り入れた養蚕技術である「**清涼育**」を考案し、その技術を用いた構造の田島弥平宅を1863年に建設した。この建物は近代養蚕農家の原型となり、弥平が1872年に著した『養蚕新論』と共に日本全国に広がった。しかし、換気システムの改善のみでは風の弱い地域や温度調節が必要な寒い地域での養蚕が難しかったため、1880年代に高山長五郎が温度計を用いて火力で温度管理をする「温暖育」と、換気システムによって湿度管理をする「清涼育」を組み合わせた「**清温育**」を開発した。長五郎はその普及のために日本初の養蚕教育機関である高山社を1884年に設立した。

こうした努力や新政府による絹産業振興策により、1909年には日本が世界一の生糸輸出国となった。第一次世界大戦後には絹需要の中心が欧州からアメリカに移り、女性の社会進出と共に動きやすい絹のドレスが好まれるようになったこともあり、日本の絹は服飾文化の多様化に大きく貢献した。しかし、第二次世界大戦で生糸輸出が停止され、「蚕糸業統制法」によって生産や流通、価格の統制を受けたことに加え、戦争の長期化で製糸場が次々と軍需工場に転用されたため、生糸生産量は大きく減少した。戦後は、ナイロンなどの合成繊維や輸入生糸*との競争、人件費高騰などの影響を受け、富岡製糸場は全国に先駆けて自動繰糸機の導入など対策を行ったが1987年に操業を停止した。

比較研究

英国の『ダーウェント峡谷の工場群』、イタリアの「カゼルタ」、フランスの『リヨンの歴史地区』、「コースとセヴェンヌ」、日本の『白川郷・五箇山の合掌造り集落』と比較された。中でも産業・技術遺産にICOMOSが分類しているのは『ダーウェント峡谷の工場群』のみだが、ここは紡績業が中心である。

輸入生糸：1972年の日中国交正常化により中国製生糸の輸入量が増加したことも影響。

保護と管理

4資産は文化財保護法の史跡に指定されている他、富岡製糸場の主要な建物は重要文化財に指定され二重に保護されている。富岡製糸場と高山社跡、荒船風穴は市と町が所有し、田島弥平旧宅は個人所有者と文化財保護法に基づく管理団体である伊勢崎市が協力して管理を行っている。緩衝地帯は、都市計画法や景観法などで管理されている。

TOPICS **構成資産**

1. 富岡製糸場(富岡市)

1872年に明治政府の近代化政策の一環として建てられた官営工場。フランス人生糸検査技師**ポール・ブリュナ**の協力の下、フランス人技師オーギュスト・バスチャンの設計で鏑川(かぶらがわ)に面した崖の上に建てられた。この地が選ばれた理由としては「① 伝統的に養蚕が盛んであった地域のほぼ中央に位置するため、周辺の養蚕地域から繭を入手しやすかったこと」、「② 広い土地や用水の確保が可能であったこと」、「③ 近隣で石炭(亜炭(あたん)*)が採掘されたこと」などが挙げられる。

短辺と長辺を組み合わせる「フランドル積み」

建設はブリュナの指導を受けて、それまで西洋建築に馴染みのなかった日本人大工が作業に当たった。**木骨レンガ造**や**トラス構造***、ガラス窓などの西洋の建築技術の他、屋根には日本瓦、目地には漆喰が用いられるなど日本の建築技術や資材が用いられている。また、レンガは日本人の瓦職人が制作した。

柱の少ない繰糸場の内部

敷地内には工場施設だけでなく、指導者の住居や工女寄宿舎、病院などが建設され、労働時間などの就業規則や七曜制など近代西洋の労働環境の導入が図られた。

亜炭:不純物や水分を多く含み、石炭の中で最も石炭化度が低いもの。地質学上では褐炭(かったん)と呼ばれる。　**トラス構造**:建築物を支える構造形式の1つで、三角形を基本に組んだ構造。長いスパンにわたって支持材を必要としないことが特徴。

1.1. 繰糸場

富岡製糸場の中心となる建物で、採光のため南面に140.4mの建物の長辺を向けた東西に長い建物になっている。繰糸場の動力と蒸気を司る蒸気釜所は動力・蒸気の伝達に都合がよい繰糸場中央部の北側に設置され、その更に北側に鉄製の煙突が据えられた。

建設当初はフランス製の繰糸器が300釜も設置された。木骨レンガ造の平屋建てで、木造の軸組に**キングポストトラス構造***の小屋組が組み合わされたことで、繰糸器を多く置くための**内部に柱がない広い空間**が生み出されている。壁のレンガは柱間に**フランドル積み***(長手積み)で積まれており、屋根には蒸気抜きの越屋根*、太陽光を取り入れるための多くの窓が設置されている。

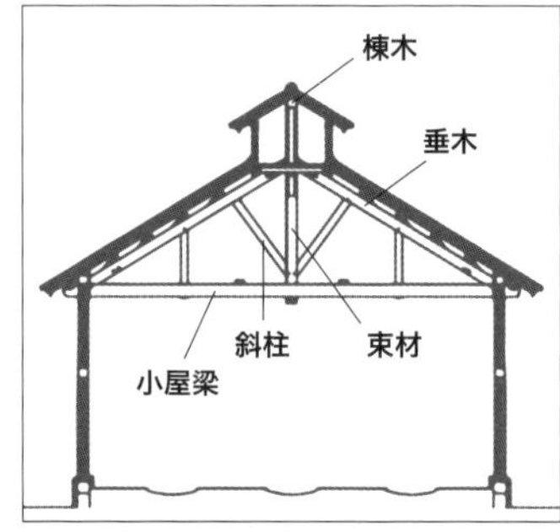

トラス構造

1.2. 東置繭所(東繭倉庫)、西置繭所(西繭倉庫)

1872年建設の原料繭の倉庫。当時の養蚕は年1回であり、1年を通じて操業を続けられるだけの繭を保管していた。東置繭所は繰糸場に先駆けて建設され

西置繭所

キングポストトラス構造:トラス構造の1つで、三角形内部に縦の束材が入った形状。　**フランドル積み**:レンガの長手(長辺)と小口(短辺)を交互に並べていく積み方。「フランス積み」とも。　**越屋根**:棟部に設けられた換気のための設備。

た木骨レンガ造の２階建てで、繰糸場の東端に位置する。キーストーンには「明治五年」の刻字が残る。繰糸場の西端に位置する西置繭所の１階東側の壁は当初設置されず、ボイラーの燃料となる石炭置き場として利用されていた。

1.3. 首長館

1873年に建設された、ポール・ブリュナが家族と共に暮らしていた住宅。ブリュナが契約満了で退場した1875年以降は、工女の寄宿舎や学校として使用された。コロニアル様式で、地下には食料品貯蔵用と考えられるレンガ造りの地下室がある。

1.4. 女工館、検査人館

1873年に建てられた官舎で、女工館は器械による製糸方法の指導のためにフランスから来日した工女たちが1874年まで暮らした。検査人館はフランス人男性技師の官舎として建てられたが、男性技師は官舎完成前に富岡製糸場を去っているため生活はしておらず、改修して事務所として使用された。

女工館

1.5. 鉄水溜(てつすいりゅう)(鉄水槽)

1875年に設置された、蒸気釜や繰糸等に必要な工場用水を貯蔵した水槽。直径15m、深さ2.4mで、国産の鉄製構造物では最古のものの1つ。

水を溜めておく国内最古の鉄水槽

2. 田島弥平旧宅(伊勢崎市)

1863年に田島弥平が建設した住居兼蚕室。利根川の中州に形成された集落にあり、**砂質の土壌のため桑の栽培に適して**おり、江戸時代後期から蚕種の生産地として知られていた。瓦葺き木造総2階建てで、養蚕を行う時期の季節風を取り込みやすいように南東向きに建設されている。蚕を飼育する生産施設である2階には、換気のための越屋根が設置され、風の流れをよくするために四方に窓がある。

弥平はイタリアへ視察も行い、顕微鏡を用いた母蛾検査や蚕の病気の研究も2階北隅に増設された顕微鏡室で行った。

換気の工夫がなされている

3. 高山社跡(藤岡市)

三名川(さんみょうがわ)の河岸段丘に1884年に建設された民間養蚕教育機関「養蚕改良高山社」。高山長五郎が開発した近代養蚕法の「清温育」を学ぶため、日本各地から訪れた延べ20,000人以上の生徒の他、中国や朝鮮半島からの留学生も訪れた。

元々は長五郎の住居で、1875年に建てられた平屋建ての住居と、1891年に西側に増設された2階建ての住居兼蚕室からなる。養蚕を行う時期の季節風を取り込みやすいように南東向きに建てられ、1階の床は通常よりも高くし、1階2階共に南北両面に大きな開口部を持ち、2階には越屋根(天窓)が3カ所あるなど、換気のための工夫がなされている。温度調節のために1階には囲炉裏、2階の各部屋には火力による暖房装置(養蚕火鉢など)が取り付け可能になっている。

高山長五郎の生家でもある

4. 荒船風穴(下仁田町)

蚕種貯蔵能力が110万枚を誇る国内最大規模の蚕種貯蔵施設。一帯は新世代第三紀の貫入岩(かんにゅうがん)*が露出しており、その岩塊が崩落して谷を埋めた地形をしている。**地中には空間が多く**、そこに冬季の氷や凍土が一年中残るため、岩のすき間を通って冷風が吹き出す。この冷風を蚕種の貯蔵のために使っていた。

日本の養蚕は、年1回、春期に行うのが一般的であったが、風穴に蚕種を貯蔵して孵化の時期を調節し、年に数回の養蚕が可能になった。

自然の地形を活かしてつくられた

貫入岩:火成岩の一種で、マグマが地表に現れることなく地殻内に貫入して固まり形成されたもの。

アルゼンチン共和国、インド、スイス、ドイツ連邦共和国、日本、フランス共和国、ベルギー王国

ル・コルビュジエの建築作品：近代建築運動への顕著な貢献

The Architectural Work of Le Corbusier, an Outstanding Contribution to the Modern Movement

文化遺産

登録年 2016年　登録基準 (i)(ii)(vi)

プロパティ 0.98㎢　バッファー・ゾーン 14.1㎢

概要

建築家ル・コルビュジエの建築作品のうち、日本を含む三大陸7ヵ国に点在する17の資産が「トランス・コンチネンタル・サイト」として登録された。建築史上初めて、ある**近代建築の概念が全地球的規模に広がり実践されたことを証明**している。また、20世紀の建築や社会が抱えていた本質的な課題のいくつかに挑んだ作品であるだけでなく、21世紀の建築文化の基盤にもなっている。

フランスで活躍したル・コルビュジエは20世紀を代表する建築家の1人で、「**住宅は住むための機械である**」という言葉にも象徴されるように、**機能主義の建築家**として近代建築運動を推進した。彼は建築の際の基準となる「**モデュロール***」や「**近代建築の五原則***」、「**ドミノ・システム***」などの重要な概念を次々と打ち出し、過去の伝統的な建築からの決別を図った。日本の「国

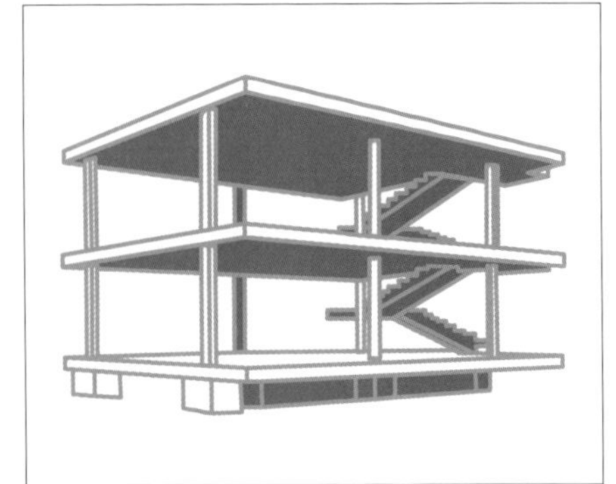

ドミノ・システムの構造図

モデュロール：建築に用いる寸法で、ル・コルビュジエの造語。　**近代建築の五原則**：ル・コルビュジエが提唱した新しい建築のための原則。　**ドミノ・システム**：ル・コルビュジエが提唱した建築方法。

立西洋美術館」は「無限成長美術館」というコンセプトで作られており、日本における近代建築運動の思想を確固なものとする画期的な建築であった。

登録基準

●登録基準(ⅰ):

人類の創造的才能を現す傑作であり、建築及び社会における 20 世紀の根源的な諸課題に対して顕著な回答を与えるものである。

●登録基準(ⅱ):

近代建築運動の誕生と発展に関して、全世界規模で半世紀にわたって起こった、前例のない人類の価値観の交流を示している。ル・コルビュジエは独自の建築概念で過去と決別する建築言語を生み出し、建築に革命を起こした。彼の建築作品は、**ピュリスム***、ブルータリズム*、彫刻的建築*という近代建築の大きな潮流誕生の印でもある。

●登録基準(ⅵ):

建築理論と建築作品において、20世紀における近代建築運動の思想と直接的かつ物質的に関連しており、建築と絵画、彫刻の統合を反映したピュリスムに基づく芸術概念である「**エスプリ・ヌーヴォー**」を示している。また新しい建築言語の発明や建築技術の近代化、近代人の社会的・人間的ニーズに対応する世界規模の近代建築運動の試みが作品に反映されている。

ル・コルビュジエの建築作品:近代建築運動への顕著な貢献(★が構成資産)

ピュリスム:機械が発達した近代に相応しい芸術を作ろうとする運動。 **ブルータリズム**:むき出しのコンクリート造りのように、生の素材を直接的に使うことを目指す建築理念と建築様式。 **彫刻的建築**:美的な彫刻のような空間設計の概念を取り込んだ建築。

日本の世界遺産

歴史

ル・コルビュジエ（本名シャルル・エドゥアール・ジャンヌレ）は、1887年、スイスのラ・ショー・ド・フォン*で時計職人の父の下に生まれた。美術学校で彫刻や彫金を学んだ後、ドイツやフランス、オーストリアなどの建築事務所で働きながら旅を続けた。1914年に「ドミノ・システム」を発表し、1917年に活動の拠点をフランスのパリに移すと画家のアメデ・オザンファンと共にピュリスム運動を始めた。1928年に始まった**CIAM**（近代建築国際会議）ではヴァルター・グロピウスやミース・ファン・デル・ローエなどと中心的な役割を担った。

建築作品で世界中に有名になると、ル・コルビュジエのアトリエには世界中から建築を志す多くの者が訪れた。日本からは**前川國男**、**坂倉準三**、**吉阪隆正**の３人が、「日本の３大弟子」として、日本の近代建築に大きな功績を残した。

世界遺産としては当初、ル・コルビュジエという人物の生涯に焦点を当て、22資産の「ル・コルビュジエの建築と都市計画」という名称で推薦していたが、2009年の世界遺産委員会では「情報照会」決議。その後、ル・コルビュジエという人物ではなく近代建築運動への貢献を軸に19資産に絞って再推薦されたが、2011年の世界遺産委員会では近代建築運動を１人の建築家のみで証明することはできないとして「登録延期」決議となった。最終的に構成資産を17資産とし、インドを加えた7ヵ国で推薦し2016年に登録された。

開館当時（1959年）の国立西洋美術館

保護と管理

多くの遺産がそれぞれの国において、ル・コルビュジエの死後20年以内に保護対象となっている。国立西洋美術館（本館）は2007年に重要文化財に指定されている。また、ル・コルビュジエの作品の著作権を保有する「ル・コルビュジエ財団」の専門的知識を活用し、各国が連携する「常設会議」が設置されている。

ラ・ショー・ド・フォン：スイスの世界遺産『ラ・ショー・ド・フォン/ル・ロクル、時計製造都市の都市計画』として登録されている。

キーワード

モデュロール：「Module（モデュール：寸法）」と「Section d'or（セクシオン・ドール：黄金比）」を合わせた造語で、建築の寸法を決める際に人体のサイズを基準としたルール。住宅の天井の高さは、平均的な西洋人の身長183cmの人間が片手を上げた指先までの高さの226cmに設定された。ル・コルビュジエはこの人体サイズとフィボナッチ数列*を組み合わせて建築に応用した。

近代建築の五原則：建物の1階部分の柱で建物を支え1階部分に吹き抜け空間を作る「①**ピロティ**」、水平な屋上により可能となる「②**屋上庭園**」、空間を仕切る壁により多様な部屋を作る「③**自由な平面設計**」、壁に幅広い窓を設置して明るい室内空間を作る「④**水平連続窓**」、様式にこだわらない自由なデザインを可能とする「⑤**自由なファサード***」。

ドミノ・システム：「ドミノ（Dom-ino）」は、ラテン語の「Domus（ドムス：家）」と「Innovatio（インノヴァティオ：革新）」を組み合わせた造語。鉄筋コンクリートの**床面と柱、階段のみを建築の主要な要素とする**もので、壁が建物を支える伝統的な構造から脱却し、自由な平面が可能となった。

外壁はモデュロールに従った長方形で区切られている

フィボナッチ数列：0、1、1、2、3、5、8……のように、先行する2つの数の和を項として並べた数列。　**ファサード**：建物正面部分のデザインや外観のこと。

TOPICS 構成資産

1. 国立西洋美術館(日本)

第二次世界大戦末期にフランス政府に接収されていた実業家**松方幸次郎**(まつかたこうじろう)の美術品コレクション(松方コレクション)が、1953年に日本に寄贈返還されることになり、その条件として出された新美術館の建設に対応するため1959年に日本政府が建てた美術館。ル・コルビュジエの基本設計を基に、弟子の前川と坂倉、吉阪の3人が実施設計を行った。

「無限成長美術館」という概念が用いられ、美術館を訪れた客が、中心のホールから渦巻状に移動しながら展示室を鑑賞するだけでなく、将来的に展示作品が増えれば螺旋状に展示室を外側に増設して広げることが可能であった。美術館としては珍しく、自然光を取り込むための窓や照明ギャラリー*が作られた他、ピロティや屋上庭園など、ル・コルビュジエの建築理念が反映されている。1996年には、巨大地震に対応するための免震工事も行われた。

自然光が入る19世紀ホール

2. ラ・ロッシュとジャンヌレ邸(フランス)

1923年にパリに設計された、スイスの銀行家ラウル・ラ・ロッシュと、ル・コルビュジエの兄アルベール・ジャンヌレ夫妻の2棟続きの邸宅。建物の中を歩いて空間を鑑賞する「**建築的プロムナード**」が実践されている。

3. レマン湖畔の小さな家(スイス)

1923年に設計されたル・コルビュジエの両親のための小さな家で、長さ20m、幅3mしかない。南側の11mの連続窓からはレマン湖が見える他、窓下のテーブルはレールで可動式になっている。

4. シテ・フリュージェ(ペサックの集合住宅)(フランス)

1924年にボルドー近郊のペサックに設計された集合住宅。製糖工場の経営者アンリ・フリュージェが工場労働者のために建設しようとしたが、地域住民の反対もあり当初の計画の3割ほどの個数しか建設できなかった。

照明ギャラリー:現在は蛍光灯が入れられている。

● 5. ギエット邸（ベルギー）

1926年にアントワープに設計された、画家ルネ・ギエットの邸宅。狭い敷地に建てられた3階建ての建物で、正面のファサードと裏庭側のファサードは、上下反転させたデザインになっている。

● 6. ヴァイセンホフ・ジードルングの住宅（ドイツ）

ミース・ファン・デル・ローエが責任者となって1927年に開催されたジードルングの住宅建築展に出展された住居。1世帯用と2世帯用の2つの住居があり、ピロティを用いたデザインが特徴になっている。

● 7. サヴォワ邸と庭師小屋（フランス）

1928年にパリ郊外のポワシーに設計されたサヴォワ夫妻が週末を過ごす別荘で、ル・コルビュジエとピエール・ジャンヌレが1929年の第2回CIAM会議で提案した「**最小限の家**（minimum housing）」の提案に対応する建築とされる。「近代建築の五原則」の全てが用いられたピュリスムを実践する傑作で、敷地内の庭師のための小屋と共に登録された。

フランスのサヴォワ邸

● 8. イムーブル・クラルテ（スイス）

1930年にジュネーヴに設計された集合住宅。スイスの実業家エドモン・ヴァネールの依頼で設計されたル・コルビュジエ初のアパートで、「クラルテ（光）」の名の通り、鉄製の窓枠やガラスブロックを用いた明るい設計になっている。

● 9. ポルト・モリトーの集合住宅（フランス）

1931年にパリ近郊のブローニュの森に設計された集合住宅で、最上階にル・コルビュジエのアトリエと住居もあった。2つの通りに挟まれるように面しており、どちらのファサードも同じデザインになっている。

10. マルセイユのユニテ・ダビタシオン（フランス）

1945年にマルセイユに設計された集合住宅で、第二次世界大戦後の都市復興の一環として復興大臣のラウル・ドトリーから依頼を受け建設された。住宅のユニットを組み合わせてできており、内部にはスーパーや郵便局、幼稚園、プールなども設けられている。厳格にモデュロールが採用されており、逆三角形のピロティの柱も特徴になっている。

11. サン・ディエの工場（フランス）

1946年にアルザス・ロレーヌ地方のサン・ディエ・デ・ヴォージュに設計された繊維工場。エンジニアで友人のジャン・ジャック・デュヴァルが、戦争で被災したデュヴァル家の繊維工場の再建を依頼して建設された。採光のための窓には「**ブリーズ・ソレイユ**（日よけのためのルーバー）」が設置されている。

12. クルチェット邸（アルゼンチン）

1949年にブエノスアイレスのラ・プラタに設計された医師ペドロ・ドミンゴ・クルチェットの邸宅。「近代建築の五原則」や「建築的プロムナード」、ブリーズ・ソレイユなど、ル・コルビュジエの建築要素が詰まっている。

13. ノートル・ダム・デュ・オ礼拝堂（ロンシャンの礼拝堂）（フランス）

1950年に聖職者アラン・クチュリエの依頼でロンシャンに設計された礼拝堂。第二次世界大戦で破壊された場所に建てられており、壁には破壊された古い礼拝堂の煉瓦や石材が用いられている。曲線を多用する彫刻的なデザインは、「近代建築の五原則」から離れたル・コルビュジエの後期の代表作とされる。

帆船のように見える

14. ル・コルビュジエの休暇小屋（カップ・マルタンの休暇小屋）（フランス）

1951年にモナコに近いロクブリューヌ・カップ・マルタンに設計された、ル・コルビュジエが妻イヴォンヌに贈った休暇小屋。「最小限の家」を実践した非常に小さな丸太小屋で、妻が他界した後もル・コルビュジエはここをよく利用していた。

15. チャンディガールのキャピトル・コンプレックス（インド）

1952年にインドのパンジャブ州のチャンディガールで行った都市計画。インドとパキスタンの間に位置し、パキスタン独立に伴ってラホールからチャンディガールに州都が遷された。ル・コルビュジエは格子状の区画に議事堂や高等裁判所、合同庁舎などを配置した。

16. サント・マリー・ドゥ・ラ・トゥーレット修道院（ラ・トゥーレットの修道院）（フランス）

1953年にローヌ県のエヴーに設計された修道院。急な斜面に建てられており、宗教建築とユニテ・ダビタシオンで用いられた集合住宅の建築が融合している。礼拝堂には時間ごとの採光が計算されている一方、シトー会の影響を受け修道士たちの部屋は簡素な祈りの空間となっている。

斜面から聳えるように建てられた

17. フィルミニ・ヴェールの身体と精神のレクリエーション・センター（フィルミニの文化の家）（フランス）

1953～65年にリヨン郊外のフィルミニに設計された文化施設。市長ウジェーヌ・クロディウス・プティが地域の再開発のために文化施設や集合住宅、競技場などの設計を依頼した。世界遺産には彫刻的な曲線の屋根を持つ「文化の家」のみが登録された。

世界遺産に推薦する時に改名された

静岡県・山梨県

富士山ー信仰の対象と芸術の源泉

Fujisan, sacred place and source of artistic inspiration

文化遺産

登録年 2016年　登録基準 (iii)(vi)
プロパティ 207㎢　バッファー・ゾーン 496.3㎢

概要

富士山域を中心とした、信仰関連の神社群や御師住宅、登山道、風穴や湖沼などの聖地や巡礼地、芸術文化に影響を与えた展望景観地などの25資産で構成される。

古くから富士山では、山頂や山域への**登拝**＊や、山麓への巡礼などを通じて、神仏の霊力を獲得し、**擬死再生**＊を求める富士山信仰の独特の文化的伝統が育まれてきた。それは現代の富士登山の形式にも受け継がれている。また日本最高峰(標高3,776m)の富士山は独立の成層火山で、山腹の傾斜は標高が増すごとに勾配を増す、類まれな美しい円錐形をしている。南側の山麓は駿河湾の海浜にまで及んでおり、海面から山頂まで傾斜が連続する成層火山として世界有数の高さを誇る。こうした富士山に対する畏敬の念は、山岳信仰だけでなく山麓の湧水などの自然の恵みに感謝する伝統にもつながっている。

富士山の姿は、葛飾北斎『冨嶽三十六景』や歌川広重『不二三十六景』などの浮世絵の他、『万葉集』や『古今和歌集』などの和歌にも残されてきた。それらは海外にも影響を与え、富士山は**日本や日本文化の象徴として、記号化された意味**を持つようになっている。

登拝：浅間大神の居処とされた富士山の火口部を目指して富士山に登る行為自体が、祈りとなる宗教的な行為。　**擬死再生**：神霊の宿る聖なる山に籠ることで生きたまま悟りを開き、新たな魂として生まれ変わるという修験道の信仰。

登録基準

●登録基準(iii):

活発な火山活動を見せる富士山への山岳信仰が、江戸時代には庶民の間にも遥拝(ようはい)や登拝、巡礼の行為として広がり、富士山信仰の思想や儀礼・宗教活動が確立した。こうした富士山とその信仰を契機として生み出された多様な文化資産は、富士山が今なお山岳に対する文化的伝統の類いまれな証拠であることを示している。

●登録基準(vi):

富士山は、日本の最高峰であると共に、美しい独立成層火山の姿のため、古くから日本のさまざまな芸術活動に用いられてきた。また近・現代の西洋芸術にも多くの影響を与え、日本や日本の文化を象徴する記号として広く海外に定着している類まれな山岳であることを証明している。

歴史

現在の富士山(新富士火山)は、約1万年前頃に古富士火山*の北西山腹付近から流れ出した溶岩が古富士火山を完全に覆い尽くし、約5,600～3,500年前にほぼ現在の姿となったもの。山麓には、繰り返し流れ出した溶岩により、何層にもわたって溶岩層が堆積し、周辺には広大な成層火山の裾野が広がった。また溶岩流が達した先端部には、富士山に降った雨による多くの湧水が形成された。

こうした新富士火山が形成された時代は縄文時代から弥生時代に当たり、噴火や溶岩の流出を繰り返す富士山は恐ろしくも神秘的な山と考えられ、古くから人々が遥拝する対象として崇められてきた。

古代律令国家が確立した8世紀後半以降には、繰り返す噴火を鎮めるために、富士山の火口に鎮座する神を「**浅間大神**(あさまのおおかみ)」として祀り、富士山そのものを神聖視するようになった。806年に富士山本宮浅間大社(ほんぐうせんげんたいしゃ)の起源とされる神社が南

火山噴火の跡が見られる

古富士火山:約10万年前に爆発や噴火を繰り返して、標高3,000mを超える火山となったもの。

日本の世界遺産

麓に建立された他、865年には北麓に河口浅間神社の起源となる神社も建立された。また富士山を望む位置に遥拝所として浅間神社が建立され、**国家の宗教政策の一環**として位置付けられた。

富士山の荘厳な姿は、芸術活動の対象とされるようになり、『万葉集』や『竹取物語』など和歌や文学の題材となった他、日本最古の障子絵『聖徳太子絵伝*』などの絵画作品にも取り上げられた。特に12世紀以降に日本の政治的中心が京都から鎌倉へ移動すると、2つの都市を結ぶ富士山の南麓の街道の往来が増え、そうした人々の記録などから富士山の存在が日本全土に知れ渡った。

11世紀後半に富士山の噴火が沈静化すると、役行者（役小角）を開祖とする修験道*の聖地として多くの修験者が山中で修業を行い、山頂への登拝を行うようになった。その後、修験者に導かれた一般の道者*も山頂を目指すようになり、17世紀以降は富士山の信仰集団のひとつである「**富士講**」が流行して、多くの人々が登拝を行った。また山麓の風穴や溶岩樹型、湖沼、湧水池、滝などを霊地とみなして巡礼する宗教活動も活発化した。それに伴い、富士講の登拝を支援する体制が確立し、登山道や神社、宿泊所などが整備されていった。

北口本宮冨士浅間神社の参道

聖徳太子絵伝：11世紀に、法隆寺東院絵殿の障子に描かれた絵画。　**修験道**：日本古来の山岳信仰と外来の密教や道教(神仙思想)が融合して形成された信仰。　**道者**：信仰に関わる登山者や巡礼者のこと。

比較研究

最も似た特徴をもつ遺産として『泰山』が挙げられるが、山頂の宗教施設を参詣する『泰山』への登山は、富士山の登拝とは異なる。また芸術作品に影響を与えた遺産では「ペルデュ山*」などがあるが、富士山とは影響を与えた時代も範囲も異なる。

保護と管理

資産は、重要文化財や特別名勝、特別天然記念物、史跡、名勝などに指定されている他、国立公園に指定され、国有林野としても保護されている。緩衝地帯は、景観法などのさまざまな法令や制度で保全が行われており、緩衝地帯が設定されていない本栖湖の北西辺及び富士山域の東辺については、山梨県景観条例による行為規制などが行われている。

日本の世界遺産

課題

2013年の世界遺産委員会では、「文化的景観の手法を反映した全体構想（ヴィジョン）」「来訪者に対する対策」「登山道の保全計画」などの作成が求められ、2016年には『富士山－信仰の対象と芸術の源泉ヴィジョン・各種戦略』と『世界文化遺産富士山包括的保存管理計画』が世界遺産委員会に報告された。現在は登山鉄道の敷設などが検討されている。

登録までの経緯

2012年に「富士山」の名称で推薦書が提出された。翌年、ICOMOSから、富士山から離れており完全性に寄与する山の一部とは見なせない**「三保松原」を除外**すれば、「登録」が相応しいとの勧告が出された。また富士山の景観は人類の歴史の重要な段階を示していないとして登録基準（iv）は認められず、名称も精神性と芸術的関連性を反映したものに変更することが勧められた。

それを受け、名称を「富士山と信仰・芸術の関連遺産群」へと変更して本会議に臨むと、三保松原は富士山の芸術に関係する価値の証明に欠かせないとの日本の主張が認められ、『富士山－信仰の対象と芸術の源泉』の名称で、三保松原も含み登録された。

除外を勧告された三保松原

ペルデュ山：スペインとフランスの世界遺産『ピレネー山脈のペルデュ山』の構成資産。

TOPICS 構成資産

1. 富士山域（山梨県富士吉田市、静岡県富士宮市、他）

富士山がもつ神聖性の境界のひとつである「**馬返***」より上方の標高約1,500m以上の区域。五合目付近の標高約2,500mの森林限界より上の区域は、神聖な区域もしくは人間にとっての他界（死後の世界）であると考えられてきた。また、山頂の**噴火口（内院）の底に浅間大神が鎮座する**との考えから、その底部とほぼ同じ標高に当たる八合目から山頂までの区域が最も神聖性の高い区域と考えられ、そこは1779年以降、富士山本宮浅間大社の境内地であるとされてきた。

1-1. 山頂の信仰遺跡群（山梨県・静岡県）

富士山の山頂部には、火口壁に沿って、神社の社殿をはじめ、複数の富士山信仰に関連する場所や施設がある。

1-2. 大宮・村山口登山道（静岡県富士宮市）

現在の富士宮口登山道で、富士山南西麓の富士山本宮浅間大社を起点とし、村山浅間神社を経て山頂の南側に達する登山道。

1-3. 須山口登山道（静岡県御殿場市）

現在の御殿場口登山道で、富士山の南東麓に位置する須山浅間神社を起点とし、山頂の南東部に達する登山道。

1-4. 須走口登山道（静岡県小山町）

富士山東麓に位置する富士浅間神社を起点とし、須走口本八合目において吉田口登山道と合流し、山頂の東部に達する登山道。

1-5. 吉田口登山道（山梨県富士吉田市・富士河口湖町）

北麓に位置する北口本宮冨士浅間神社を起点とし、山頂の東部に達する登山道。**長谷川角行***が吉田口を利用して修行活動を展開したため、富士講の登山本道とされた。

吉田口登山道の入口

馬返：登拝において、馬を用いることが許された限界の地点。これより上が神聖なる山域であると考えられていた。　**長谷川角行**：室町時代後期から江戸初期の山岳修行者で、「富士講」の始祖とされる。

1-6. 北口本宮冨士浅間神社(山梨県富士吉田市)

富士山の浅間大神を崇拝するための遥拝所を起源とし、社伝では神社の創設が日本神話の時代にまで遡ると伝わる。富士講信者は、御師住宅を出たらまず北口本宮浅間神社に参詣してから登拝を行った。境内にある大鳥居は、神社ではなく富士山の鳥居であるとされ、1480年に最初に建立された。本殿は一間社入母屋造(いっけんしゃいりもやづくり)。

本殿

1-7. 西湖(さいこ)(山梨県富士河口湖町)

富士山の北麓に残る富士五湖のひとつで、富士山の火山活動によって形成された「剗の海(せのうみ)*」に、9世紀の噴火によって溶岩が流れ込み形成された湖。富士講の巡礼地。

1-8. 精進湖(しょうじこ)(山梨県富士河口湖町)

富士山の北麓に残る富士五湖のひとつで、西湖と同じく「剗の海」が埋まらずに残った一部。富士講の巡礼地。

1-9. 本栖湖(山梨県身延町・富士河口湖町)

富士五湖のひとつで、富士山の火山活動によって形成された堰止湖(せきとめこ)。富士講の巡礼地。風光明媚で、富士山の「芸術の源泉」の価値を証明する資産。

奥に富士山が見える

剗の海：9世紀半ばまで富士山の北麓にあったとされる巨大な堰止湖。

2. 富士山本宮浅間大社（静岡県富士宮市）

富士山火口部を居処とする浅間大神を遥拝し、その噴火を鎮めることを目的として創建された神社で、国内の浅間神社の総本宮。9世紀初頭に山宮浅間神社（やまみやせんげんじんじゃ）から分祀された。**木花之佐久夜毘売命**（このはなのさくやひめのみこと）（浅間大神）を主祭神とする神社として1606年には徳川家康の庇護の下、国内では例のない「**浅間造り**（せんげんづくり）」と呼ばれる2層構造の本殿などの建造物が造営された。また1779年には江戸幕府により、富士山八合目以上の支配権が認められ、現在も奥宮として飛び地の境内地になっている。

珍しい2層の本殿

3. 山宮浅間神社（静岡県富士宮市）

本殿に相当する建築が参道の終わりになく、富士山の方向に展望の軸を合わせた位置に祭壇や遥拝所があるなど、独特の境内の地割が見られる。これは、富士山に対する遥拝を主軸とする古式の祭祀の在り方を示していると考えられている。

4. 村山浅間神社（静岡県富士宮市）

12世紀の修行僧である末代上人（まつだいしょうにん）によって創建され、かつて興法寺（こうほうじ）と呼ばれた神仏習合の宗教施設。14世紀初頭には、興法寺の僧侶の頼尊（らいそん）が富士山における修験者を組織化したため、その中心地として発展した。明治政府による1868年の神仏分離令により興法寺は廃止され、村山浅間神社と大日堂に分離された。

5. 須山浅間神社（静岡県裾野市）

須山口登山道の起点となる神社。現在の本殿の右側にある古宮神社（ふるみやじんじゃ）は、名称や17世紀のものと推定される梁の形状から、須山浅間神社の旧本殿であると考えられる。1707年の宝永（ほうえい）噴火によって須山口登山道が被災したが、1780年に復興すると富士山よりも東側を中心とする地域から多くの道者が訪れるようになった。

■ 6. 富士浅間神社（須走浅間神社）（静岡県小山町）

須走口登山道の起点となる神社。16世紀にはこの地域の有力封建領主の武田氏の庇護の下に、富士山山頂部における散銭取得権の一部を得た。宝永噴火により本殿が崩壊したが、1718に再建された。参道の両側には富士講信者が寄進した約70基の石碑などがあり、中には最高899回の登拝の達成を記念するものもある。

■ 7. 河口浅間神社（山梨県富士河口湖町）

864～866年に起こった噴火を機に、865年に富士山北麓に浅間神社が建立された記録があり、それが現在の河口浅間神社とされる。1606年に社殿が焼失したが、翌年に再建された。16世紀以降は御師の集落が作られ多くの信者が訪れたが、江戸時代に吉田御師が隆盛したことにより、19世紀以降に河口の御師集落は衰退した。

■ 8. 富士御室浅間神社（山梨県富士河口湖町）

本来の神社境内が存在する本宮と移築後の社殿が現存する里宮の2ヵ所からなる。富士山信仰に重要な吉田口登山道の二合目にある本宮の社殿は1508年に造営された。本宮から河口湖畔の産土神*の居処へ1973～1974年に移築された現在の里宮の本殿は、1612年に本宮で再建されたもの。厳しい冬季の自然環境から本殿を保護する意味もあった。

■ 9. 御師住宅（旧外川家住宅）（山梨県富士吉田市）

1768年に建造された、現存する御師住宅の中でも最古のもの。富士講信者たちは導入路を横切る水路において手足を清めると、御師の導きにより、先達は式台玄関から、その他の富士講信者たちは庭に面する縁側から、それぞれ主屋に入った。式台玄関から奥へと客室が続き、主屋の奥に増築された離れ座敷に神殿が設けられていた。

■ 10. 御師住宅（小佐野家住宅）（山梨県富士吉田市）

1861年に再建された、富士講最盛期における平面構成を現在に伝えるもの。御師住宅の屋敷の地割や建築の配置、構造などの様式が確立した頃に建てられた。御師と富士講信者たちは主屋の最も奥にある神殿の前に集まって拝礼の儀を行い、登拝の準備を行った。

産土神：その土地を守護してくれる神。

■11. 山中湖(山梨県山中湖村)

富士五湖のひとつで、富士山の火山活動によって形成された堰止湖。富士五湖の中では最大の面積をもつが、水深は最も浅い。16世紀後半に長谷川角行が自筆したとされる文書に、角行自身が「八海水行*」を行った湖沼の1つとして、山中湖が挙げられている。

■12. 河口湖(山梨県富士河口湖町)

富士五湖のひとつで、富士山の火山活動によって形成された堰止湖。河口湖北岸の産屋ヶ崎は、河口浅間神社の孫見祭において祭神の木花咲耶姫*が、産まれた孫を見舞うために訪れる場所。

富士五湖の中で最も湖岸線が長い

■13. 忍野八海(出口池)、14. 忍野八海(お釜池)、15. 忍野八海(底抜池)、16. 忍野八海(銚子池)、17. 忍野八海(湧池)、18. 忍野八海(濁池)、19. 忍野八海(鏡池)、20. 忍野八海(菖蒲池)(山梨県忍野村)

富士山の北東麓に位置する、富士山の伏流水による8つの湧水。それぞれ八大竜王*を祀る富士山信仰の巡拝地であった。富士登拝を行う道者や富士講信者たちは、「富士山根元八湖」と呼ばれる巡礼において忍野八海の湧水で自らの身の穢れを祓った。

■21. 船津胎内樹型(山梨県富士河口湖町)

溶岩が流れ下る時に樹木を取り込んで固化し、燃えつきた樹幹の跡が空洞として残った洞穴を**溶岩樹型**という。そのうち、内部の形が人間の内臓をくり抜いた胎内に似たものを「御胎内」と呼んで信仰の対象とし、「胎内巡り」と称して洞内を巡る信仰行為が行われた。17世紀初期に長谷川角行が富士登拝を行った際、船津胎内樹型のひとつを発見し、その内部に浅間大神を祀ったとされる。

八海水行：長谷川角行が、山中湖、明見湖、泉津湖、河口湖、西湖、精進湖、本栖湖、四尾連湖の8つの湖で行った水行(水垢離)。
木花咲耶姫：木花之佐久夜毘売命と同じ。
八大竜王：法華経に登場する護法神で、一般的に雨や水を司る神とされる。

22. 吉田胎内樹型（山梨県富士吉田市）

1892年に富士講信者によって発見され、巡礼の場となった。洞穴内には、浅間大神の化身であり、富士山の祭神である木花開耶姫が祀られている。富士講信者は、登拝の前日に「御胎内」を訪れ、洞内を巡って身を清めた。

天然記念物に指定されている

23. 人穴富士講遺跡（静岡県富士宮市）

長谷川角行が苦行の末に入滅したとされる風穴の「人穴」を中心として、その周辺に富士講信者が立てた約230基もの碑塔群が残されている遺跡。『吾妻鏡*』には、鎌倉幕府2代将軍源頼家の命令により、洞内を探検した武士が霊的な体験をしたことが記されている。また長谷川角行が修行を行い、浅間大神の啓示を得た場所とされる。

24. 白糸ノ滝（静岡県富士宮市）

富士山の南西麓に位置する、富士山の湧水を水源とする滝。名前は、1日平均15～16万㎥の湧水が数百条にも垂れ下がり、白糸が横に連なっているように見えることに由来する。長谷川角行が人穴での修行と並行して水行を行った場所であるとされ、富士講信者を中心に人々の巡礼、修行の場となった。

名勝地としても知られる

25. 三保松原（静岡県静岡市）

富士山頂の南西約45kmに位置し、駿河湾を臨む豊かな松林に覆われた砂嘴*。総長は約7kmに及び、その上に約5万本のクロマツが約4.5kmにわたって生育している。富士山と関係がある天女と地元の漁師との交流を描いた「**羽衣伝説***」の舞台としても有名。富士山の「芸術の源泉」の価値を証明する資産。

吾妻鏡：鎌倉時代に成立した日本の歴史書。　**砂嘴**：沿岸流によって運ばれた砂などが堆積して形成された嘴状の地形。　**羽衣伝説**：松の木に掛けた羽衣を漁師に奪われた天女が羽衣を返してもらうために天人の舞いを見せた後、富士山の方向の天上に帰ったという伝説。

概要

中部山岳地帯の険しい山間地に分散して残る白川郷の「**荻町**」と五箇山の「**相倉**」、「**菅沼**」の規模の異なる３つの集落で構成される。どの集落も庄川沿いにあり、合掌造り家屋を中心とした集落景観と周辺の自然環境は、この地域独特のものである。合掌造りの形式は、アクセスが難しい周囲の自然環境や、人々の生活、**養蚕**などの生業に合わせて発展してきた合理的な構造をしている。

一帯は白山を中心とする深い山岳地帯にあり、**日本有数の豪雪地帯**でもある。1950年代までは他の地域との交渉は極めて限られており、そうした閉ざされた環境下で独自の文化が育まれた。

「合掌造り」は、この地域で見られる切妻造の茅葺き屋根をもつ家屋のことで、小屋組内部を積極的に利用するために急な角度の山形の屋根を持つ。近隣の家々で構成される、江戸時代から続く互助組織の「**組**」が現在も残り、冠婚葬祭や家屋の建築、茅葺き屋根の葺き替えなどは「**結**」と呼ばれる相互扶助の伝統的慣習に基づき行われる。また、耕地の分散対策や生業の労働力確保などの観点から、かつては10～30人にも及ぶ一族が一軒の家屋に住む大家族制が採られていた。

登録基準

●登録基準(iv):

豪雪地帯かつ川沿いで風が強く、大家族制も採られていたため、規模が大きく60度近くの屋根勾配を持つ独自の家屋が発展した。また小屋組を養蚕の作業場や桑の葉の収納場所として積極的に利用するため、切妻屋根の開口部は**光と風を確保する構造**となっているなど独自の様式が見られる。

●登録基準(v):

この一帯には**浄土真宗***の信仰による精神的な絆を基礎とした社会制度や生活習慣において独自の文化圏が作られた。合掌造り家屋に代表される独自の文化景観と周囲の農村景観は、第二次世界大戦後の日本の急激な経済発展による社会情勢の変化の中でも守られ、集落景観を維持している。

五箇山の合掌造り家屋

浄土真宗：鎌倉時代初期の親鸞を宗祖とする、浄土信仰に基づく仏教の一派。

歴史

床面積の広い構造

8世紀頃から始まった白山を信仰の対象とする山岳信仰の修験の場として開かれた白川郷と五箇山地方は、長い間、天台宗*教団の影響下にあった。13世紀中頃に浄土真宗が浸透し各集落に寺や道場（布教所）が設けられた。

白川郷の名は12世紀中頃の文献に既に登場する。荻町は15世紀後期、五箇山は16世紀初頭、相倉は16世紀中期、菅沼は17世紀前半に成立していたと考えられる。白川郷は17世紀末以降から明治維新まで江戸幕府の直轄地であった一方、五箇山は江戸時代を通じて金沢藩（加賀藩）の領地であった。

白川郷と五箇山地方は山間地のため稲作は少なく、わずかな畑地と焼き畑で稗（ひえ）や粟（あわ）、そばなどが栽培されていた。また炭や薪、蝋、漆などの生産や採取も行われていたが、生活は豊かではなかった。代わりに主要な産品となっていたのが**和紙**と**塩硝**（えんしょう）、**養蚕**であった。

屋根の葺き替えの様子

山林に自生する楮（こうぞ）を原料とする和紙は、主要な農産物がなく積雪期が長いこの地域にとって重要な換金生業であった。和紙生産は江戸時代を通じて行われていたが、明治時代初期に機械を用いた洋紙生産が始まると衰退した。火薬の原料である塩硝は、重

天台宗：6世紀の中国の僧である智顗（ちぎ）を開祖とする仏教の一派で、最澄によって9世紀に日本に伝わった。

要な軍用物資であったため支配者によって厳しく統制されると同時に庇護もされていた。この地域ではヨモギやアカソ、ムラタチなどの雑草を牛肥(うしごえ)や下肥(しもごえ)*と共に土に混ぜて床下の地面に埋め、3〜4年かけて土壌分解させた後に精製して硝酸カルシウムを抽出した。17世紀中頃から生産が行われていたが、明治時代になり西洋から安い硝石が輸入され公的な買い上げがなくなると生産されなくなった。床下での土壌分解は**塩硝生産を隠して管理**する意味があり、床面積の広い合掌造り家屋が作られる要因の1つにもなった。

稲縄や蔦などで固定されている

この地域での養蚕と製糸の生産が本格的に始まったのは17世紀末頃。幕末から始まった外国との貿易による生糸と絹織物の輸出増大によって養蚕も急速に発展し、主要産業となった。養蚕は合掌造り家屋の成立を促し、発展に大きく関わったと考えられている。

1950〜1975年の間に起こった日本の急激な経済成長により農村の過疎化が進み、合掌造り家屋もその25年を含む1世紀の間に92%が消失してしまったが、1971年の地区住民による「白川郷荻町集落の自然環境を守る会」結成や住民憲章の制定などにより保護が進められた。

屋根は乗せてあるだけで固定していない

保護と管理

1976年に荻町が、1994年に相倉と菅沼がそれぞれ国の重要伝統的建造物群保存地区に制定された。また、それぞれ緩衝地帯I種（良好な自然環境または歴史的環境を維持するために現状の変更が厳しく制限されている地域）と緩衝地帯II種（自然環境および文化的景観の保全のために一定規模の開発行為が規制される地域）で重層的に保護されている。

牛肥や下肥：牛や人間の糞尿を肥料としたもの。

合掌造り家屋の特徴

柱や桁、梁などで構成される**軸組**と、屋根や2階部分を支える**小屋組**が**ウスバリ**で構造的・空間的に分けられている。この地域では、軸組は専門的な技術を持った大工の仕事であるが、礎石の据え付けと小屋組と屋根の材料の確保、加工、組み立て、葺き上げは、「結」で行われる。そのため、軸組は多様な仕口*や継手*によって丁寧に組み立てられているが、小屋組と屋根は、丸太材のままか斧や手斧による粗い仕上げとなっており、部材の組み立ても稲縄やマンサクの木や蔓などで結ぶだけになっている。小屋組は軸組に乗せられただけで固定されていない。

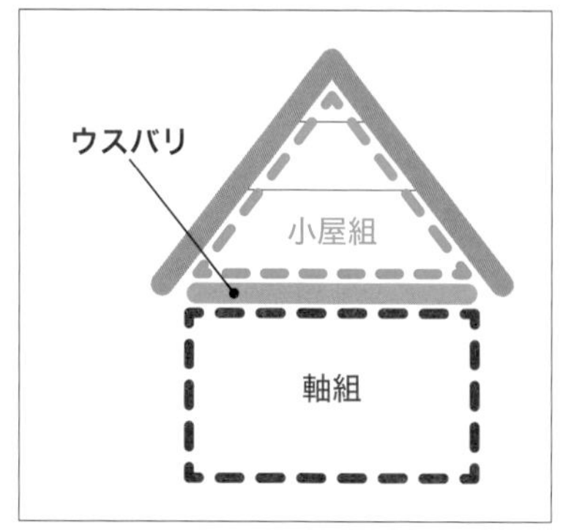

ウスバリ構造

軸組は、雪深い急傾斜地で根本が曲がって成長した樹木を利用した**チョウナバリ**と呼ばれる梁が用いられることがあるのも特徴。小屋組みは、養蚕に使われたため板などを並べて床が作られている。小屋組を養蚕の作業場とするために妻からの通風と採光が必要であったため、切妻造が採用された。豪雪地帯であるため、屋根の勾配は60度に近い急勾配となっているが、建築年代の古いものほど勾配は緩く、新

消火用の放水銃も景観に配慮されている

明善寺の茅葺きの鐘楼門

仕口：建築部材の接合方法で、木材に刻んだホゾなどを用いて方向の異なる部材を組み合わせるもの。　**継手**：建築部材を接合する構造で、木材をカマなどを用いて継ぎ足すもの。

しいものほど急勾配の傾向がある。

荻町では、庄川の川に沿って吹く風の抵抗を少なくするため、妻を南北に向けるように建てられている。また、白川郷では居間の平側に出入口が設けられるが、五箇山では妻側に半間ほどの下屋を作りその中央に出入口が設けられるため、外観が異なる。

多くの家屋が妻を同じ方角に向けている

TOPICS 構成資産

1. 荻町集落（岐阜県白川村）

集落の中心部分は庄川の東側右岸に広がる南北長さ約1,500m、東西最大幅約350mの三日月形をした河岸段丘にあり、多くの家屋は耕作地の間に点在している。主屋が火災にあっても延焼しないように、板倉やハサ小屋*などは主屋から少し離れた場所に建てられている。登録エリアには、集落の守り神である八幡神社や、浄土真宗の明善寺と本覚寺、重要文化財の和田家などが残る。

2. 相倉集落（富山県南砺市）

集落は庄川の左岸の川面よりやや高く離れた河岸段丘にある。集落の他、集落背後のブナ、トチ、ミズナラなどの大木が生い茂り、雪持林として維持されている傾斜地の一部も保護地区に含まれる。かつて村内でも最も養蚕の盛んな集落であったが、主食の自給化対策と養蚕の衰退が進んだ1950年頃に桑畑の水田化が行われた。

3. 菅沼集落（富山県南砺市）

集落は庄川が蛇行しながら東へ流れを変える地点右岸の、南北約230m、東西約240mの舌状に北に突き出た河岸段丘にある。家屋は平坦地の南東部に集まっており、耕作地は集落北西部の低い土地に水田がまとまっている。

ハサ小屋：農具などを保管する農小屋のこと。

概要

794年に平安京が築かれてから19世紀半ばに至るまで、1,000年以上にわたり京都は日本の首都であると同時に文化の中心であり続けてきた。その各時代を代表する17の寺社、城の構成資産は、宗教建築を中心とする日本の**木造建築の発展**と、世界の造園に影響を及ぼしてきた**日本庭園の芸術性の発展**を示している。

日本における中国式都城の建設は7世紀後半から始まり、都城形式の基本を取り入れながら日本の民族性と風土にあった独特の古代都市が形成されていった。平安京はその日本化した都城の集大成といえる。また京都は、時代ごとに新しい文化を育み蓄積してきた日本文化の中心地であり、各時代を代表する歴史的建造物や庭園が集積した都市といえる。

京都は東と北、西の3方を豊かな緑の山で囲まれた盆地で、京都近郊や周囲の山麓部に点在する構成資産に含まれる198棟の建造物と12の庭園のほとんどは、10〜17世紀にかけて建築、作庭された。京都中心部の市街地は応仁の乱などの戦乱や火災でしばしば焼失したが、16世紀以降に創建されたものや周囲の山麓には各時代の文化資産が残されてきた。これは近代都市に囲まれて歴史地区が残る西欧などの石造の都市に対し、木造建築を主とする京都に特有の歴史景観となっている。

登録基準

●登録基準（ⅱ）：

中国の都城形式を取り入れた京都は、政治・経済力や文化的教養を背景に、各時代の日本の先進的文化を育ててきた。日本の基礎的建築様式である「**和様***」や華やかな装飾を用いる「**桃山様式***」は、京都において洗練され全国に伝播していった。また16世紀以降には、中心部と周縁部とからなる京都の都市構造を規範とし、京都文化を取り入れた「小京都」と呼ばれる都市が各地に建設された。

●登録基準（ⅳ）：

日本の文化史を彩る各時代の寺社や貴族住宅の建築様式と庭園様式の代表的な形式を示しており、歴史的な発展を証明している。また、それぞれの資産は建築群、庭園、周囲の自然などで構成され、寺社または城として個性化された建築の複合体である。そこには、ある時代の典型的な形式を示す最も芸術的が高い文化財が含まれている。

平等院の浄土庭園と鳳凰堂

和様：平安時代の国風文化の時代に日本人好みに洗練された様式を、鎌倉時代に中国から大仏様や禅宗様が伝わった時にそれと対比して呼んだもの。　**桃山様式**：16世紀末から17世紀初頭に用いられた、豪華で開放的な装飾の多い様式。

歴史

賀茂川と桂川が合流し流れ込む鴨川の扇状地である京都盆地の北部に、飢饉や疫病などの社会不安や政治を一新する目的から平安京が築かれ、約400年にわたって貴族文化の舞台となった。

平安時代前期から後期には、**東寺と西寺の２つの官寺以外は平安京内での寺院建立が禁じられていた**ため市中は都市的機能の場となり、周辺の山中に寺院が設けられた。また風光明媚な場所には貴族の別荘が建てられ、貴族による王朝文化が栄えて**国風文化**として洗練されていった。1185年の内乱の後、鎌倉に武士政権が成立したが、京都では朝廷貴族の権威が維持されており、公家文化や武家文化、仏教文化がそれぞれ影響しあいながら存在していた。1338年に室町幕府成立し京都に政権の中心が戻ると、最盛期となる14世紀末には、足利義満の山荘(後の鹿苑寺)に象徴される**北山文化**が栄えた。これは武家の権威を示すと同時に王朝への憧れから公家文化を取り入れ、そこに禅宗を通した中国文化を組み込んだもので、15世紀中頃にはそこから芸術的により洗練された**東山文化**が栄えた。

芸術的に文化が高められた一方、1467年から10年間にわたり**応仁の乱によって都市としての形を失うほど被災**し、古代からの多くの資産も失われた。乱後の京都の復興は、経済力を高めていた町衆*の手によって行われ、祇園会*の山鉾の復活は祇園祭として現在まで継承されている。一方で、戦乱を避けて地方へ移った貴族たちによって京都の文化が地方へ伝播し、都市造りに活かされた。

豊臣秀吉が天下を統一すると、秀吉は市街地の中央に居城である**聚楽第**を築き、市中に散在する寺院の集中化を行った。1591年には周囲に**御土居**と呼ばれる土塁を築き城下町化が図られた。1603年に江戸に徳川幕府ができると、幕府の権力の象徴として二条城が築かれ、御土居は都市的発展

新幹線から見える東寺の五重塔

町衆：室町時代から安土桃山時代にかけて地域の自治なども行った京都の商工業者。　**祇園会**：京都の祇園社(八坂神社)の祭礼。

を阻害するものとして民衆によって破壊された。

都市に商工業が栄え、西欧を含む海外との通交が盛んになった16世紀末から17世紀初期には、武力により支配者となった武将と経済的に成長した豪商による豪壮華麗で力強い桃山文化が栄えた。17世紀初頭からは、全国の寺院は宗派ごとに本寺（本山）と末寺の体系化がなされ、本山の集中する京都は宗教都市、観光都市としての性格も形成された。

慈照寺庭園の向月台

京都の木造建築と庭園は、長い歴史の中で修復が行われてきた。中世では幕府や大きな寺社専属の工匠が建築を独占しており、江戸時代には寺社の造営や修理などは幕府の検分を受けて前代の建物の規模や意匠を超えないという方針が採られたため、形態や装飾、材料など細部にわたるまで伝統的な形式の尊重や継承が守られた。庭園については、11世紀末に成立した世界最古の作庭書『**作庭記***』に基づき造営、修理され、江戸時代には各地の領主によって保護されてきた。

夢窓疎石に作られた天龍寺の庭園

保護と管理

構成資産に含まれる建造物、庭園及び土地は、文化財保護法により保護されている。資産を構成する198の建造物のうち、38棟は国宝に、160棟は重要文化財に指定されている。また12の庭園のうち、8つは特別名勝に、4つは名勝に指定されている。緩衝地帯は、自然公園法や古都保存法などを組み合わせ、修景基準なども定めて保護している。

作庭記：平安時代に書かれた作庭書で、自然の優れた風景や先人の構築した優れた庭園から学ぶことが重要と書かれている。

TOPICS 構成資産

● 1. 賀茂別雷神社（上賀茂神社）（京都府京都市）

7世紀末には有力な神社であった賀茂別雷神社は、平安京に遷都されてからは国家鎮護の神社として朝廷の崇敬を集め、11世紀初頭までに現在に近い姿に整えられた。東西に並んで建つ本殿と権殿*は**三間社流造***で、1863年に再建された。流造の代表例とされる。聖域である神社後方の**神山**も登録範囲に含む。

三間一戸造の楼門

● 2. 賀茂御祖神社（下鴨神社）（京都府京都市）

8世紀中頃に賀茂別雷神社から分立したとされ、平安京造営にあたり賀茂別雷神社と共に国家鎮護の社となった。賀茂別雷神社と異なり、1036〜1322年は約20年毎*に**式年造替**が行われていたが、戦乱等により遅滞するようになった。その後1629年に再興され、平安時代の姿が再現された。流造の東本殿と西本殿は1863年に再建されたもの。また境内の「**糺の森**」も登録範囲に含まれる。

かつては式年造替が行われた楼門

● 3. 教王護国寺（東寺）（京都府京都市）

平安京造営に際し、796年に国家鎮護のために羅城門の東西に建立された2つの官寺の1つ。823年には**弘法大師空海**に下賜され真言密教の道場となった。南大門、中門（1486年に焼失）、金堂、講堂、食堂、北大門が南北軸上に並び、中門の東に五重塔が配される伽藍配置。五重塔は826年の創建だが、その後4回焼失し、1643年に再建された。

権殿：式年遷宮の際に、御神体を遷し仮の本殿とする建物。　**三間社流造**：正面に4本の柱があり柱間が3つある流造の様式。　**約20年毎**：現在は21年毎に行われている。

4. 清水寺(京都府京都市)

780年に私寺として建立され、805年に桓武天皇の勅願寺*として寺地が認められた。1633年再建の本堂は、音羽山の中腹に建つ**懸造**の大規模な建築で、崖から張り出すように高さ約13mの舞台を持つ。懸造とは、縦横の貫によって結ばれた高い束柱が建物を支える構造のこと。舞台を支える18本の柱は樹齢約400年の欅で、釘を使わずに何本もの貫を通して木材同士をつなぐ「継手」の構造が使われている。

5. 延暦寺(滋賀県大津市、京都府京都市)

天台宗を伝えた**最澄**が平安京の鬼門鎮護*のため788年に建立し、後に修行の寺として法然や栄西、親鸞、道元、日蓮など日本の仏教各派の始祖となった高僧を世に送り出した。総本堂である**根本中堂**は887年に創建された後、1640年に再建された。正面11間の入母屋造、瓦棒銅板葺*の仏堂で、基本は平安時代のものだが細部には和様を駆使した江戸時代の気風が見られる。

根本中堂

6. 醍醐寺(京都府京都市)

山上の伽藍と、西麓の平地伽藍に分かれており、山上伽藍は874年、平地伽藍は904年に整備が始められた。907年建立の山上伽藍の薬師堂は檜皮葺で、平安時代初期の礼堂を持たない仏堂の規模や様式を伝える。952年に落成した平地伽藍の五重塔は**京都における現存最古の建造物**で、初層内部には両界マンダラ壁画が描かれ密教寺院の特性を示している。三宝院表書院と庭園は1598年に豊臣秀吉が大規模な花見を催すにあたって増築・改造したもの。池泉回遊式庭園と枯山水庭園の折衷様式で、秀吉自ら指示し造園した。

勅願寺：寺格の1つで、天皇等の発願で国家鎮護や皇室繁栄などを祈願し創建された寺のこと。　**平安京の鬼門鎮護**：延暦寺は平安京の鬼門にあたる北東に位置する。　**瓦棒銅板葺**：屋根の斜面に沿って一定間隔の瓦棒を並べ、それに沿って銅板で屋根を葺いたもの。

● 7. 仁和寺（京都府京都市）

888年に完成した宇多天皇発願による勅願寺で、宇多天皇が退位後出家して定住して以降、明治維新まで皇子や皇孫が門跡を務めたため、「**御室御所**」と称された。応仁の乱で全伽藍を焼失し、1641～1644年に再建された。金堂は京都御所の紫宸殿を移築したもので、桃山時代の宮殿建築を伝える。

徳川家光が寄進した二王門

● 8. 平等院（京都府宇治市）

平安京遷都に伴い景勝地の宇治に築かれた貴族の別邸の1つを起源とし、1052年に寺院に改められたもの。1053年に阿弥陀堂（**鳳凰堂**）が築かれ、12世紀初めまでに阿字池を中心とする**浄土庭園**と諸伽藍が造営されたが、1331年の戦火で鳳凰堂を除く伽藍が焼失した。棟飾りに鳳凰を置く鳳凰堂は、前面の庭園と共に西方極楽浄土を表しており、内壁の飛天や二重の天蓋、天井装飾、扉絵で飾った中堂を中心に、左右には翼廊を配している。

● 9. 宇治上神社（京都府宇治市）

宇治上神社は古くからあったが、平等院鳳凰堂の完成後、その鎮守として平等院の支援を受けながら社殿が整えられた。一間社流造の内殿三棟を並立させ、それ

本殿の履屋

を流造の覆屋で覆った特殊な形式は、11世紀後半に造営された**現存する最古の神社本殿建築**とされる。

10. 高山寺（京都府京都市）

774年に開創された寺を、1206年に明恵上人が中興し、高山寺と改称したもの。中興当初は金堂、阿弥陀堂、十三重塔、東西経蔵等が建ち並んでいたが、その後中世の戦乱期に荒廃し、江戸時代に入った1634年に再興された。明恵上人時代の唯一の遺構である石水院が残る。

石水院

11. 西芳寺（京都府京都市）

731年に開かれた寺を、1339年に**夢窓疎石***が禅宗寺院として復興したもの。地形を活かした庭園は上下2段に分かれており、上段は枯山水式庭園、下段は黄金池を中心とした池泉回遊式庭園になっている。夢窓疎石が作庭した当時は、楼閣瑠璃殿などの庭園建築があったが1469年の戦火で焼失した。

12. 天龍寺（京都府京都市）

嵐山を背景として1255年に造営された離宮を、1339年に禅寺に改めたもの。三門、仏殿、法堂、方丈を一直線上に並べ、方丈の裏に庭園を造った典型的な禅宗寺院の地割で、夢窓疎石が携わった方丈庭園は自然の地形を大きな築山に見立てて作られている。

13. 鹿苑寺（金閣寺）（京都府京都市）

鎌倉時代に造られた貴族の別荘を、将軍を退いた足利義満が1397年に譲りうけ、粋を尽くした別邸北山殿に造り替えたもの。義満の死後は、夢窓疎石を開山とする禅寺鹿苑寺となった。特別名勝になっている**鹿苑寺庭園**は、衣笠山を借景に、鏡湖池に様々な名石を据え、池に向かって三層の豪華な舎利殿（金閣）を建てており、山上に展望所を建てるなど西芳寺にならった構成になっている。

夢窓疎石：鎌倉時代から南北朝時代、室町時代初期にかけて活躍した臨済宗の僧侶で作庭家。歌人としても知られる。

金閣は、第1層を寝殿造風、第2層を住宅風、第3層を禅宗仏堂風に造られ、宝形造の屋根は柿葺*で、第2層と第3層は全面に金箔が押されている。これは**公家文化と武家文化、仏教文化が調和した華麗な建築であり、義満の権威と王朝への憧れを示している。**

池泉回遊式庭園の鹿苑寺庭園

14. 慈照寺（銀閣寺）（京都府京都市）

足利義政が1482年東山山麓に造営した別邸東山殿を、義政の死後、禅寺慈照寺としたもの。西芳寺をモデルに、錦鏡池を囲むように観音殿（銀閣）、持仏堂（**東求堂**）等の建物が建てられ、文化人のサロンとして賑わった。

銀閣は二層の楼閣で、下層は書院風、上層は仏堂風に造られ、屋根は宝形造の柿葺になっている。1485年に建てられた東求堂は持仏堂と書斎を兼ねた建物で、「**同仁齋***」に設けられた**付書院***と**違棚***は現存する最古のもので、書院造の源流とされる。池泉回遊式の慈照寺庭園にある砂盛「銀沙灘」と「向月台」は江戸時代に造られた。

観音堂（銀閣）

柿葺：木の薄板を何重にも重ねて葺いた屋根葺手法。　**同仁齋**：四畳半の書斎で、足利義政はこの部屋を愛したとされる。
付書院：「床の間」脇に設けられた、明り取りでもある出窓状の文机（ふづくえ）。　**違棚**：棚板を上下等にずらして付けた棚。

15. 龍安寺(京都府京都市)

細川勝元が1450年に貴族の別荘を譲り受けて禅寺としたもの。1797年に焼失したため、1606年建立の塔頭である西源院にあった方丈を1797年に移築した。方丈の南側にある方丈庭園は、東、南、西面を築地塀で囲んだ約250㎡の矩形の白砂敷の中に、5群15個の石組から成る石庭。遠近法なども用いられ、枯山水庭園の代表例とも称される。

平面や塀の高さで遠近法が用いられている

16. 本願寺(京都府京都市)

大坂にあった浄土真宗本願寺派の本山が焼失したため、1591年に寺院組織が京都に移され伽藍整備されたもの。1657年に黒書院、17世紀末に南能舞台が建立され、1760年に本堂再建と諸建築物の建立がなされた。**飛雲閣**は、回遊式庭園である滴翠園の池に面して建つ三層の楼閣で、桃山時代の気風を伝える。17世紀前半に建てられた唐門は、入母屋造檜皮葺平入の屋根を持つ門で、前後の軒を大きな唐破風とし、多くの彫刻や飾金具によって豪華に飾られている。

17. 二条城(京都府京都市)

1603年に徳川幕府が京都御所の守護と将軍上洛の時の宿泊所として造営したもの。1626年に天守、本丸御殿及び二の丸御殿の大規模な拡張、修復工事が行われ、現在の規模となった。公式の対面の場である大広間は、最も格の高い「上段の間」から順に「二の間」、「三の間」、警護の武士の控えた「槍の間」から成る。「上段の間」は床を一段上げ、**二重折上格天井***となっている。大広間から金箔貼壁の渡り廊下で「蘇鉄の間」とつながる黒書院は親藩大名等との内向きの対面所で、最も奥の白書院は将軍の寝室であった。

国宝の二の丸御殿

二重折上格天井：湾曲した木材で天井を二重に高くした形式で、格縁という角材を格子状に組んでいる。

奈良県

古都奈良の文化財

Historic Monuments of Ancient Nara

文化遺産

登録年 1998年　登録基準 (ii)(iii)(iv)(vi)

プロパティ 6.17㎢　バッファー・ゾーン 19.63㎢

概要

奈良が日本の都と機能していた、平城京造営の710年から長岡京遷都の784年までの74年間、日本が文化的、政治的に大きく発展したことを証明する8つの資産で構成される。この時代に**律令制**に基づく日本の国家体制が確立され、そこで花開いた国際色豊かな**天平文化**はその後の日本文化の源泉となった。

東と北、西の3方を笠置山地や生駒山地などに囲まれ、南に開けた奈良盆地に置かれた平城京は、中国の風水思想に従って造営場所が選定された。唐の都にあった長安城を基に都市計画が立てられ、碁盤の目状の区画に宮殿や寺院、神社、公共の建造物、住居、道路が作られた。平城京の中央北端に位置する**平城宮**には、国の政治や儀式を執り行う**大極殿**と**朝堂院**、天皇の居所である内裏、行政機関である各役所などがあった。平安京への遷都後には田畑に変えられたが、残った寺社を中心に門前町や奈良町などの新たな街が形成された。

構成資産には、5つの仏教寺院と1つの神社、関連する景観、考古学的遺跡が含まれ、8世紀の日本の都における宗教や政治、生活のあり方を示している。

登録基準

●登録基準（ii）：

奈良の寺院の多くは、8世紀に中国大陸や朝鮮半島から伝播して日本に定着し、「**大仏様***」で見られるような日本で独自の発展を遂げた様式を含む仏教建造物群である。構成資産は8世紀の日本の木造建築技術が高度な文化的・芸術的水準を持っていたことを証明しており、中国や朝鮮半島との密接な文化交流があったことを示している。

●登録基準（iii）：

日本の代表的な古代都城を構成する資産群で、平城宮跡は失われた古代宮都の考古学的遺跡として重要である。平城京はわずか74年という短い期間に限定された都で、その後の奈良の中心部が平城宮の東縁部分で発展したため平城宮の地下遺構が良好な状態で残されており、8世紀の社会、経済、文化を豊かに伝えている。

●登録基準（iv）：

構成資産は、古代の律令制拡充期における寺院の威容を伝える建造物群で、日本の古い形態の寺院建築を知る上で重要である。また平城宮の地割や建造物の配置、奈良に今も残る建造物群の意匠は、アジア古代の宮都における建築と都市計画の顕著な見本である。

●登録基準（vi）：

構成資産は、神道や仏教など日本の宗教的空間の特質を示している。また、構成資産を取り巻く自然環境の中でも**春日大社**の社叢は、社殿の背後に広がる神域を成し、特定の山や森を神格化しようとする日本独特の神道思想と密接に関係している。奈良は宗教関連儀礼や行事が今も盛んに行われ、構成資産が精神的に大きな影響を与えている。

平城京の範囲と現在の奈良

大仏様：12世紀末の東大寺再建の際に用いられた、大陸の様式を取り入れた新しい建築様式。

歴史

7世紀中頃まで、朝廷の宮殿は飛鳥(あすか)地方を中心に、天皇一代ごとに転々と移動していたが、694年に中国の唐を模範とする国家体制の整備と共に、飛鳥地方に本格的な都城である藤原京(ふじわらきょう)が造営された。710年に元明(げんめい)天皇が平城京に遷都すると一貫して**仏教興隆政策**が採られ、718年に**元興寺**(がんごうじ)と**薬師寺**(やくしじ)が飛鳥藤原地域から京内に移転された。聖武(しょうむ)天皇は国家守護のため国ごとに国分寺(こくぶんじ)の建立を命じ、745年にはその頂点に立つ総国分寺として**東大寺**(とうだいじ)の造営が発願された。東大寺の伽藍は、奈良時代の文化の到達点を示すものであった。768年創建と伝わる春日大社の地は、756年の「**東大寺山堺四至図**(とうだいじさんかいししず)*」に「神地(しんち)」と示されており、768年以前から社が存在した可能性もある。

都が長岡京を経て平安京に遷っても平城京の寺の多くは奈良に残され、官寺として第一級の格式を持った薬師寺と元興寺、**興福寺**(こうふくじ)、東大寺は引き続き朝廷の保護を受けた。特に天皇家とも深い婚姻関係を持つ有力貴族の**藤原氏の氏寺であった興福寺や氏神の春日大社**の保護は手厚く、841年には勅令で春日山における狩猟や伐採が禁じられた。しかし、平安末期の1180年に奈良は内乱に巻き込まれ、東大寺や興福寺は伽藍の大部分を焼失するほどの壊滅的な被害を受けた。

鎌倉時代に入ると、朝廷から援助を受けた興福寺は伝統的建築様式の「和様(わよう)」を用いて1194年までに復興した一方、東大寺の復興では中国の宋(そう)から新たに導入し

東大寺の金堂（大仏殿）

東大寺山堺四至図：正倉院に保管されていた、東大寺の寺域を示した絵図。

た建築様式の「大仏様」が用いられた。**南大門**に今も大仏様が残るが、風変わりで大胆な意匠であったこともありその後は単独ではあまり使われず、和様に部分的に大仏様が取り入れられるようになった。

鎌倉時代には奈良の仏教の復興機運が高まったが、室町時代になると衰退し、元興寺は1451年の一揆で焼かれ境内地は次第に市街地化した。東大寺でも1567年の兵火で金堂(大仏殿)や中門、回廊などを焼失した。東大寺の金堂(大仏殿)が再建されたのは焼失から140年を経た1709年のことで、江戸幕府が援助したにも関わらず、建物の平面規模は創建時の約2/3に縮小された。一方で興福寺と春日大社は室町時代も主要な建物の再建や維持を続けて藤原氏の氏寺と氏神としての面目を保ち、春日大社は江戸幕府の寄進を受けて12世紀後半頃から続く式年造替の伝統を維持した。

保護と管理

構成資産は文化財保護法の下に国宝、特別天然記念物、特別史跡等に指定されている。春日山原始林は奈良県が、平城宮跡については国と奈良県が連携して保護・管理しており、平城宮跡と緩衝地帯の一部は2008年に「国営平城宮跡歴史公園」に指定され保護されている。

TOPICS 構成資産

1. 東大寺

仏の加護により国家を鎮護しようとした聖武天皇の発願で建立され、751年に金堂(大仏殿)が完成した。金堂は東大寺の本山である「**銅造盧舎那仏坐像**(大仏)」を安置する仏堂で、大仏は747年に鋳造が始まり752年に開眼した。その後は損傷と修復が繰り返され、現在の大仏は1709年完成の三代目。大仏殿には大仏様が使われ、江戸時代の再建時に正面が11間から7間に縮められたが、側面と高さは創建時を踏襲している。

正倉院正倉は756年頃に建てられた天皇家の縁の品を納める高床造の双倉*で、北倉と中

盧舎那仏坐像

双倉：同一規模の2つの倉を並べ、共通の1つの屋根をつけたもの。

倉、南倉の3室からなる。南北の倉は**校倉造***、中倉は板倉造*で、現存する奈良時代の校倉で最大規模のもの。南大門は1199年に創建時の位置と規模で再建された。大仏様が用いられ、鉄骨造のような機械的な機能美を見せる。法華堂(三月堂)は740年頃の創建時には正堂と礼堂の2棟であったが、鎌倉時代に礼堂が大仏様で建て替えられ、両堂をつなぐ屋根が架けられた。

2. 興福寺

669年に藤原鎌足*の妻である鏡大王が山階寺を造営したことを起源とする。平城京遷都に伴い飛鳥から平城京に移され興福寺となった。藤原氏の氏寺だが、主要堂塔の建立の発願は天皇や皇后によるものが多い。北円堂は1180年の兵火で伽藍が全焼した後、1210年頃に再建されたもの。外観は和様でありながら柱に貫を通して軸組を固めるなど大仏様の手法も取り入れられている。三重塔は4本の柱の内側を対角に張った板壁で4つに区切り、各区に千体仏を描いている。1415年再建の東金堂は奈良時代建立の唐招提寺金堂と同じ構成で、古い様式が守られている。1426年完成の五重塔は『古都京都の文化財』の教王護国寺の五重塔に次いで日本で2番目に高く、純粋な和様で作られている。

東金堂と五重塔

校倉造：校木と呼ばれる木材を井桁に組んで積み上げげた、伝統的な倉庫の建築様式。　**板倉造**：壁材に横板を用いた簡素な木造建築様式。　**藤原鎌足**：飛鳥時代の貴族で政治家。「大化の改新」の中心人物の一人。中臣鎌足とも。

3. 春日大社

古くから神が降臨する山として神聖視されていた春日山(御蓋山)の西麓に藤原氏の氏神を祀ったもので、藤原氏や朝廷の崇敬を受けて繁栄した。平安時代後期から1868年の神仏分離令*までは、**神仏習合思想の下で興福寺と一体化**されていた。室町時代に式年造替の精度が確立され、1863年まで続けられた。本社本殿は、東西に並ぶ4棟の**春日造***の建物で構成され、春日造の代表作とされる。

中門正面の唐破風は明治時代に加えられた

4. 春日山原始林

841年に狩猟と伐採が禁止されて以降、大社の神山として守られてきた。原生な状態を保つ照葉樹林として1924年に天然記念物、1955年には特別天然記念物に指定された。春日大社の社殿周辺から春日山にかけては一帯の聖域とされ、自然に対する原始的な信仰が生まれた日本の伝統的な自然観を伝えている。

5. 元興寺

6世紀に蘇我馬子*が建立した飛鳥寺を、平城京に移転し718年から造営したもので、8世紀後半に完成した。平安時代以降は衰退したが、12世紀頃から**極楽坊**と呼ばれていた僧坊の一部が浄土教の念仏道場として分離独立した。現在は

神仏分離令:神仏習合を禁じ、神道と仏教、神社と寺院などを分離させた1868年の政府通達の総称。　**春日造**:方1間の切妻造妻入の建物の正面に庇を付けた形式。　**蘇我馬子**:蘇我氏の全盛期を築いた飛鳥時代の貴族で政治家。

日本の世界遺産

禅室と本堂のみ残る。禅室は、和様に大仏様を取り入れた様式で、12房(ぼう)あった旧僧坊の4房分の柱位置と規模を踏襲している。同じく和様に大仏様を取り入れた本堂は、中心にかつて曼荼羅(まんだら)を祀っていた内陣(ないじん)を配し、その周囲を念仏を唱えながら回れるように外陣(がいじん)が取り巻いている。本堂の瓦には、飛鳥時代の瓦も残る。

飛鳥時代の瓦が残る本堂

● 6. 薬師寺

680年に天武(てんむ)天皇が発願した官寺で、718年に藤原京から平城京に移築された。金堂の前に東西両塔が並び立つ「薬師寺式伽藍配置」を持つ。973年に金堂と東西両塔を除いて焼失し、1445年には大風(おおかぜ)で金堂を、1528年には兵火で西塔(さいとう)を失い、**創建時の建物は東塔(とうとう)のみ**。730年創建の東塔は、建物の構成や意匠が奈良時代以前の様式を伝えており、7世紀末に藤原京で創建された当時の様式を踏襲してい

国宝の東塔

る。三重塔だが、各重に**裳階**と呼ばれる庇状の構造物が付き、大小重なった六重の屋根をしている。また頂上の水煙*は空を舞う天女を透かし彫りにしている。

7. 唐招提寺

仏教の戒律を伝えるために唐から来日した**鑑真***が759年に創建した寺院。教義上、立派な伽藍よりも住むに足るだけの僧坊と食堂、仏法を講じる講堂が重要であるとして先に建てられ、金堂や五重塔は鑑真の没後に建てられた。金堂は奈良時代の金堂建築の唯一の遺構で、天井周りには彩色文様が残り、極彩色の堂内に金色の仏像が輝く往時の様子を伝える。講堂は平城京の東朝集殿を760年代の初めに移築したもの。移築時に入母屋造に改め、扉や壁、窓がつけられた。1275年の改造で外観は大仏様の影響を受けた鎌倉時代の様式になった。

金堂

8. 平城宮跡

平城京は、中央北端の平城宮を中心に右京(西側)と左京(東側)に分かれており、他の宮城には例のない**外京**を左京の東側に張り出す形で持っていた。平城宮の周りには築地大垣*が巡らされ大垣には南面正面の正門である朱雀門など12の門があった。朱雀門を入った場所に中央の大極殿と朝堂院があり、その東にも東の大極殿と朝堂院があった。2ヵ所の大極殿と朝堂院は、政治や儀式、宴会に最も用いられた公的な施設で、その周囲に建物が南北中軸線に沿って左右対称に配置されていた。各建物が基壇上に建つ礎石建物で朱塗り柱の瓦葺という中国風であったのに対し、天皇の居所である内裏や役所は掘立柱建物で白木柱に檜皮葺の日本風の様式であった。

水煙：五重塔などの頂上につけられた金属部分「相輪」に施された火炎の透かし彫り。木造建築にとって「火」は避けられるため「水煙」と呼ばれる。 **鑑真**：唐の僧で、日本における律宗(りっしゅう)の開祖。 **築地大垣**：土をつき固めて築いた高さ5mほどの大垣。

奈良県

法隆寺地域の仏教建造物群

Buddhist Monuments in the Horyu-ji Area

文化遺産

登録年 1993年　登録基準 (i)(ii)(iv)(vi)

プロパティ 0.15km²　バッファー・ゾーン 5.71km²

概要

日本に仏教が伝来した直後に創建された現存する日本最古の仏教建造物群で、その後の日本の寺院建築に大きな影響を与えた、法隆寺に属する47棟と法起寺の三重塔1棟の合計48棟で構成されている。法隆寺西院の金堂、五重塔、中門、回廊、法起寺三重塔など、7世紀後半から8世紀にかけて建立された11棟の建造物は、**現存する世界最古級の木造建造物**でもある。607年頃に創建された斑鳩寺（法隆寺）は670年に焼失*したが、その遺構は現在の法隆寺境内の地下に、若草伽藍跡から西院の南東の辺りに広がって残されている。再建は焼失直後から始まり、**飛鳥時代の様式での再建**は8世紀初頭まで続いた。

法隆寺の建造物群からは、中国の仏教建築や伽藍配置が日本文化に取り入れられたことが分かる。仏教が朝鮮半島を経由して中国から日本に伝来した時期に建てられていることから、芸術史的な重要性だけでなく宗教史的にも非常に重要である。

法隆寺は創建時から天皇家の保護を受けており、12世紀頃からは**聖徳太子*を尊崇する信仰**が盛んになったことにより、多くの信者を引きつけた。そのため、**法隆寺は聖徳太子が建てた時代の様式やオリジナルの部材をできるだけ残しながら**保護・保存されてきた。

670年に焼失：『日本書紀』に、天智9年（670年）一屋余すことなく焼失したと記されている。　**聖徳太子**：厩戸王。用明天皇の第二皇子で、推古天皇の摂政（せっしょう）。「聖徳太子」の呼び名は死後に使われるようになった尊称。

登録基準

●登録基準（ⅰ）：

伽藍配置や全体のデザインだけでなく、**エンタシス＊**をもつ太い柱や飛鳥時代の特徴でもある雲形の**雲肘木＊**や**雲斗＊**などに代表される細部のデザインにおいても洗練された優れた芸術性を示している。

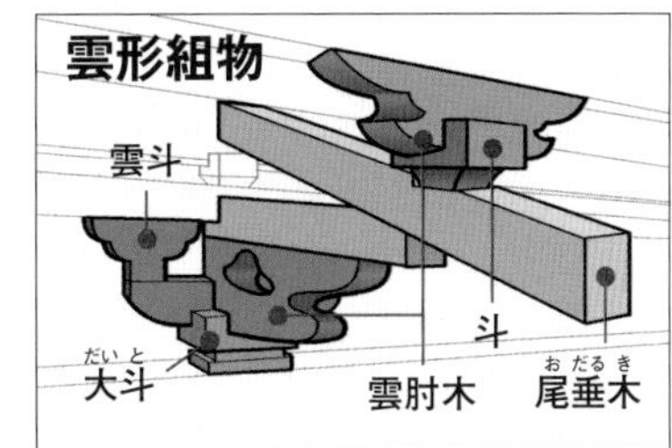

●登録基準（ⅱ）：

日本における仏教建造物の最古の例として1,300年間の伝統の中でそれぞれの時代の寺院の発展に影響を及ぼしており、日本文化や宗教建築を理解する上で重要な遺産となっている。

●登録基準（ⅳ）：

7～8世紀初頭に建立された金堂や五重塔、中門、回廊は、石窟寺院や絵画資料から窺うことができる6世紀以前の中国の建造物と共通する様式上の特徴をもっている一方、続く8世紀に建立された経蔵や食堂、東大門や東院の夢殿、伝法堂では、新しい唐の様式の影響が見られるため、当時の中国や東アジアと日本の間の密接な文化交流を証明している。また、7～19世紀の各時代の**優れた木造建造物が一カ所に集中して残されている**点でも、日本と東アジアの木造の仏教寺院の歴史の貴重な証拠となっている。

●登録基準（ⅵ）：

仏教は6世紀中頃にインドから中国や朝鮮を経由して日本に伝来し、聖徳太子が熱心に仏教を普及させたことでこの文化圏に広がった。聖徳太子ゆかりの法隆寺は、日本に伝来した仏教の最も古い建造物を多く残しており、宗教史上も価値が高い。

歴史

6世紀中頃、仏教が中国から朝鮮半島を経由して日本に伝来した。中国の優れた政治や文化、仏教を積極的に取り入れていた厩戸王（聖徳太子）は、601年に**斑鳩宮**を築き推古天皇と共に移り住むと、その西に若草伽藍（斑鳩寺）を607年頃に建立した。これが法隆寺の起源とされる。同じ頃に中宮寺や岡本宮（法起寺）も建立され、斑鳩伽藍群が出来上がったと考えられている。

修復の様子

エンタシス：ふくらみをもつ丸柱の構造。　**雲肘木**：木造建築で屋根を支えるための組物の一部で、左右に渡した横木で上からの荷重を支える肘木が雲形をしているもの。　**雲斗**：屋根を支える組物の一部で、桁（けた）や肘木を受ける斗（ます）が雲形をしているもの。

しかし、622年に厩戸王が世を去ると、643年に蘇我入鹿の兵によって斑鳩宮は焼き払われ、斑鳩寺も670年に焼失した。若草伽藍の遺構は、法隆寺境内の地下に若草伽藍跡として残る。現在の法隆寺は、7世紀後半から8世紀初頭にかけて、現在の法隆寺西院の位置に再建されたもの。聖徳太子に対する崇敬の念が強くあったため、聖徳太子が生きた**飛鳥時代の様式で再建**が行われた。西院伽藍の講堂は925年に焼失したが、990年に再建された。また奈良時代の739年頃、荒廃していた斑鳩宮の跡地に高僧の行信が聖徳太子の菩提を願って夢殿を建立し、夢殿を中心に東院伽藍が整えられた。

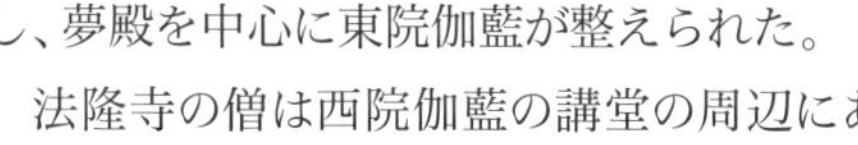

五重塔

法隆寺の僧は西院伽藍の講堂の周辺にある僧坊で共同生活を送りながら生活をしていたが、11世紀頃から高僧とその弟子たちがそれぞれの集団ごとに集まって宗教生活を送る小寺院を設立するようになり、西院と東院以外にも多くの子院がつくられた。現在残されている子院の多くがつくられた16～17世紀頃に、西院や東院と子院を含む現在の法隆寺の全体構成が完成した。

法隆寺は古くから鎮護国家の寺として天皇家の保護を受けただけでなく、12世紀頃からは聖徳太子信仰が一般庶民の間にも広がり、多くの信者を集めて繁栄した。国家の保護の下で修復や保護が行われてきたが、明治維新後は仏教を排斥する流れの中で法隆寺も衰退した。1878年には堂宇の修繕費などを賄う意味もあり、聖徳太子縁の宝物など「**法隆寺献納宝物***」が皇室に献納され、金一万円が下賜された。1934年からは金堂や五重塔の大修理が行われたが、1949年の解体修理中の金堂で火災が発生し壁画などが一部焼損した。これが文化財保護法制定のきっかけとなった。

回廊

法隆寺献納宝物：『綾本著色聖徳太子絵伝』など約300点の宝物で、現在は多くが東京国立博物館に所蔵されている。

保護と管理

西院の金堂や五重塔、中門、大講堂、東院の夢殿や伝法堂、鐘楼、法起寺の三重塔など18棟が文化財保護法の国宝に、西院の地蔵堂や東院の絵殿、舎利殿など29棟が重要文化財に指定されている他、法隆寺境内全体が国指定史跡になっている。また境内の電線の地中化など景観の保護も図られている。

金堂

TOPICS 構成資産

1. 西院

回廊の中の東西に金堂と塔を配置しており、**法隆寺式伽藍配置***と呼ばれる。聖域の中枢部を左右非対称とする構成は世界的にも珍しい。現在は回廊に北の大講堂までが含まれ凸字形をしているが、これは平安時代に改築されたもので、もともとの回廊は大講堂前で閉じており大講堂は回廊の外にあった。

1-1. 金堂

西院伽藍最古の建築物で、680年頃までに完成していたと考えられる。入母屋造の二重の瓦屋根と板葺きの**裳階***からなる。エンタシスをもつ柱や**雲形組物**(雲肘木、雲斗)など、6世紀頃の北魏時代の中国文化の影響が見られる一方、雨が多い日本で改良された奥深い軒下の垂木や2層目の屋根を支える柱の龍の彫刻など独自の特徴も見られる。

内部は中の間と東の間、西の間に分けられ、それぞれ国宝の「**釈迦三尊像**」と「**薬師如来坐像**」、重要文化財の「阿弥陀三尊像」が安置されている。

雲形組物(金堂)

1-2. 五重塔

現存する国内最古の木造五重塔で、金堂に続き7世紀末に建立されたと考えられる。五重の瓦屋根と板葺きの裳階からなり、奥深い軒を雲形組物で支えている。

法隆寺式伽藍配置：回廊の中で西に五重塔、東に金堂が並ぶ伽藍配置で、現在の凸字形の回廊になる以前の形のものを指す。
裳階：仏堂や仏塔の軒下に取り付けられた庇(ひさし)状の構造物で、もともとは建物の本体を保護する意味があった。

初重から四重目までは三間で五重目は二間になっている他、**屋根も上に行くほど小さくなり**、一番上の五重目の屋根の一辺は一重目の約半分になっている。こうした構造が安定感のある美しい外観を作っている。

心柱は地中に仏舎利を納めた心礎*を据えて屋根から独立した掘立柱とし、初重の心柱の四方には**塔本塑像**と呼ばれる釈迦に関する4つの説話の塑像の小群像が安置されている。

1-3. 中門、回廊、経蔵、大講堂、鐘楼

西院伽藍の本来の入口である中門は、入母屋造の軒の深い二重の瓦屋根で、金堂と同じく雲形組物や、**卍崩しの組子***と**人字型の割束***を配した高欄など飛鳥時代の様式が特徴。また入口の中央に柱を置いて2つに分ける「**四間二戸門**」である点が珍しい。門内の左右には711年につくられた塑像金剛力士立像*が安置されている。

中門

回廊は西側の経堂と、中央の大講堂、東側の鐘楼をつなぎ、五重塔と金堂を囲っている。西側より東側の方が一間だけ長くなっているのは、五重塔と金堂のバランスを考慮したものと考えられている。経蔵には現在、日本に地理学や天文を伝えたとされる百済の学僧である観勒僧正像が安置される。間口九間の大講堂は入母屋造の瓦屋根で、925年に鐘楼と共に落雷で焼失したが990年に再建された。内部には薬師三尊像が安置されている。

大講堂

2. 東院

8世紀前半につくられた伽藍で、八角円堂の夢殿を本堂とし、周囲を回廊で囲っている。13世紀に聖徳太子信仰が盛んになったことを受け、夢殿と伝法堂以外の建物は建て替えられた。

心礎：心柱の礎石。　**卍崩しの組子**：「卍」の字をくずした形の透かしがある高欄のデザインで法隆寺独特のもの。　**人字型の割束**：高欄の下などにある、束材の下が割れて「人」の字のようになっている束。　**塑像金剛力士立像**：西の吽形の体は木造で修復されている。

● 2-1. 夢殿

夢殿は斑鳩宮跡に建てられた聖徳太子供養のための八角円堂で、太子信仰の聖地。鎌倉時代の1230年に、屋根の勾配を強くするなどの大改修を受けている。楠の一本造で漆箔（しっぱく）が施された聖徳太子と等身とされる**救世観音菩薩立像**（くせかんのんぼさつりゅうぞう）を本尊として安置しており、明治時代にアメリカの東洋美術史家アーネスト・フェノロサと美学研究家の岡倉天心（おかくらてんしん）によって開示されるまで、白い布に覆われた秘仏であったとされる。

夢殿

● 2-2. 伝法堂

聖武（しょうむ）天皇の夫人であった橘古那可智（たちばなのこなかち）の住居を仏堂に改築したもので、奈良時代のお堂としては珍しい板張りの床をもつ。三組の乾漆（かんしつ）阿弥陀三尊像などを安置している。

■ 3. 法起寺三重塔

法起寺は、606年に聖徳太子が法華経（ほけきょう）を講説した岡本宮を、聖徳太子の死後に寺に改めたもの。現在は706年建立の三重塔のみが残るが、かつては三重塔と金堂が横に並ぶ法隆寺の西院伽藍と同じ配置であったと考えられている。しかし、法隆寺西院とは塔と金堂の東西の配置が逆（塔が東側）であり、法起寺の伽藍配置は「**法起寺式伽藍配置**」と呼ばれる。

三重塔は現存する日本最古の木造三重塔で、初重と二重目は三間で、三重目は二間という特殊な造りになっている。また法隆寺と同じく雲形組物が見られる。

法起寺

三重県・奈良県・和歌山県

紀伊山地の霊場と参詣道

Sacred Sites and Pilgrimage Routes in the Kii Mountain Range

文化遺産

登録年 2004年／2016年範囲拡大　登録基準 (ii)(iii)(iv)(vi)

プロパティ 5.64㎢　バッファー・ゾーン 121㎢

概要

紀伊山地は標高1,000～2,000m級の山脈が縦横に走り、年間3,000mを超える豊かな降水量が深い森林を育む山岳地帯である。その深い森林に包まれた寺社を含む「**吉野・大峯**」、「**熊野三山**」、「**高野山**」の3つの霊場と、それらを結ぶ参詣道の23資産で構成される。紀伊山地は太古の昔から山や岩、森や樹木、川や滝などを神格化する自然信仰の精神を育んだ土地で、古代国家の宮都が置かれた奈良盆地のすぐ南に位置することから、宮都の人々にも神々が籠る特別な場所として信仰されるようになった。

6世紀に仏教が伝来して以降は仏教の山岳修行の場となり、10世紀中頃から11世紀には、日本古来の山岳信仰に、密教や中国伝来の道教*の神仙思想*などを取り入れた**修験道***が日本固有の宗教として成立した。また「末法思想*」により浄土教が広まり、紀伊山地には仏教諸尊の浄土があると信じられるようになった。

紀伊山地特有の地形や気候、植生などの自然環境に根差して生まれた様々な信仰形態を背景として、3つの霊場や参詣道が形成されていったことが評価され、**日本で初めて文化的景観の価値が認められた**。

道教：中国の3大宗教の1つで、老子の思想を根本とした宗教。　**神仙思想**：修行をすることで神仙になり、不老不死を手に入れることができるとする思想。　**修験道**：山岳修行により超自然的な能力を獲得することを目的とする宗教。　**末法思想**：p.125参照。

登録基準

●登録基準（ii）：

中国において仏教を学んだ空海が真言密教の道場である「高野山」には、仏教建築をはじめとする多くの建造物群が残る他、「吉野・大峰」と「熊野三山」には、神仏習合の宗教観に基づいて仏教建築と独自の様式を持つ神社建築群が残る。これらは深い森林に覆われた山岳景観と共に文化的景観を形成しており、日本各地の霊場形成のモデルとなった。

●登録基準（iii）：

各寺社の境内、参詣道沿いには、今は失われた木造や石造の建造物、宗教儀礼に関する豊富な考古学的遺跡が埋蔵されており、今も重要な信仰の場となっている。これらは宗教文化に関連して今は失われた伝統と今なお継承される伝統の複合の在り方を示している。

●登録基準（iv）：

多くの仏教建築と神社建築は、木造宗教建築の代表例であり、歴史芸術上の価値が高い。特に「熊野三山」の社殿には他に類を見ない木造社殿建築の様式が見られ、12世紀以降全国各地に築かれた熊野神社の社殿の規範となった。また近世以降に各藩大名が**高野山奥院**の聖域に造営した石塔婆*は、封建領主の墓所群として日本独特の石造廟の様式の変遷を示している。

●登録基準（vi）：

神道や仏教、その融合の過程で生まれた山岳信仰の修験道など、独特な信仰形態の特質を示しており、山岳地帯に所在する行場などの真正性の高い自然や自然地域は、信仰に関連する独自の文化的景観を形成している。また参詣道や川など線状にのびる資産は信仰の山の経済的基盤としていまも人々の生活や生業に密接に関わっている。

熊野速玉大社の摂社神倉神社

石塔婆：石製の供養塔のこと。

歴史

日本に稲作文化が伝来した紀元前3～2世紀頃、人々が低地に定住して地域共同体を作るようになると、山や森、岩や樹木などの自然に対する崇拝が生まれ、**地主神**として祀られるようになった。古代国家のすぐ南にある吉野山は、奈良盆地一帯の稲作に不可欠な水や、金などの貴重な鉱物を支配する神が鎮まる所とされた他、熊野速玉大社の神体山である背後の山は、熊野の神々が降臨した所と伝えられ、初代神武天皇*が奈良に最初の政権を打ち立てる契機を与えた地主神が鎮まる所とされた。

6世紀中頃に仏教が伝わると、東大寺を中心とする国家仏教が人里に近い平地で栄えたのに対し、仏教における如来や菩薩の居所とされる「浄土」に対する信仰が高まり、8世紀には**役行者***など**紀伊山地を浄土に模して山岳修行の場とする**人々が現れた。一方で神々に対する祭祀も継続され、766年には後に「熊野三山」を構成する神社の主祭神のうち熊野牟須美神と速玉神に、祭祀を維持していくための収入源である「**封戸***」が国家から初めて与えられた。

那智大滝

9世紀になると仏教の一宗派である密教が日本にもたらされ、悟りを開く場である山岳地帯に金剛峰寺などの密教寺院が多く建てられた。新しい信仰であった密教は鎮護国家のための宗教の一翼として信仰を集め、天皇や上皇を願主としたさまざまな宗教行事が催された。また山岳を通して密教と神道が接触することによって「神仏習合」が進み、日本独自の信仰形態として受け継がれるようになった。

11世紀頃の末法思想の広が

神武天皇：東征（神武東征）を行い、日本国を建国したとされる伝承上の人物。 **役行者**：修験道の祖とされる飛鳥時代の人物。 **封戸**：貴族に対する封禄制度の1つで、神社や寺院に対して封戸が寄進されることもあった。「ふこ」とも。

りと共に「積善*」が積極的に行われるようになり、皇族や貴族、有力武士が競うように大規模な社寺を建立した。また、より直接的な効果を得るために霊場への参詣を行う人が増え、紀伊山地の３つの霊場への参詣が盛んに行われた。

14世紀の天皇が２人並び立つ南北朝時代には、吉野山に南朝が置かれたため、戦乱の中で多くの寺社が戦火に見舞われた。そして16世紀後半になると幕府の権威が失墜し、霊場の経済的基盤である社領や寺領の多くは有力武士によって奪われた。しかし裕福な庶民層からの寄進が増えたこともあり霊場や参詣道は残されて、江戸時代には参詣だけでなく観光目的で訪れる人々も増えた。1868年の神仏分離令と1872年の**修験道廃止令**では、紀伊山地の３つの霊場も被害を受けた。

保護と管理

構成資産の「記念工作物」と「遺跡（文化的景観を含む）」は、文化財保護法や自然公園法などで保護されている。緩衝地帯は自然公園法や森林法、河川法の他、「吉野町歴史的景観保全条例」、「那智勝浦町歴史文化的景観保全条例」、「和歌山県立自然公園条例」などの自治体の条例も加えて保護されている。

吉野水分神社

積善：本願成就の保障となる寄進などの宗教的実績を積むこと。

TOPICS 構成資産

1. 吉野・大峯(奈良県)

紀伊山地中央の北部から中部にわたる、標高1,000m級の急峻な山が続く大峰山脈の山岳地帯で、北部が「吉野」、南部が「大峯」と呼ばれる。10世紀中頃には日本第一の霊山として、中国にもその名が伝わった修験道の聖地で、山に入って苦行を重ねながら踏破することを修験道では「奥駈(峰入)」と称し、大峯はその重要な舞台であった。拠点となる寺社などを結ぶ「大峯奥駈道」が走っている。

1-1. 吉野山

大峰山脈の北端部にある約7kmの尾根筋に沿って、寺社や宿坊、商店などが立ち並ぶ。その周囲には、役行者が本尊を彫刻したとの伝承に因み、桜が広範囲に植林され「千本桜」の名で知られる。

昔からの商店などが並ぶ

1-2. 吉野水分神社

古代における**分水嶺***に対する信仰を祭祀の起源とする神社で、遅くとも698年には降雨祈願をした記録が残る。豊臣秀頼が1604年に再建された三殿一棟の本殿と拝殿、幣殿、楼門、回廊からなる。

本殿と回廊

1-3. 金峯神社

古代における**金などの鉱物に対する信仰**を祭祀の起源とする神社で、吉野水分神社と共に「吉野」が信仰の山となるきっかけとなった。修験道では峰入の際に4つの門を通過しなければならず、金峯山寺銅鳥居を第1の「発心門」、金峯神社の鳥居を第2の「修行門」とし、山上ヶ岳に第3と第4の「等覚門」と「妙覚門」が置かれた。

分水嶺：異なる水系の境界線となっている山の尾根。

1-4. 金峯山寺

修験道の中心寺院で、南南東16kmにある山上ヶ岳の大峰山寺の本堂を「山上蔵王堂」と呼ぶのに対し、金峯山寺の本堂は「**山下蔵王堂**」と呼ばれ、吉野の中心的伽藍として信仰を集めた。金峯山寺本堂は1592年に再建されたもので、本尊の蔵王権現の巨像3体を安置する。

山下蔵王堂

1-5. 吉水神社

19世紀の神仏分離令と修験道禁止令によって神社となったが、元は金峯山寺の附属寺院の中で中心的な存在であった。吉水神社書院は書院造の初期の例として重要。源義経が源頼朝から逃れ隠れた他、後醍醐天皇が南朝の皇居としたことでも知られる。

1-6. 大峰山寺

古代から信仰を集めた標高1,719mの山上ヶ岳の山頂にある修験道の寺院で、役行者の誓願に応じて蔵王権現が出現したと伝わる霊地に建立された。蔵王権現の湧出岩や断崖上の行場、経塚遺跡などが残る。本堂は1703年に再建されたもので、厳しい自然環境を考慮して、太い柱のわりに屋根が低く造られている。

2. 熊野三山(和歌山県)

紀伊山地の豊富な降水を集めて太平洋へと注ぐ熊野川の中流にある熊野本宮大社と、約40km下流の火口部にある熊野速玉大社、その約20km南東の那智山にある熊野那智大社の3つの神社と、青岸渡寺と補陀洛山寺の2つの寺院で構成され、それらは参詣道の「熊野参詣道(中辺路)」によって結ばれている。

3つの神社は個別の自然崇拝に起源を持つが、神仏習合の中で**熊野三所権現**として信仰されるようになり、「本地垂迹説*」で主祭神がそれぞれ仏教の阿弥陀如来、薬師如来、千手観音と見なされたことから、「**熊野詣**」の目的地として繁栄した。

熊野本宮大社

本地垂迹説:神道の神は、仏教の仏の化身として日本に現れたとする神仏習合の思想。

2-1. 熊野本宮大社

かつては素戔嗚尊(家津御子大神)を主祭神とする熊野坐神社と呼ばれた神社で、周囲を山岳に囲まれた盆地を流れる熊野川の中洲にあったが、1889年の水害で被災したため、主要社殿3棟を1891年に現在地へ移築し、再建したもの。10世紀後半に熊野速玉大社と熊野那智大社の主祭神を勧請*し、合祀して熊野三所権現として祀るようになった。11世紀には眷属神*を加えて熊野十二所権現の信仰形態が成立し信仰を集めた。

熊野本宮大社社殿は、熊野那智大社と熊野速玉大社の主祭神を合祀する1棟、主祭神の1棟、若宮の1棟が東西横一列に並んでいる。熊野本宮大社旧社地**大斎原**は、熊野川の中洲にあり19世紀の切石積の基壇が遺されている。周囲の森林はかつて塔や護摩堂*などの仏教施設があり、神仏習合の証拠としても貴重である。

大斎原の大鳥居

2-2. 熊野速玉大社

熊野速玉大神と熊野夫須美大神を主祭神とし、1951年再建の熊野速玉大社境内と背後の権現山(神倉山)、熊野川を約1km溯った祭礼の場「御船島」と「御旅所」を含む。権現山は、古代の神話に登場する「天磐楯*」と見做される断崖の多い山で、中腹には祭神が降臨したとされる**ゴトビキ岩**を神体とする**神倉神社**がある。

熊野速玉大社

2-3. 熊野那智大社

那智山の中腹にある**那智大滝**に対する自然崇拝を起源とする神社で、熊野十二所権現に加えて、那智大滝を神格化した飛瀧権現も祀っている。社殿は谷を挟んで那智大滝を遥拝することができるように配置されている。

勧請：離れた場所にいる神仏を招き、迎えるように祈り願うこと。　**眷属神**：神の使者など、大きな神格に付属する小神格のこと。
護摩堂：火を用いた儀式(護摩)を行う堂宇。　**天磐楯**：神武天皇が東征の際に登ったとされる山。

2-4. 青岸渡寺

5世紀前半にインドから熊野に漂着した僧が那智大滝で観音菩薩を感得したことに始まる。かつては神仏習合の下、那智の如意輪堂として熊野那智大社と一体の寺院であった。本堂は1590年に再建された素木造の建物で、本尊の如意輪観音が出現したと伝わる那智大滝を拝する向きに建てられている。

2-5. 那智大滝

那智山の森林を水源とする、高さ133m、幅13mの日本一の滝で、熊野那智大社と青岸渡寺の信仰の原点であり、現在も信仰の対象となっている。

2-6. 那智原始林

那智大滝の東に広がる約0.32㎢の照葉樹林で、温帯性と暖温帯性の動植物が入り混じっている。古くから熊野那智大社の神域として立ち入りや伐採が禁止されてきた。

2-7. 補陀洛山寺

海岸近くに位置する青岸渡寺と同様の開基伝承を持つ寺院で、小舟に乗って南方洋上の観音浄土である補陀洛山を目指す僧侶により9～18世紀の間に20回以上の「**補陀洛渡海***」が行われた。

3. 高野山（和歌山県）

816年に空海が標高800mの山上の盆地に創建した**金剛峯寺**と、政所として山下に建立された慈尊院、その鎮守である丹生官省符神社、地主神を祀る丹生都比売神社が参詣道の「高野山町石道」で結ばれている。寺社境内やその周囲には、真言密教と神道、神仏習合に関連する建造物や文化的景観が残されている。

3-1. 丹生都比売神社

高野山を含む紀伊山地北西部一帯の地主神を祀る神社。祭神の「丹生明神」と「高野明神」は、空海が金剛峯寺の寺地を選んだ際に土地を譲り道案内をした神との伝説があり、金剛峯寺にも鎮守として勧請されている。本殿は「高野四所明神*」を祀る4棟が金剛峯寺の方角を意識して北西に面して建つ。

補陀洛渡海：行者が渡海船に乗り込み沖に出て命を捧げる捨身を行う行。　**高野四所明神**：丹生明神と高野明神に、敦賀国の気比と安芸国の厳島の2明神を勧請して合祀したもの。

● 3-2. 金剛峯寺

816年以来、真言密教の根本霊場として信仰を集めてきた寺院で、高野山上には今も117もの寺院が密集した山上宗教都市となっている。「伽藍地区」、「奥院地区」、「大門地区」、「金剛三昧院地区」、「徳川家霊台地区」、「本山地区」の6地区で構成される。

「伽藍地区」は、空海が山岳における修行の道場として創建した当初から高野山の中心となる地区。**根本大塔**や金堂、御影堂、山王院本殿、不動堂などが残り、**壇上伽藍**とも呼ばれる。「奥院地区」は、空海が生前に自ら墓所として定めた場所を中心とする地区で、空海が「即身成仏*」を果たし今も生き続けていると信じられる聖地となっている。「大門地区」は、金剛峯寺の正門である日本最大級の木造二重門がある地区。「金剛三昧院地区」は、1211年に北条政子が夫の源頼朝の菩提を弔うために寄進建立した金剛三昧院を中心とする地区で、多宝塔は多宝塔の発祥の地である高野山でも最古のもの。「徳川家霊台地区」は、徳川家康と2代将軍秀忠の霊廟が並び立つ地区。「本山地区」は、1590年に学僧のために建てられた興山寺と、1592年に高野山全山を統率留守寺院として創建された青巌寺の旧敷地に当たる地区で、現在は金剛峯寺の本坊が置かれている。

根本大塔

● 3-3. 慈尊院

金剛峯寺の建設と運営の便を図るため、9世紀に高野山の北約20㎞の紀ノ川南岸に政所として創建された寺院。高野山町石道の登り口にあり、本堂の弥勒堂*は空海が弥勒菩薩と母の霊を祀った廟堂。女人禁制であった高野山の代わりに女性は慈尊院に詣でたため「女人高野」とも呼ばれる。

● 3-4. 丹生官省符神社

金剛峯寺の荘園であった官省符荘の鎮守として、高野四所明神を祀った神社。神仏習合の下で慈尊院と一体で信仰を集めてきた。

■ 4. 参詣道（奈良県、和歌山県、三重県）

紀伊山地の3つの霊場は、日本の代表的な霊場として京都を始め全国各地から

即身成仏：真言密教の教義で、この世で生まれた肉体のまま仏になること。　**弥勒堂**：母の死に際し空海が弥勒仏の霊夢を見たという伝承がある。

多くの信仰者が訪れた。それに伴い「**大峯奥駈道**」、「**熊野参詣道**」、「**高野参詣道***」と呼ばれる参詣道が形成された。信仰の対象であり修行の場でもあった沿道の山岳や森林と共に文化的景観を作り上げている。

4-1. 大峯奥駈道

霊場「吉野・大峯」と「熊野三山」を南北に結ぶ修験者の修行の道で、吉野山から大峰山寺、玉置神社を経て熊野本宮大社まで約87kmの道のりがある。道の途中の行場で「宿」と呼ばれる信仰上の拠点が約120カ所定められ、17世紀以降になると75カ所の「**靡***」に整理された。その内の57カ所が登録されている。

4-2. 熊野参詣道

紀伊山地南東部にある霊場「熊野三山」に至る参詣道は3通りある。1つは紀伊半島の西岸を通る「紀路」と呼ばれる道で、紀路は途中から山中を通る「**中辺路**」と海岸沿いを通る「**大辺路**」に分かれる。2つ目は紀伊半島の東岸を通る「**伊勢路**」、3つ目は紀伊半島の中央部を通り霊場「高野山」と「熊野三山」を結ぶ「**小辺路**」である。

中辺路は、京都や西日本から熊野三山へ参詣する道の中で最もよく使われた経路で、紀伊半島西海岸の田辺から半島を横断するように東へ進み熊野三山を巡る道。温泉の薬効に基づく薬師信仰の地で湯垢離場*でもある湯峯温泉や、線状にのびる川の文化的景観を形成する熊野川の一部*なども含まれる。大辺路は、中辺路に比べると距離が長く、奥駈をする修験者や西国巡礼を行う「三十三度行者」などの専門の宗教者が通る経路。伊勢路は、伊勢神宮と熊野三山を結ぶ道で、沿道には「**熊野の鬼ヶ城 附 獅子巌**」や「花の窟」などが残る。小辺路は、霊場「熊野三山」と「高野山」を最短距離で結ぶ道で、熊野参詣道の中でも最も険しいとされる。

中辺路

4-3. 高野参詣道

金剛峯寺への参詣道のうち、空海が切り拓き最もよく使われた「**高野山町石道**」の他、「三谷坂」や「女人道」などが登録されている。町石道は、一町ごとに五輪塔形の町石が置かれ、巡礼者は一町ごとに礼拝を重ねながら高野山を目指した。

高野参詣道：2016年の登録範囲拡大の際に「高野山町石道」から名称変更となった。　**靡**：神仏が宿るとされる拝所や行場。　**湯垢離場**：熊野詣でなどをする際に湯で体を清めた場所。　**熊野川の一部**：熊野本宮大社から熊野速玉大社までの約40kmを構成資産に含む。

概要

大阪平野の台地上に位置する「百舌鳥エリア」と「古市エリア」の49基45件の古墳群は、4世紀後半から5世紀後半に建造された、古代日本列島を支配し東アジア諸勢力との外交に当たった王族や有力者たちの墓である。一帯は重要な政治文化の中心地の1つであり、**多くの大陸に向かう船や大陸から訪れた外国船が古墳を目にすることができる場所**であった。

「前方後円墳」「帆立貝形墳」「円墳」「方墳」という日本列島の各地に見られる古墳の標準的な4形式を含んでおり、墳丘は**葬送儀礼の舞台**として幾何学的に精緻なデザインが施され、「**埴輪***」や葺石で飾られていた。

「**仁徳天皇陵古墳（大仙古墳）**」のように**陪塚***を含む中小墳墓を伴って古墳群を形成しているものもあり、圧倒的な規模の格差や型式の多様性、密集した配置は、この時代の**王権の階層化された権力構造を視覚的に示している**。

登録基準

●登録基準（iii）：

群として築造された墳墓の規模と形によって当時の政治・社会の構造を表現して

埴輪：古墳時代の土製品で、墳丘に数列に並べられた円筒形埴輪や、物、家、動物、人などをかたどった埴輪もある。　**陪塚**：大型の古墳に付随して造られた小型の古墳で、大型の古墳に埋葬された人物の親族や臣下などが埋葬されたと考えられている。

おり、古墳時代の文化を伝える傑出した証拠である。社会階層の違いを示唆する高度に体系だった葬送文化が存在し、古墳築造が社会の秩序を表現していた。また、各地の古墳群が形づくる階層構造の頂点に位置し、他の古墳群の規範となるものであった。

●登録基準（iv）：

日本列島独自の墳墓形式の顕著な見本であり、集団や社会の力を明確に誇示するモニュメントとして祖先の墓を築造した日本独特の歴史段階を示している。古墳の4つの標準化された形や、全長20～500mという多様な規模を含んでおり、幾何学を伴う高度な建築計画と技術をもって築造された、日本独自の建築的到達点である。

歴史

弥生時代に朝鮮半島から稲作農耕が伝わると、社会の中の有力者層の存在が目立つようになり、地上に盛土（もりど）を施し埋葬施設をもつ墳墓がつくられるようになった。その後、列島各地でさまざまな地域固有の墳丘形態が生み出され、3世紀前半なると円丘（えんきゅう）に突出部を備えた墳丘墓（ふんきゅうぼ）が全長90mほどにまで大型化した。3世紀中頃以降になると、こうした大型の墳丘墓を基に、より大型かつ標準化された前方後円墳の**箸墓古墳**（はしはか）が出現し、その後さまざまな墳形と規模をもつ墳墓が各地で多く築造された。そこから6世紀後半に古墳がつくられなくなるまでの約 350 年を古墳時代と呼ぶ。

3世紀前半に邪馬台国（やまたいこく）の女王であった卑弥呼（ひみこ）のために大きな墳墓がつくられたことが中国の歴史書『三国志（さんごくし）*』の「魏書（ぎしょ）」に書かれており、中国大陸を含む東アジアの国々との交流の中で古墳時代が始まった。古墳時代に日本列島各地で16万基以上の古墳がつくられ、各地の墳墓形式の共通性は**各地の有力者の政治的連帯を反映**していると考えられている。その一方で、巨大かつ最新の様式をもつ前方後円墳は奈良の大和（やまと）地域や大阪の河内（かわち）地域に集中しており、この一帯がヤマト王権と呼ばれる政治連合の中心であったことがわかる。**ヤマト王権**の下で日本列島の広範囲にわたるまとまりを形成した有

前方後円墳の墳丘は図のように埴輪や葺石で装飾された

応神天皇陵古墳から出土した円筒埴輪

三国志：中国の魏・蜀・呉の三国時代について書かれた歴史書。「魏書」はその内の魏の歴史について書かれている。

力者達は、相互の関係性を古墳によって表していた。墳墳丘の形と大きさの組み合わせにより被葬者の政治的身分を表す古墳は、単に墳墓というだけでなく、**政治的モニュメント**としての性格も持っていたと言える。

古墳時代は、前方後円墳が出現した3世紀中頃～4世紀前半の「前期」と、百舌鳥・古市古墳群が形成された4世紀後半～5世紀後半の「中期」、序列を持つ構成の古墳群がつくられなくなった6世紀の「後期」に分類される。

6世紀中頃に中国から仏教や成文法が日本に伝わると、制度化された中央集権国家の建設が始まり、6世紀末頃には大和や河内を含む周辺地域で巨大な前方後円墳はつくられなくなった。飛鳥時代が始まると墳墓は簡略化が進んで、各地の有力者層よりも下位の階層までが古墳築造をするようになり、飛鳥地域に都城が置かれると、豪族などの有力者が権威と権力を示す手段は仏教寺院の建設が主流となった。

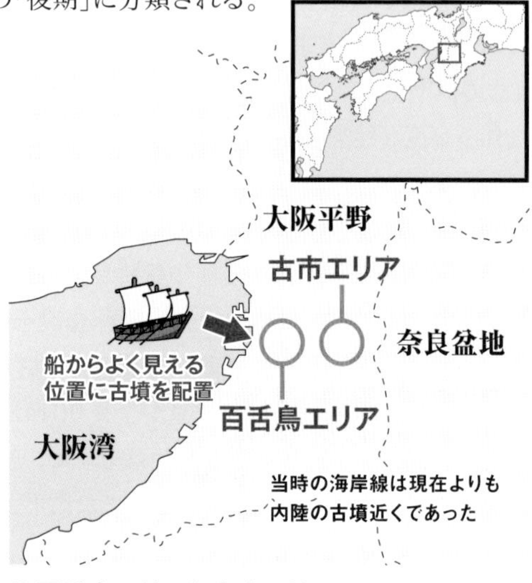

↑百舌鳥エリアと古市エリア

比較研究

密集した多様な古墳では『メンフィスのピラミッド地帯』や『ギョベクリ・テペ』などと、4つの標準化した形式では『慶州の歴史地区』などと、独特な葬送儀礼の痕跡では『始皇帝陵と兵馬俑坑』と比較されているが、この3つの特徴を併せ持つ遺産は『百舌鳥・古市古墳群』以外にはない。

保護と管理

陵墓は皇室典範と国有財産法により保護され、史跡は文化財保護法で保護されている。宮内庁が管理する歴代天皇や皇后、皇族の陵墓が含まれているため、「仁徳天皇陵古墳」のように「陵」と「古墳」*の両方が併記されているものもある。これは、「仁徳天皇陵」であると治定*する宮内庁と、被葬者が特定できていないとする考古学者などとの間の折衷案となっているため。宮内庁が管理する陵墓は、研究者や一般に対しても基本的に公開されていない。

「埴陵」と「古墳」：天皇や豪族などの埋葬者が明らかな陵墓を「陵」、そうでない古い墳墓を「古墳」と呼ぶ。　**治定**：古墳に埋葬されている人物を特定すること。

TOPICS 構成資産

百舌鳥エリア

堺市の北西部に位置し、西に大阪湾、北に大阪平野をのぞむ台地の上の、半径約2kmの範囲内に21件の構成資産が密集する。古墳は、大阪湾に沿って南北に並ぶものと、内陸側に向かって東西に並ぶものに大きく分けることができる。

● 1. 反正天皇陵古墳（堺市、墳丘長148m）

百舌鳥エリアの最も北部に位置する前方後円墳。大阪湾からの眺望を意識し、台地の西縁部に前方部を南に向けてつくられている。墳丘は3段に築かれ、墳丘長は148m。

● 2-1. 仁徳天皇陵古墳（堺市、墳丘長486m）

百舌鳥エリアの中央部に位置する日本最大の古墳である前方後円墳。墳丘は3段に築かれ、墳丘長は濠を含めると840m。前方部を南に向けてつくられており、長辺が大阪湾から見えるようになっている。宮内庁では仁徳天皇の陵墓と治定している。

後円部の埋葬施設には長さ318cmの国内最大級の石棺が用いられており、副葬品には**銅板に鍍金を施した甲冑**や、西アジアからもたらされたと推測されるガラス製容器が含まれていた。墳丘の周囲は**三重の濠**が巡らされており、こうした形式の巨大前方後円墳は、仁徳天皇陵古墳が唯一である。墳丘や濠から2万9千本あったと推定される円筒埴輪や、形象埴輪が、**造り出し** * からは須恵器 * の甕が出土した。

古墳南側の拝所

● 2-2. 茶山古墳（堺市、墳丘長56m）

仁徳天皇陵古墳の中堤と一体に造られた円墳。仁徳天皇陵古墳の外濠から出土した人物埴輪や馬形埴輪などは茶山古墳に立てられていたものである可能性が指摘されている。

● 2-3. 大安寺山古墳（堺市、墳丘長62m）

仁徳天皇陵古墳の中堤と一体に造られた円墳で、名前はかつて大安寺の寺領だったことに由来する。

造り出し：前方後円墳のくびれ部につくられる、方形や半円形に突出した壇状の施設。　**須恵器**：朝鮮半島から制作技術が伝わった青灰色で硬質の焼き物。古墳時代中期から平安時代にかけてつくられた。

● 3. 永山古墳（堺市、墳丘長100m）

仁徳天皇陵古墳北側の外濠のすぐ近くに、仁徳天皇陵古墳と同じく前方部を南に向けてつくられている。仁徳天皇陵古墳と関わりが指摘されているが、出土遺物は見つかっていない。

● 4. 源右衛門山古墳（堺市、墳丘長34m）

仁徳天皇陵古墳北東の外濠から約30mの位置につくられた円墳。濠からは円筒埴輪などが出土した。

● 5. 塚廻古墳（堺市、墳丘長35m）

仁徳天皇陵古墳東側の外濠から約15mの位置につくられた円墳。墳丘に納められていたとされる木棺からは、銅鏡2面や鉄剣の他、**勾玉、棗玉*、管玉など大量の玉類が出土**した。

● 6. 収塚古墳（堺市、墳丘長59m）

仁徳天皇陵古墳南東部の南角に、墳丘主軸線を仁徳天皇陵古墳の外濠に並行させてつくられた帆立貝形墳。前方部を西に向けている。濠からは円筒埴輪や須恵器が出土した。

● 7. 孫太夫山古墳（堺市、墳丘長65m）

仁徳天皇陵古墳の前方部南側の中央に、墳丘主軸線を仁徳天皇陵古墳の外濠に並行させて造られた帆立貝形墳。前方部を西に向けている。前方部と濠は公園造成時に復元されたもの。

● 8. 竜佐山古墳（堺市、墳丘長61m）

仁徳天皇陵古墳の前方部南側に、墳丘主軸線を仁徳天皇陵古墳の外濠に並行させてつくられた帆立貝形墳。前方部を西に向けている。北側のくびれ部には造り出しが存在する可能性がある。

● 9. 銅亀山古墳（堺市、墳丘長26m以上）

仁徳天皇陵古墳の前方部西側の、外濠から約20mの位置につくられた方墳。仁徳天皇陵古墳の周辺につくられた古墳で**唯一、現存する方墳**。

棗玉：ナツメの果実に似た形をした装身具の玉。

● 10. 菰山塚古墳(堺市、墳丘長33m)

仁徳天皇陵古墳の後円部西側の、外濠から約100mの位置につくられた古墳で、前方部を南に向けた帆立貝形墳と考えられている。

● 11. 丸保山古墳(堺市、墳丘長87m)

仁徳天皇陵古墳の後円部西側の、外濠に接する位置につくられた帆立貝形墳。**帆立貝形墳としては百舌鳥・古市で最大**の大きさ。

● 12. 長塚古墳(堺市、墳丘長106.4m)

仁徳天皇陵古墳の南東の隅から南へ約160mの位置につくられた前方後円墳。前方部を西に向け、前方部の幅と高さが発達した新しい傾向を示している。

● 13. 旗塚古墳(堺市、墳丘長57.9m)

仁徳天皇陵古墳と履中天皇陵古墳の間につくられた帆立貝形墳。前方部を西に向けている。テラスには百舌鳥・古市古墳群では珍しく様々な形象埴輪*が並べられていた。

● 14. 銭塚古墳(堺市、墳丘長72m)

旗塚古墳の南東方向の約100mの位置につくられた帆立貝形墳。前方部を西に向けている。濠の痕跡はなく、当初からなかった可能性がある。現在は学校の敷地内にある。

● 15. 履中天皇陵古墳(ミサンザイ古墳)(堺市、墳丘長365m)

百舌鳥エリアの南西部に位置し、**墳丘長が日本第3位の前方後円墳**。台地の西の端で、海岸線と墳丘主軸線を平行させるように前方部を南に向けてつくられている。くびれ部の両側には造り出しが設けられ、後円部の頂上と前方部の頂上には円形の土壇が築かれている。土壇内には埋葬施設があると考えられている。

ミサンザイは陵(ミササギ)を語源とするとされる

形象埴輪：家や人物、動物などの具象的な形をした埴輪。円筒埴輪以外のもの。

墳丘からは円筒埴輪の他、矢を収納する靫を模った大型の**靫形埴輪**なども出土している。

● 16. 寺山南山古墳（堺市、墳丘長44.7m）

履中天皇陵古墳の後円部北東側に、外濠に接してつくられた方墳。履中天皇陵古墳の外濠を自身の濠として共有する他、履中天皇陵古墳の後円部の中心から放射状に延ばした直線に墳丘主軸線を沿わせてつくられたと考えられている。墳丘上からは、朝鮮半島から渡来したばかりの技術で作られた**最古級の須恵器**が採集されている。

● 17. 七観音古墳（堺市、墳丘長32.5m）

履中天皇陵古墳の後円部北東側の、外濠から約40mの位置につくられた円墳。大量の鉄製武器や日本最古の鐙*、帯金具などが出土している。濠の痕跡はなく、当初からなかった可能性がある。

● 18. いたすけ古墳（堺市、墳丘長146m）

百舌鳥エリアの中央部に位置する前方後円墳。前方部を西に向けてつくられている。長さの短い前方部の形が特徴で、埋葬施設には木棺が用いられていたと考えられている。

1955年頃の土砂の採取と宅地造成計画によって破壊の危機に直面したが、市民を中心とした保存運動によって計画が中止され、国史跡に指定された。出土した**衝角付冑型埴輪**は堺市の文化財保護のシンボルマークとなっている。

● 19. 善右ヱ門山古墳（堺市、墳丘長28m）

いたすけ古墳の後円部南東側に、濠に接してつくられた方墳。小石が敷かれたテラスには、2m毎と広い間隔で円筒埴輪が並べられていた。

● 20. 御廟山古墳（堺市、墳丘長203m）

百舌鳥エリアの中央部に位置する前方後円墳で、前方部を西に向けてつくられている。**最大級の囲形埴輪*と神社建築に通じる造形の家形埴輪**が特徴。また、ミニチュア土器や生焼けの須恵器と共に魚や笊を表した土製品なども出土しており、造り出しで行われた儀礼の一端を示している。

鐙：馬に乗る時に足を乗せる馬具。　**囲形埴輪**：建物を囲む塀を模った埴輪。

● 21. ニサンザイ古墳（堺市、墳丘長300m）

百舌鳥エリアの南東端につくられた、墳丘長が日本第７位の前方後円墳。後円部東側の濠の中では、墳丘の主軸線に沿って**墳丘斜面から堤に及ぶ最大７列の柱穴列**が発見された。一部では柱材が残っており、濠に架けられた木橋の痕跡とされる。柱穴列の幅は最大で約12mにも及び、古墳築造の最終段階か完成直後に架けられ、墳丘の築造か葬送儀礼に用いられて短期間で撤去されたと考えられている。

■ 古市エリア

羽曳野（はびきの）市から藤井寺（ふじいでら）市にまたがって分布し、北に大阪平野、東に石川を望む台地の上の、半径約2kmの範囲に24件の構成資産が密集している。古墳群北側の段丘の下には、大阪平野から奈良盆地への交通路があり、そこから古墳群を望むことができたと考えられる。

● 22. 津堂城山（つどうしろやま）古墳（藤井寺市、墳丘長210m）

古市エリアの最も北部に位置する前方後円墳で、前方部を南東に向けてつくられている。室町時代には城として利用されたため墳丘は改変を受けた。後円部頂上で発見された埋葬施設には、竪穴式石槨（せっかく）*に日本最大級の長持形（ながもちがた）石棺が納められていた。3体の実物大のコハクチョウの**水鳥形埴輪（みずどりがたはにわ）**や蓋形（ふたがた）埴輪、銅鏡、鉄製武具などが出土している。

● 23. 仲哀天皇陵（ちゅうあいてんのうりょう）古墳（藤井寺市、墳丘長245m）

古市エリアの西部に位置する前方後円墳。羽曳野丘陵の北東側の端に、前方部を南に向けてつくられている。室町時代に城として利用されていたため墳丘は改変を受けているが、墳丘の形状は原形を保っている。

● 24. 鉢塚（はちづか）古墳（藤井寺市、墳丘長60m）

仲哀天皇陵古墳の北側の、濠から約100mの位置につくられた前方後円墳。前方部を西に向けてつくられている。墳丘には葺石が施されていなかったと考えられている。

● 25. 允恭天皇陵（いんぎょうてんのうりょう）古墳（藤井寺市、墳丘長230m）

古市エリア北東部の台地の先端部に位置する前方後円墳。前方部を北に向け

石槨：棺を納めるための石造りの空間。

てつくられている。築造時には二重の周濠（しゅうごう）があったと考えられており、濠からは円筒埴輪やさまざまな形象埴輪が出土している。また墳丘の盛土からは5世紀中頃の須恵器が出土した。

● 26. 仲姫命陵（なかつひめのみことりょう）古墳（藤井寺市、墳丘長290m）

古墳群の中でも最も高い位置につくられた前方後円墳。前方部を南西に向けてつくられている。くびれ部の両側には造り出しがあり、埋葬施設には石棺が用いられていると伝わる。墳丘の周囲には幅の狭い急峻な斜面からなる濠があり、その外側を取り巻く幅の広い堤が特徴。堤には隙間なく円筒埴輪が並べられていた。

● 27. 鍋塚（なべつか）古墳（藤井寺市、墳丘長63m）

仲姫命陵古墳の後円部北東側に、仲姫命陵古墳の外堤にくい込むようにつくられた方墳。仲姫命陵古墳の後円部の中心から放射状に延ばした直線を墳丘主軸線に沿わせてつくられたと考えられている。

● 28. 助太山（すけたやま）古墳（藤井寺市、墳丘長36m）

仲姫命陵古墳の南に、中山塚（なかやまづか）古墳、八島塚（やしまづか）古墳と並んでつくられた方墳。3つの古墳は墳丘の南辺を揃え、濠を共有するという独特な築造法を採用している。

● 29. 中山塚古墳（藤井寺市、墳丘長50m）

南辺を揃えた助太山古墳と八島塚古墳に挟まれた位置につくられた方墳。中山塚古墳と八島塚古墳の間の濠からは大小2基の巨大な木製のそり「修羅（しゅら）」が出土した。修羅は古墳の築造時に石棺や石室などを運ぶために用いられたと考えられている。

● 30. 八島塚古墳（藤井寺市、墳丘長50m）

3基の古墳の一番東に位置する方墳。濠からは円筒埴輪が出土している。

● 31. 古室山（こむろやま）古墳（藤井寺市、墳丘長150m）

仲姫命陵古墳の前方部の西に位置する前方後円墳で、前方部を北東に向けてつくられている。東側のくびれ部には造り出しがあり、埋葬施設は、墳頂部に石材が散在していたことから竪穴式石槨である可能性が指摘される。

● 32. 大鳥塚古墳(藤井寺市、墳丘長110m)

南北に張り出した台地の西側の端に位置する前方後円墳。前方部を南に向けてつくられている。埋葬施設は後円部に粘土槨*があり、刀や剣、鉾、鏃などの鉄製武具が副葬されていた。周囲からは冑形埴輪や円筒埴輪も出土している。

● 33-1. 応神天皇陵古墳(誉田御廟山古墳)(羽曳野市、墳丘長425m)

墳丘長は日本第2位、体積は日本第1位の前方後円墳。墳丘は3段に築かれ、前方部の北西側に地震が原因と考えられる崩落がある以外は、築造当時の姿を残している。前方部の頂上には方形の土壇が築かれており、土壇内に竪穴式石槨が作られていたと考えられている。後円部の頂上には、明治時代まで南に隣接する誉田八幡宮の奥の院として六角堂が建立されていた。周囲には二重の濠があり、築造時に既に存在した二ツ塚古墳を避けるために内濠は東側で大きく曲がっている。

墳丘や濠からは多くの水鳥形埴輪などの形象埴輪や円筒埴輪の他、魚や鯨、蛸などを象った土製品が出土しており、古墳で儀礼が行われたことを示している。

前方の一部が地震のために崩れている

● 33-2. 誉田丸山古墳(羽曳野市、墳丘長50m)

応神天皇陵古墳の北側の外濠に接してつくられた円墳。誉田丸山古墳から出土したと伝わる金銅製の馬具などが、誉田八幡宮に所蔵されている。鞍金具をはじめとする豪華な馬具は、中国東北部か朝鮮半島から伝来したものと推測されており、日本最古級とされる。

● 33-3. 二ツ塚古墳(羽曳野市、墳丘長110m)

応神天皇陵古墳の前方部東側の内堤に接してつくられた前方後円墳。濠は応神天皇陵古墳の外濠と一体化しており、応神天皇陵古墳に取り込まれた状況がうかがえる。

粘土槨:木棺の周囲を粘土で覆って埋葬する埋葬施設。

● 34. 東馬塚古墳（羽曳野市、墳丘長30m）

二ツ塚古墳東側の濠に墳丘が近接しつつ、応神天皇陵古墳の外堤上につくられた方墳。濠は築造時からなかったと考えられている。

● 35. 栗塚古墳（羽曳野市、墳丘長43m）

応神天皇陵古墳の東側の外堤に隣接してつくられた方墳。外堤に墳丘の南北主軸線を並行させてつくられている。墳丘と濠からは家形埴輪や犬形埴輪などのさまざまな形象埴輪や、大型の円筒埴輪が出土している。

● 36. 東山古墳（藤井寺市、墳丘長57m）

応神天皇陵古墳の西側の外堤に隣接してつくられた方墳。外堤に墳丘の主軸線を並行させてつくられている。かつては北側に隣接して方墳のアリ山古墳が存在しており、東山古墳とアリ山古墳は墳丘の主軸線を一致させ相互に密接な関連をもってつくられていた。

● 37. はざみ山古墳（藤井寺市、墳丘長103m）

古市エリアのほぼ中央部につくられた前方後円墳。前方部を東に向けてつくられている。後円部の頂上には盗掘坑があり、石棺が発見されたと伝えられる。

● 38. 墓山古墳（羽曳野市、墳丘長225m）

古市エリアの中央の台地上につくられた前方後円墳。東と南の低地から仰ぎ見た時に墳丘を大きく感じさせるように、台地の東端に後円部を置き、台地の南側斜面に並行して前方部がつくられている。墳丘からは円筒埴輪や、人物を模った埴輪としては日本最古とされる**盾を持つ人物埴輪**などが出土している。

● 39. 野中古墳（藤井寺市、墳丘長37m）

墓山古墳の後円部北側に位置する方墳。少なくとも５列の木箱が墳丘頂上に納められており、11領の鉄製甲、８鉢の鉄製冑、３鉢の革製冑の他、刀や剣、鏃などの大量の鉄製武器や鉄製品の原料となる鉄鋌、石臼、石杵、朝鮮半島製の陶質土器*などが出土している。木箱の内、１基には人体が埋葬されたと考えられるが、他の４基は副葬品の埋納用施設と考えられている。また濠からは4万点をこえる臼玉や勾玉などの装身具や石製模造品が出土した。

陶質土器：朝鮮半島の窯で焼き、釉薬を施さない焼物。日本の窯で焼いたものは須恵器と呼ばれる。

● 40. 向墓山古墳(羽曳野市、墳丘長68m)

墓山古墳の後円部東側につくられた方墳。墓山古墳の外堤に墳丘の西側5分の1と濠をくい込ませるように配置され、墓山古墳の外堤と墳丘裾をつなぐ渡り土手が設けられている。

● 41. 西馬塚古墳(羽曳野市、墳丘長45m)

墓山古墳後円部の南東180mに位置する方墳。朝顔形埴輪などの形象埴輪や円筒埴輪の他、須恵器が出土している。

● 42. 浄元寺山古墳(藤井寺市、墳丘長67m)

墓山古墳の前方部西側の外堤に隣接してつくられた方墳。墳丘の南北方向の主軸線は墓山古墳の外堤にほぼ並行してつくられている。

● 43. 青山古墳(藤井寺市、墳丘長62m)

墓山古墳の外堤南西の隅から西へ約150mの位置につくられた円墳。古市エリアでは最大の円墳で、多くの形象埴輪が出土している。

● 44. 峯ヶ塚古墳(羽曳野市、墳丘長96m)

羽曳野丘陵から東に延びる尾根筋から少し下った扇状地に位置する前方後円墳。前方部を西に向けてつくられている。埋葬施設には、竪穴式石槨に**九州産の舟形石棺**が用いられている。石槨からは、1.2mもある大刀や銅鏡、鉄鏃、大量の玉類、馬具の他、朝鮮半島から伝わったと考えられる金・銀製装身具などの副葬品が出土した。大刀は儀仗用とされ、被葬者の権威を示している。

2023年の世界遺産委員会で、北西角のバッファーゾーンの拡張が認められた。

● 45. 白鳥陵古墳(羽曳野市、墳丘長200m)

羽曳野丘陵から東に延びる台地の先端部に位置する前方後円墳。前方部を西に向けてつくられている。前方部の幅が大きく広がり、後円部より前方部が高くなる墳丘は、百舌鳥エリアの**ニサンザイ古墳の約3分の2の相似形**につくられたものと考えられている。

兵庫県

姫路城

Himeji-jo

文化遺産

登録年 1993年　登録基準 (i)(iv)

プロパティ 1.07㎢　バッファー・ゾーン 1.43㎢

概要

17世紀初期に木と石、漆喰、土を用いて築かれた、日本の城郭建築を代表する近世城郭。姫路城のたつ播磨平野は、近畿地方から見て西に位置する「西国」と朝廷のあった山城や大和、河内など一帯を指す「畿内」が接する地域にあり、古くより交通の要衝とされ、政治・軍事的にも重要な場所と考えられてきた。その地の小高い丘の上に築かれた姫路城は、17世紀初頭に発達した防衛システムや、大天守と小天守を廊下状の渡櫓でつなぐ複雑な築城様式である「**連立天守方式***」などが採用されている。また、螺旋状に巡らされた曲輪*や3重の水濠などの全体的な縄張*にも難攻不落の砦としての高度な機能性と設計思想が示されている。

一方で、「白鷺城*」と称される白色の漆喰塗り土壁で統一された美しい外観や、82棟の建造物や屋根が重なり合う繊細で複雑な構成なども特徴であり、機能と美しさを融合させた木造建造物群の傑作とされる。

400年を超える歴史の中で、多くの危機に直面しながらも**「真正性」を保ちながら修復**が行われ、建造物や縄張をよく残してきた点も評価された。

連立天守方式：「ロ」の字型天守台の角に大天守や小天守、櫓などを配し、それぞれを廊下で結んだ平面構造をもつ天守曲輪の方式。
曲輪：城中の建造物のための区画。　**縄張**：城の設計や構成、仕組み。　**白鷺城**：「はくろじょう」とも呼ばれる。

登録基準

●登録基準（ⅰ）：

木造の構造体の外側を土壁で覆い白漆喰で仕上げた単純な外観でありながら、建造物群の配置や屋根の重ね方では複雑な外観を構成しており、独自の工夫が凝らされた美的完成度において日本の木造建築を代表する建造物である。

上空から見た姫路城の曲輪

●登録基準（ⅳ）：

日本で城郭建築が最も盛んにつくられた17世紀初頭に築城された姫路城は、天守群を中心に櫓や門、土塀などの建造物、石垣、濠などの土木工作物を状態よく残しており、防御の面で独自の工夫が見られる日本の城郭の構成を最もよく示す城である。

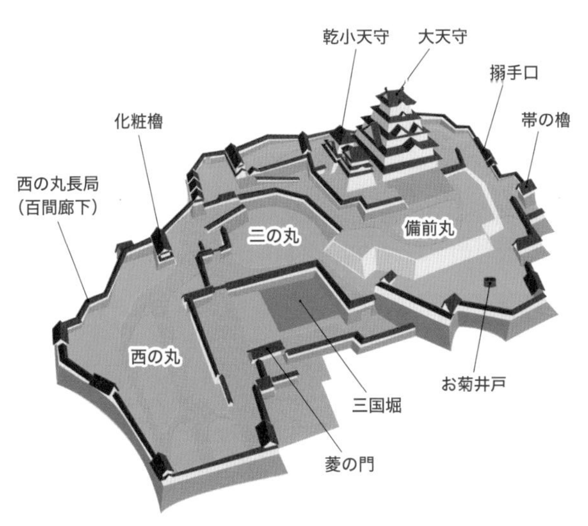

姫路城の主な遺構

歴史

鎌倉幕府打倒の兵を挙げた播磨の豪族の赤松則村が1333年に砦を築き、その次男の貞範が今の姫路城のある姫山に城を築いたと伝わる。その後、1555～1561年の間に黒田重隆*が地形を活かした本格的な城郭へと拡大させた。1581年には、中国の毛利氏討伐のために播磨に入った羽柴秀吉*が、現在の天守群の位置に西国初の3層の**望楼型天守***をもつ黒い板張りの城郭を築いた。周辺には秀吉時代の

黒田重隆：戦国から江戸初期にかけての武将である黒田官兵衛の祖父。　**羽柴秀吉**：後の豊臣秀吉。黒田官兵衛から姫路城を譲り受けた。　**望楼型天守**：入母屋造の建物の上に望楼を載せた天守の形式。　**野面積み**：自然の石や割石をそのまま積み上げていく方法。

「野面積み*」の石垣の遺構も残る。

黒い網がかけられた天守群

1600年に徳川家の外様大名として城主になった**池田輝政**が、1601～1609年にかけて新たな城を築いた。現在残されている外観5層の白漆喰の大天守や櫓、塀、門などの建造物群や、**内濠と外濠の二重の濠で囲んで内郭と外郭に分ける構成**などは輝政時代のものとされる。その後、1617年に城主となった本多忠政が、徳川家康の孫の千姫が息子の忠刻に嫁いだ際の化粧料で、内郭の西の丸の整備を行った。

秀吉による築城の頃から城を中心に城下町が形成された。輝政の時代に城下町を含む縄張が整備され、山陽道から姫路の街に入る東側は防衛に重要な地として武家地が築かれた。姫路は約270年の間に城主が多く入れ替わったが、城下町は栄え続けた。

明治政府が成立すると姫路城も新政府の軍用地（国有地）となり、御殿や武家屋敷などが取り壊されて陸軍師団司令部施設や兵舎が建設された。一時は城内の荒

塀に設けられた狭間

中村重遠：江戸末期から明治時代の軍人。明治政府の姫路城と名古屋城の取り壊し方針に対し、保存の意見書を出した。

日本の世界遺産

廃が激しく売却も検討されたが、陸軍大佐であった中村重遠*などの努力により保存されることになった。第二次世界大戦末期にはコールタールで染めた黒い網をかけて目立たなくし、空襲の被害を免れた。

平成の大修理の様子

江戸時代から構造の補強に関する修復が行われてきたが、明治時代には外観を保つための応急修理のみが行われただけで、基礎の沈下により南東側に大きく傾いていた。昭和に入り1931年に国宝に指定されたが、1934年と1935年の豪雨で西の丸の櫓や石垣が崩落したため、国は直ちに直轄事業として1934～1964年に及ぶ保存修理を行った。途中、太平洋戦争のため中断したが戦後に再開され、二の丸の建造物などが修復された。

石垣の上に設けられた石落

1956年からは「**昭和の大修理***」と呼ばれる、天守曲輪群の解体修理が行われ、大天守の**西の心柱の取り替え**や、天守の重量を支えられない礎石の**鉄筋コンクリート製の基礎構造物への取り替え**などがなされた。2009年からは、5年半に及ぶ天守群の保全修理「平成の大修理」が行われ、漆喰の塗り替えや大天守の瓦の全面葺き直しなどが行われた。

昭和の大修理：1956～1964年の修理を指すことが多いが、1934～1964年の修理全体を指すこともある。

比較研究

世界各地に多くの城が残されているが、その多くは石造や煉瓦造であり、姫路城をはじめとする16～17世紀の日本の城のように、濠や石垣を除いた主要な建造物群が全て木造で、外壁が土壁でつくられているものはない。姫路城は建築様式やデザインの点で世界に類を見ないものである。

保護と管理

82棟の構造物の内、大天守と3つの小天守を含む8棟が文化財保護法の国宝に、残りの74棟が重要文化財に指定されている。また天守群の周囲も含めて文化財保護法の特別史跡に指定されており、この特別史跡の範囲が世界遺産のプロパティとなっている。その周囲は、都市景観条例や姫路市景観計画などに基づき姫路城を含む街並の景観保護が行われている。1989年には姫路城周辺地区景観ガイドプラン(2005年改訂)が策定され、その対象地域をバッファーゾーンに設定した。

バッファーゾーンに含まれる大手前通り

堅固な「ぬの門」

TOPICS 構成資産

1. 大天守

外観5層で、内部は地下1階（地階）、地上6階建ての望楼型天守。地階から5階まで東西2本の心柱が貫いている。外観は**白漆喰総塗籠**で瓦屋根の目地*も白漆喰で塗り固められ、屋根には入母屋破風や唐破風、千鳥破風などが用いられている。

内部には武具掛けや石落とし、高い窓から敵を攻撃するための石打棚など城外の敵を迎えうつものだけでなく、兵士が隠れるための小部屋「武者隠し」や内向きの銃眼など攻め入られた時の対策もある。

大天守内の石打棚

2. 西小天守、乾小天守、東小天守

西小天守は天守曲輪の南西に位置する外観3層の望楼型天守で、「ニの渡櫓」で大天守とつながる。乾小天守は天守曲輪の北西に位置する外観3層の望楼型天守で、「ハの渡櫓」で西小天守と、「ロの渡櫓」で東小天守とつながっている。東小天守は天守曲輪の北東に位置する外観3層の層塔型天守*で、「イの渡櫓」で大天守とつながっている。3つの小天守は、石垣内に地階を設けて、渡櫓を地上2階でつなげている。

乾小天守（左）と西小天守（右手前）

目地：瓦と瓦の間のすき間や継ぎ目のこと。　**層塔型天守**：入母屋造をもたず、下から順に積み上げていく天守の形式。

3. 門

全部で15の門が重要文化財となっている。「**菱の門**」は二の丸の入口にある、城内に現存する最大の櫓門で、門の両脇にたてられた2本の太い鏡柱の上部の冠木*に大きな木彫りの菱紋が彫られているため「菱の門」と呼ばれる。かざしの石垣で隠されており、石垣を回り込んで菱の門に入る。「はの門」は二の丸にある切妻屋根の櫓門で、正面にのみ格子付きの武者窓がある。乾曲輪の先にある「にの門」は、櫓の下をくぐる通路が櫓の下で直角に曲がるようになっており、屋根も低く先を見通せないつくりになっている。

最大の「菱の門」

先が見通せない「にの門」

4. 石垣

姫路城は平山城であるため、多くの石垣が残されており、最も高いものは天守東側の帯の櫓石垣で23.32mある。また備前丸の西側の石垣は、傾斜が変化する反りをもつ「**扇の勾配**」として知られる。江戸時代は、石垣や土塁などの土木構築物の修理には幕府の許可が必要であったため、石垣修理の履歴は文書の史料としてよく残されている。

また石垣には、墓石や古墳から発掘された石棺、石臼などを用いた「転用石」も見ることができる。

扇の勾配

冠木：鏡柱を上部で貫通する横木。

5. 西の丸

本多忠政が築いた曲輪で、忠刻と千姫の御殿が建てられていた。北の角にたつ2重櫓は、千姫が朝夕に男山の天満宮を遥拝する時に服装を正し化粧をしたため、「化粧櫓」と称されたとも伝わる。御殿は忠刻が病没した後は使用されず、酒井氏の時代に江戸上屋敷の再建のために一部移築された。西の丸の西側に「レの渡櫓」から続く長屋群は「**百間廊下**」と呼ばれる。西の丸を囲む石垣上に建てられており、曲輪の西から北を巡るその長大さを表現する名称となっている。

百間廊下（左）と天守群

百間廊下の内部

6. 土壁

全部で32の土壁が重要文化財となっている。姫路城は、天守群に向かって防御のため少しずつ高くなるように地形が区画され、区画の境に土壁が築かれた。漆喰で塗り固められた土塀の他に、砂利と土を油で突き固めたと考えられる漆喰で塗り固められていない「油壁」と呼ばれる土塀もある。また土塀の途中に門を築いたり、天守群の近くでは土塀の一部を利用した簡略な形の門にするなど、敵を欺く工夫もされた。また土塀には、**狭間**と呼ばれる、弓矢や火縄銃を打つための穴が開けられている。土塀の狭間には丸形と三角形、四角形があるが、櫓に開けられた狭間には四角形しかない。

「ほの門」をくぐってすぐにある油壁

島根県

石見銀山遺跡とその文化的景観

Iwami Ginzan Silver Mine and its Cultural Landscape

文化遺産

登録年 2007年／2010年範囲変更　登録基準 (ii)(iii)(v)

プロパティ 5.29㎢　バッファー・ゾーン 31.34㎢

概要

石見銀山は、1526年に博多の豪商の**神屋寿禎**によって発見された後、1923年の休山まで約400年にわたり操業採掘されてきた銀鉱山である。**銀の生産から搬出に至るまでの銀鉱山経営の全体像**を示しているとして、「銀鉱山跡と鉱山町」、「街道」、「港と港町」の3つの分野に分類される14の資産で構成される。

朝鮮半島から伝わった精錬技術の**灰吹法***を用いて、16～17世紀に良質な銀の増産が行われるようになると、銀山の発展と共に銀山川沿いの谷間に沿って鉱山町が形成され賑わった。多くの人口を養うために必要な食料や生活用品、銀の精製に必要な燃料の陸揚げをするために港町が**温泉津**に築かれ、採掘された銀鉱石や精錬された銀は沖泊の港から海路で日本最大の貿易港であった博多に向けて積み出された。銀は貿易を通じて東アジアへと流通し、東アジアやヨーロッパの貿易国と日本の間に経済的・文化的な交流を生み出した。

石見銀山では約400年にわたり鉱山開発されたにもかかわらず、手作業による小規模な採掘や精錬作業だったため環境負荷が少なく、また19世紀中頃に至るまで森林資源を管理して銀の精製や生活で用いる**薪炭材**を得ていたため、銀鉱山の周辺には豊かな山林が残された。この点が文化的景観の「**残存する景観**」として評価された。

灰吹法：鉄鍋に入れた骨灰を使って含銀鉛から銀を抽出する精錬技術。

登録基準

●登録基準(ⅱ):

16～17 世紀初頭にかけての大航海時代、ヨーロッパの航海図にも位置が記されていた石見銀山における銀の大生産が、日本と東アジアやヨーロッパの貿易国の間に重要な商業と文化の交流をもたらしたことを証明している。

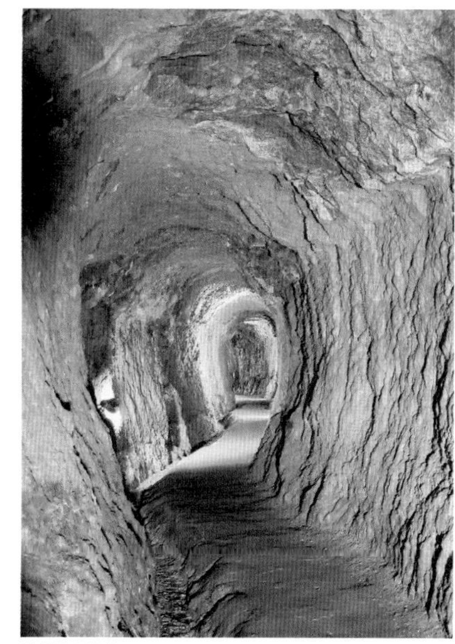

手掘りの間歩

●登録基準(ⅲ):

日本の金属採掘と生産における技術発展は、採掘から精錬にいたる効果的な**労働集約型小規模生産システム**の発展をもたらした。江戸時代の海禁政策(鎖国制度)により、産業革命を経て発展したヨーロッパの新技術の導入が遅れたことが、この地域の伝統的な技術を用いた生産活動の痕跡がよく残すこととなった。

●登録基準(ⅴ):

採掘から精錬にいたる鉱山や製精錬*の場所、街道、港の施設など、銀生産を示す多くの痕跡が価値を損なうことなく残されてきた。多くは再び山林に覆われてしまったが、その結果、銀生産に携わった人々の集落を含む残存景観が今も人々が暮らす「**継続する景観**」として残されており、歴史的な土地利用の在り方を証明している。

電線が地中化された大森地区の街並

製精錬:鉱石から金属を取り出す「製錬」と、金属から不純物を取り除く「精錬」。

草に覆われた清水谷精錬所跡

歴史

1526年、神屋寿禎が出雲に銅を仕入れに行った時に偶然、石見銀山を発見した。当初は、銀山から**鞆ケ浦**の港まで銀鉱石を運び、そこから本拠地の博多へと船で送り出しており、鞆ケ浦は大いに繁栄したと伝わる。当時、石見地方を支配していた戦国大名の大内氏は、博多を拠点として中国や朝鮮半島と銀を用いた交易を行っていた。1533年に神屋寿禎が技術者の宗丹と慶寿*を石見銀山に送り、現地で採鉱と灰吹法での銀の現地で行うようになると、銀の生産量が飛躍的に増えた。1542年には日本国王使が1回に約1,350kg*もの銀を朝鮮王国に持ち込んで交易を求めた他、中国南部へも多くの銀が持ち込まれた。また石見の銀の噂はスペインやポルトガルにまで伝わり、多くの貿易船が日本にまで到達するようになった。1543年に種子島に鉄

龍源寺間歩の近くには多くの寺院跡が残る

宗丹と慶寿：『銀山旧記』には「博多宗丹桂寿」(桂寿はあて字)と書かれているが、宗丹慶寿がどのような人物なのか、1人の人物なのか2人なのかもわかっていない。　**約1,350kg**：東アジアを除く当時の世界の年間銀生産量の推計が90,200kgだった。

砲の対価に支払われたのが石見の銀であったとされる。

1562年に安芸地方の毛利氏が石見地方を制圧し銀山の支配権を確立すると、天皇や室町幕府に石見の銀を献上した他、温泉津や沖泊に家臣を置き一帯の支配を行った。これにより銀山街道や港が整備された。この頃から日本は中国の生糸や絹織物、陶磁器などを輸入し、銀や金、胴などの鉱業産品を輸出する交易が盛んになった。こうした交易を通じて宗教や芸術などの交流も促進された。またの国内の政治的統一に伴い、石見銀山の技術が日本各地の金銀山へ広がって行った。1600年に徳川家康が政権を掌握すると、国内の金銀鉱山を接収し、石見銀山も徳川氏の支配となった。

大森代官所跡

徳川家康は、**大久保長安**を奉行として重用し、銀山の支配に当たらせた。「大久保間歩」や「釜屋間歩」、「本間歩」などがこの時期の主要な間歩*であった。江戸時代には、安原伝兵衛*などの**山師***が自らの資本を用いて銀生産のための経営を行い銀山の支配者に上納銀を納める経営と、奉行所(後の代官所)から公的資本が投入される経営の2種類が行われた。17世紀初めにはオランダ人やイギリス人が日本に来航し、対外貿易が盛んになった。

天領特有の重層屋根を持つ佐毘売山神社

間歩:小規模な手掘りの坑道。　**安原伝兵衛**:釜屋間歩を中心に経営を行った山師で、年間13,500kgもの上納を行い徳川家康に称賛された。　**山師**:鉱脈を探して採掘場所を決め、許可を得て自らの資金で鉱山開発をする経営者。

1620～1640年頃の最盛期には年間1,000～2,000kgあった銀生産は減少に向かい、19世紀半ばには100kg台にまで減少した。1866年に毛利氏が江戸幕府に反抗して石見銀山に侵攻し1868年に江戸幕府が倒れると、1869年には新政府によって個人経営者へと払い下げられた。

比較研究

金・銀・銅の鉱山開発に関するものでは『ポトシの市街』や『グアナフアトの歴史地区と鉱山』などと、産業革命期の石炭・鉄鋼業に関する産業遺産では『ブレナヴォン産業景観』や『エッセンのツォルフェライン炭鉱業遺産群』などと比較されているが、鉱山関連の建造物や近代的な産業景観が価値となっており石見銀山遺跡とは異なっている。

保護と管理

文化財保護法の重要文化財や史跡、**重要伝統的建造物群保存地区**などに指定され、大森地区での電線地中化など、周囲の景観を含めた保護が行われている。また2007年の世界遺産登録時のICOMOSの指摘に従い、街並や街道の周囲の山並みも含めて景観として保護するため、2010年に「大森・銀山」や「温泉津」などの登録範囲の軽微な変更を行った。

TOPICS 構成資産

1. 銀鉱山跡と鉱山町

1-1. 銀山柵内(さくのうち)

16～20世紀の間の、銀生産や人々の生活、信仰、支配体制の全体像がわかる地域。江戸幕府は、採掘から精錬を一貫して行う銀生産の場を柵で囲い、出入口には**口屋**(くちや)と呼ばれる番所を置いて人や物の出入りを管理した。仙ノ山(せんのやま)*には600カ所以上の採掘の跡があり、地表に残る「**露天掘り**」の跡と、**龍源寺間歩**(りゅうげんじ)のように金脈を地中に掘り進んだ「**坑道掘り**」の跡がある。**清水谷**(しみずだに)**精練所跡***などの他、多くの寺院や石塔、鉱山の守り神である「金山彦命(かなやまひこのかみ)」を祀る**佐毘売山**(さひめやま)**神社**も残る。。

1-2. 代官所跡

大森地区の北東側に位置し、江戸幕府から派遣された代官が駐在した。瓦葺(かわらぶき)平屋建(ひらやだ)ての表門と、その左右の門長屋建物が現存する

仙ノ山：大森地区の南、銀山地区の東に位置する標高537mの山。　**清水谷精練所跡**：明治期の1895年に巨額を投じて建造されたが、1年半で操業中止となった。

1-3. 矢滝城跡

銀山柵内から南西2.5kmに位置し、標高638mの山頂部を利用してつくられた16世紀の山城跡。銀山西方の出入口の防備に重要であった。

1-4. 矢筈城跡

銀山柵内から西2.5kmに位置し、標高479mの山頂部を利用してつくられた16世紀の山城跡。銀山西方の出入口の防備に重要であった。

1-5. 石見城跡

銀山柵内から北北西約5kmに位置し、標高153mの山頂部を利用してつくられた16世紀の山城跡。銀山北側の守備に重要な拠点であった。

1-6. 大森・銀山

柵内に含まれる銀山地区と、その北側に隣接して柵の外に築かれた大森地区からなる鉱山町。大森地区には今も南北約2.8kmにわたって、武家屋敷の**旧河島家**や商家の**熊谷家住宅**などの伝統的な木造建築からなる集落が続く。両地区には武家や商家、寺院などさまざまな身分や職業の人々が混在して暮らしていた。

1-7. 宮ノ前

代官所跡東側の銀山川沿いに位置する銀の精錬施設の遺跡。仙ノ山から3kmも離れているため、産出銀の品位を高めるための作業場であったと考えられている。

1-8. 熊谷家住宅

大森・銀山の街路に面してたつ商家建築。熊谷家は17世紀頃に銀山柵内に住み、銀山経営を行っていたと伝わる。18世紀には現在地に移住し、金融業や代官所の御用商人として栄えた。有力商人の社会的地位や生活の変遷を伝えている。

かつての栄華が伝わる

日本の世界遺産

1-9. 羅漢寺五百羅漢*

大森地区内の銀山地区に近い地域にある、銀山川支流沿いの信仰関連遺跡。岩盤の斜面に3ヶ所の石窟があり、中央窟には石造の三尊仏、左右両窟にそれぞれ250体ずつの石造の羅漢坐像が安置されている。地元の石工である坪内平七の一門の手によって、25年の歳月をかけて作られたとされる。

鉱山で命を落とした人を供養した

2. 街道

2-1. 石見銀山街道鞆ケ浦道

鞆ケ浦が銀鉱石や銀の積出港であった16世紀前半に、銀山柵内から日本海に至る最短距離の搬出路として利用された街道。起伏が多く、人や牛馬の往来ができる最小限の道幅となっている。

細い街道は草に覆われつつある

2-2. 石見銀山街道温泉津・沖泊道

温泉津や沖泊が石見銀山支配の拠点や外港と位置づけられた16世紀後半に、銀の搬出と物資の搬入のために利用された街道。西田の集落を中継地として、銀山と温泉津、沖泊が結ばれた。比較的なだらかで、人や牛馬の頻繁な通行を想定した道幅となっている。

五百羅漢：釈迦に従っていた500人の弟子のこと。

3. 港と港町

3-1. 鞆ヶ浦

銀山柵内から北西約6㎞の日本海沿岸に位置し、石見銀山の最初期の30年間ほどだけ使われた銀鉱石や銀の積み出し港。両岸に丘陵が迫る入り江で、開口部には波除けとなる2つの小島がある。神屋寿禎が弁天を祀った厳島神社や、船を係留するために岩を削った「**鼻ぐり岩**」などが残る。

自然の岩に穴をあけ綱を通した「鼻ぐり岩」

3-2. 沖泊

銀山柵内の西約9㎞に位置する狭隘な入り江を利用した港。16世紀後半の約40年間、精錬した銀を積み出した拠点であると共に、石見銀山への物資の補給地や**毛利水軍**＊の基地としても機能した。1570年に毛利氏は港の入口に砦を築き、沖泊や温泉津港を守っていた。60基以上の「鼻ぐり岩」も残る。

入口の島には城跡も残る

3-3. 温泉津

日本海のリアス式海岸に面する港と港町。温泉津の名は、日本海側の代表的な港として16世紀の中国の地理書にも登場する。銀山とその周辺地域の支配における政治的中心地として栄えた他、温泉のある街としても古くから知られ、戦国大名や文人墨客、代官、船乗りなど多くの旅人が逗留する地でもあった。**温泉津は、温泉街として日本で唯一、重要伝統的建造物群保存地区**に選ばれている。

毛利水軍：瀬戸内海を中心に活動した、戦国大名毛利氏直轄の水軍。

広島県

広島平和記念碑（原爆ドーム）

Hiroshima Peace Memorial (Genbaku Dome)

文化遺産

登録年 1996年　登録基準 (vi)
プロパティ 0.004㎢　バッファー・ゾーン 0.43㎢

概要

「原爆ドーム」の名前で知られるこの建造物は、第二次世界大戦末期の1945年8月6日に、**世界で初めて実戦で使用された原子爆弾の惨禍を後世に伝える遺産**であり、人類が決して忘れることの許されない歴史記念的な意味を持つ。

チェコ人建築家**ヤン・レツル**が設計したゼツェッション様式*の3階建ての洋館で、原爆投下当時は「広島県産業奨励館」と呼ばれていた。正面中央の銅板楕円形の円蓋（ドーム）の下は木製の螺旋状階段が4階まである階段室があり、南側には噴水を備えた洋式庭園があった。

アメリカ軍によって投下された原子爆弾は上空約580mで爆発し、爆風と猛火により爆心地から半径約2km以内の建物は木造も鉄筋コンクリートも全て全壊もしくは全焼し

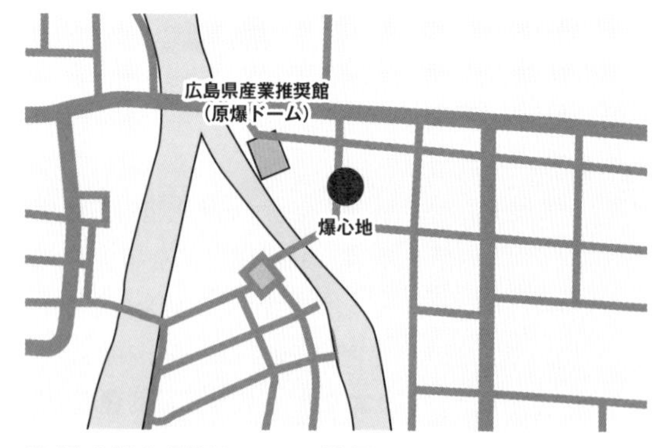

爆心地と原爆ドームの位置

ゼツェッション様式：19世紀末にドイツやオーストリアで興った芸術運動で、優美な曲線を多用する古典的な様式からの分離を掲げた新しい様式。

た。原爆ドームも爆心地の西北約150mの至近距離で被爆し、爆風と熱線によって屋根や床は全て破壊され壁の大部分は倒壊したが、**爆風が上方からほとんど垂直に働いたため**建物の中心部分は倒壊を免れた。

世界遺産には、**核兵器の究極的な廃絶と世界の恒久平和を訴える記念碑**として評価された。

登録基準

●登録基準(vi):

人類がつくり出した最も破壊的かつ非人道的な兵器の惨禍を伝える遺跡(廃墟(はいきょ))であり、原子爆弾投下直後の状態を万全に保存している。また半世紀以上にわたり世界恒久平和の実現への希望を表してきた強力な象徴である。

登録時の登録基準(vi)には、「この基準は例外的な条件または、文化遺産もしくは自然遺産の他の基準*とあわせて用いるべきであると委員会は考える」との但し書きがあり、その例外条件も満たしている。

歴史

広島市は、中国山地から南に流れる太田川(おおたがわ)の三角州を中心に発達した都市で、19世紀後半以降は、紡績や鉄鋼、機械などの分野で近代的な工業都市へと発展した。1910年、広島県は産業振興のため太田川の分流である元安川(もとやすがわ)の東岸に「広島県物産陳列館(ちんれつかん)」の建設を決定し、1915年に完成した。その後、1921年に「広島県商品

噴水跡

文化遺産もしくは自然遺産の他の基準:当時は、文化遺産と自然遺産で登録基準が分けられていた。

陳列所（ちんれつじょ）」、1933年に「広島県産業奨励館」と改称され、1944年からは官公庁などの事務所として使用された。

被爆前の広島県産業奨励館

第二次世界大戦末の1945年、アメリカ軍による日本本土爆撃（ばくげき）の激化や沖縄上陸により日本の敗戦が濃厚となる中、アメリカと英国、中国により降伏を求めるポツダム宣言が7月26日に出され、8月6日午前8時15分に原子爆弾「リトル・ボーイ」が投下された。その爆風と熱線で、その年の末までに約14万人*が命を落としただけでなく、今なお多くの人々が放射線の後遺症に苦しむなど、非人道的な結果がもたらされた。戦後、広島市の復興が進む中で爆心地近くに唯一残された広島県産業奨励館の残骸（ざんがい）は、円蓋鉄骨の形から、いつしか「原爆ドーム」と呼ばれるようになった。

広島市民の間では長い間、原爆ドームを「不幸の記憶」として解体すべきか、「平和の象徴」として保存すべきか議論が繰り返され、方針が決まらないまま放置されていた。1953年に広島県から広島市に譲渡された後も、建物の周囲には雑草が生い茂り、壁なども劣化して小規模な崩壊や落下が続くなど危険な状態にあった。1955年に**丹下健三（たんげけんぞう）**の設計で原爆ドームを含む**広島平和記念公園***が完成したが、原爆ドームは劣化が進んでおり1962年に内部への立ち入りが禁止された。しかし、1歳で被爆し16歳

原爆投下直後の広島市中心部

約14万人：広島市の調査によると、1945年12月末までに約14万人が亡くなったとされる。　**広島平和記念公園**：『広島平和記念碑（原爆ドーム）』のバッファー・ゾーンに含まれている。

で白血病により命を落とした**楮山ヒロ子**の日記をきっかけに保存を求める声が市民の間で高まると、広島市は1965年から強度調査を行い、1966年に市議会で原爆ドームの保存に万全の措置をとることを決議した。同年から保存のための募金活動*が行われ、翌1967年に第1回保存工事が行われた。

1992年に日本が世界遺産条約を批准すると、広島市議会は「原爆ドームを世界遺産リストに登録することを求める意見書」を採択し、国へ要望書を提出した。しかし、原爆ドームは国内法（文化財保護法）の保護を受けておらず、文化財に指定するには歴史が浅すぎるため推薦の要件を満たしていないとして、国は難色を示していた。そうした中、1993年に市民団体を中心とする「原爆ドームの世界遺産化をすすめる会」が結成されると、推薦を求める国会請願のための全国的な署名運動が展開され、最終的に165万3,996名の署名が集まった請願は1994年に両院で採択された。1995年に文化財保護法の史跡の基準が改正されて原爆ドームが史跡に指定され、その年のうちに世界遺産登録への推薦が行われた。

1996年の世界遺産委員会では、戦争に関連する遺産の登録は定義が定まっていないとして意見が分かれ、委員国であったアメリカと中国は、世界遺産リストへの記載の決議に反対はしないものの、審議後に声明を出した。アメリカと中国が出したこの声明は、世界遺産委員会の決議書に付記された。

ICOMOSの評価報告書には「**歴史的価値や建造物としての価値は認められないが、世界平和を目指す活動の記念碑として、世界でもほかに例を見ない建造物である**」との記述がある。広島では1946年8月に広島市町会連盟主催の「平和復興市民大会」が開催されると、1947年からは広島市と広島商工会議所、広島観光協会が発起人となって設立された広島平和祭協会が主催する「平和祭」へと引き継がれた。朝鮮戦争時の1950年はGHQ*の指示で中止されたものの1951年には「平和記念式典」として再開され、1952年からは平和記念公園内にある「**原爆死没者慰霊碑**」の前で恒久平和と核兵器の廃絶を求める式典が毎年行われている点も評価に含まれている。

原爆死没者慰霊碑

募金活動：4,000万円の目標に対して、国内外から6,619万7,816円の寄付金などが寄せられた。　**GHQ**：連合国軍最高司令官総司令部。ポツダム宣言の執行を目的として日本で占領政策を行った連合国機関。

TOPICS 声明

● アメリカ合衆国の声明(大意)

我々は、今回の原爆ドームの世界遺産への推薦に関し、歴史的な視点が欠如していることを懸念する。我々が、第二次世界大戦を終結させるために、核兵器を使用する状況を迎えることになるまでに起きたさまざまな事件を知ることが、広島で起きた悲劇を理解する上で重要になる。1945年を迎えるまでの歴史的な流れの精査が必要である。我々は、戦争に関する物件の登録審議が本会議の範疇(はんちゅう)から外れていることを確信しており、委員会に対し、戦争関連物件の世界遺産登録に関する妥当性の審議に取り掛かることを強く要望する。

● 中華人民共和国の声明(大意)

第二次世界大戦中、アジア各国、及びその国民たちは侵略や虐殺などのつらい歴史を経験してきた。しかし、現在においても、その事実を否定し続ける人が、少数であるが存在する。このような状況の中、稀有(けう)な例といえるかもしれないが、広島平和記念碑の世界遺産登録が、前述のような少数の人たちによって悪用されないとも限らない。当然、このようなことは、国際平和の維持に良い効果をあげるものではない。

登録基準への影響

『広島平和記念碑(原爆ドーム)』の世界遺産登録は、登録基準(vi)の適用の仕方についても意見が分かれた。

原爆ドームは、人類がはじめて原子爆弾の惨禍(さんか)にあったという出来事によって世界遺産に登録され得る建造物となったが、この出来事がなければ世界遺産になることはなかったと考えられるため、こうした有形の建造物そのものの価値ではなく出来事の価値のみで登録基準(vi)を用いて世界遺産登録することには、今後慎重であるべきだという意見が出された。同じような例として、それ以前に「アウシュビッツ・ビルケナウ」と「ゴレ島」が登録されていたが、このような登録の仕方は、本来の有形の文化財を守る世界遺産活動の意義から考えて好ましいとは言えないとされた。

当時、登録基準(vi)には括弧(かっこ)書きで「世界遺産員会は、特別な事情がある場合、**または**、他の文化遺産もしくは自然遺産の登録基準に当てはまる場合に、この基準で世界遺産リストに記載できると考える」と付記されていた。それが、『広島平和記念碑(原爆ドーム)』に関する議論を経て、1997年の作業指針の改訂で、付記の文中の赤字「または」のところが「**および**」に変更された。この変更により、登録基準(vi)のみでの登録ができなくなった。この付記の記述は、2005年の作業指針の改訂で、現在の「他の基準とあわせて用いられることが望ましい」に変更された。

保護と管理

原爆ドームは1995年に文化財保護法の史跡に指定され、バッファー・ゾーンに含まれる平和記念公園は2007年と2008年に名勝に指定されている。また原爆ドームは、1967年、1989年、2002年、2015年の4回にわたり保存工事が実施されてきた他、3年毎に「健全度調査(けんぜんどちょうさ)」を行っている。

一方で、原爆ドームは広島市の中心部にあるため、マンション建設などの周辺の都市開発や、川沿いでの商業活動などによる景観の問題が起こっており、劣化対策と共に景観保護が課題となっている。

定期的に補強工事が行われている

劣化が進んでいる原爆ドーム

街の中心にあるため周囲の景観の保護も課題となっている

概要

厳島神社は、ご神体である深々とした緑に覆われた**弥山**(瀰山)を背景に、海上に鮮やかな朱塗りの社殿群を配し、太陽光により変化する海面の効果も計画的に取り込んで、**建築物と背後の山、前面の海が調和する独自の美しい景観**をつくり上げている。

古くより厳島周辺の島嶼部の住民などが、弥山を主峰とする連山に神霊を見出し、島全体を信仰の対象とする畏怖の念から、海を挟んだ対岸より遥拝を行ってきた。やがて島の水際に社殿が成立すると、社殿群の前にある大鳥居までの海域と背後の弥山に向かって屛風のように連続する山領とが、社殿を取り巻く一体的な自然環境として認識されるようになった。

平清盛によって造営された構成を踏襲する、北向きの厳島神社本社の社殿群と西向きの摂社客神社の社殿群が海上をわたる廻廊で結ばれる構えは、平安時代の支配階級の住宅様式である**寝殿造の影響を受けたもの**である。各社殿の細部の様式や檜皮葺のゆるやかな屋根の曲線に、平安時代の寝殿造の特徴が色濃く残っている。また神仏習合の時代を伝える仏教建築も、厳島神社の歴史を伝えるものとして島内に残されている。

登録基準

●**登録基準(ⅰ):**

12世紀に平清盛によって造営された構成を残す社殿群は、平安時代の寝殿造の様式を取り入れた優れた建築景観を成しているだけでなく、人の手と自然の要素が結びついた他に例のない傑作である。山を背景に海上にたつ社殿群は、**平清盛の卓越した発想**に基づいており、芸術的・技術的にも高い熟練度を示している。

大鳥居

●**登録基準(ⅱ):**

厳島神社の社殿群は、自然を崇拝して山などをご神体として祀り、遥拝所をその麓に置いた日本の社殿建築の伝統を伝えるものであり、**日本人の精神文化の発展や日本の景観美に対する概念を理解**する上で重要である。また山と海と社殿の三者が織りなす中心に社殿群が位置する景観は、日本の他の景勝地を評価する上での1つの美の基準となってきた。

●**登録基準(ⅳ):**

海上に展開する社殿群は、周辺の自然と一体となった環境を持ち、**平安時代の寝殿造の様式を山と海の境界を利用して実現している**点で個性的である。また社殿群は、平安時代から鎌倉時代にかけての様式を現在まで継承し、自然崇拝から発展した周囲の景観と一体を成す古い形態の社殿群を知るための顕著な見本となっている。

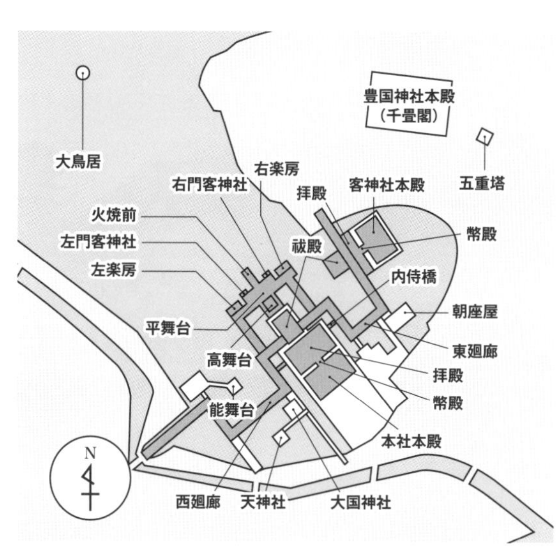

厳島神社

●登録基準（vi）：

日本の精神文化は、日本の風土に根差した多神教的な自然信仰から来る神道と深く関係しており、厳島神社はこうした日本の宗教的な特徴を理解する上で重要である。また神仏習合と分離の歴史を示す文化遺産としても、日本の宗教空間の特質を伝えるものである。

歴史

厳島は、瀬戸内海西部の多島海(たとうかい)*の中でもひときわ高い弥山を擁することもあり、古くから神聖な島として信仰の対象となってきた。いつしか島の水際にも礼拝施設が建てられるようになり、社殿の創建は593年と伝わる。実際に記録として残るのは811年以降で、『日本後記(こうき)*』に「**伊都岐嶋神(いつきしまのかみ)**」が登場し、平安時代を通じて安芸(あき)の国の著名な神社であったとされる。927年編纂の延喜式(えんぎしき)*では、厳島神社の主祭神(しゅさいしん)は伊都岐嶋神とされ、現在の主祭神「**宗像三女神(むなかたさんじょしん)**」は戦国時代頃から祀られるようになったと考えられている。

1168年、平清盛の後援を受けた神主の佐伯景弘(さえきのかげひろ)が社殿の造営を行い、神殿の規模を大きくし、板葺きの一部を檜皮葺にした。この時の社殿の規模や配置が、その後の基準となったと考えられる。平清盛は、保元(ほうげん)・平治(へいじ)の乱における戦功と中央政界での出世を厳島神社のご加護と考え、神社を平家一門の守護神に位置づけると、

客神社

多島海：起伏の多い土地が沈降し、山頂部分だけが海面上に残り多くの島となった海域。　**日本後記**：平安時代に藤原緒嗣(ふじわらのおつぐ)らによって編纂された史書。　**延喜式**：平安時代中期に編纂された格式（きゃくしき）（律令を補完する法令集）。

政治的な節目には必ずと言ってよいほど厳島神社を参詣した。

1207年と1223年に火災で焼失しそれぞれ再建されたが、現在残る主要な社殿は1241年に再建されたもの。社殿が大規模かつ壮麗になったことで神社全体を一時期に造替(ぞうたい)することが難しくなったため、以降は部分的な補修や建て替えにより社殿が維持されるようになった。室町時代になると国家的な援助はなくなったが、時の権力者や地域の有力者の崇敬を集めたため、風水の被害を何度も受けながらも修復が繰り返され、新たな建造物も追加されていった。桃山時代には豊臣秀吉(とよとみひでよし)が九州遠征の途中で厳島神社を参詣し、1587年に**千畳閣**(せんじょうかく)を造営*した。

客神社から本社本殿へと続く回廊

厳島は瀬戸内海の商業や交通の要衝だったため、室町時代後期には島内に市が立ち、市街地もつくられるようになった。また近世になると空海(くうかい)が修行したと伝わる弥山山頂付近の道場*も民間の信仰を深め参詣者が増えた。参詣者が増えたことで、景勝地としての評判も広がって行った。

1868年に神仏分離令が出されると、仏教建築の多くが破壊され、神社も社殿の朱塗りをはがして素木(しらき)にするなどの変更が加えられた。現在残る五重塔や多宝塔(たほうとう)、末社(まっしゃ)豊国(ほうこく)神社本殿(千畳閣)は幸いにも破壊を免れたものである。

保護と管理

17棟3基の建造物群と厳島全島は文化財保護法で保護されており、社殿後背地は自然公園法や森林法、都市計画法などで保護されている。また定期的な屋根の葺替や塗装修理、腐朽(ふきゅう)部の部分修理などを実施している他、台風などによる被災の場合も国庫補助金などを用いて修復している。

千畳閣の内部

千畳閣を造営：豊臣秀吉の死により未完成。明治時代に豊国神社本殿になった。　**道場**：現在の大聖院。

TOPICS 構成資産

1. 本社本殿、幣殿、拝殿

本社の御祭神として**市杵島姫命**と**田心姫命**、**湍津姫命**の宗像三女神を祀っている。**海上の大鳥居から平舞台と本社の各建物は一直線に軸線を揃えて並んでおり**、最も奥の本社本殿と横長の拝殿は幣殿でつながれ一連の建物となっている。また拝殿の海側に並ぶ縦長の祓殿とも屋根がつながっており、全体が一連の屋根の下に覆われている。

本殿は1571年に毛利輝元により再建されたもので、檜皮葺の両流造*。拝殿は奈良時代の様式とされる三棟造で、下からは2つの化粧屋根裏が見える。平舞台の上には四方に高欄をまわした漆塗の高舞台があり、この舞台で演じられる舞楽も平安時代に都からこの地にもたらされたものとされる。

現在も舞われる舞楽

2. 本社祓殿

1241年に再建された、檜皮葺で妻入*の入母屋造*の建物。正面中央の軒を一段切り上げているのは、平安時代に好んで使用された手法で、蟇股*の形式や破風の曲線などにも平安時代の特徴が見られる。

平舞台から続く本社祓殿

3. 摂社客神社本殿、幣殿、拝殿

摂社客神社は本社の建造物群の東北側にあり、軸線を東西にとって西向きにたつ。社殿全体を一連の屋根で覆う構造は本社と同じだが、本殿よりもひとまわり小さい。また客神社では、廻廊が拝殿と祓殿の間を通路のようにして通り抜けている。本殿は檜皮葺の両流造で、天忍穂耳命、活津彦根命、天穂日命、天津彦根命、熊野櫲樟日命の五柱。第一の摂社として、全ての祭典はまず客神社で行われる。

両流造：切妻造で、平入の正面の庇を前後で同じ長さだけのばした構造。　**妻入**：妻側に入口を持つ建物。　**入母屋造**：切妻の妻の下部に寄棟の屋根をつけた構造で、格式が高いとされる。　**蟇股**：横木の重さを分散して支えるために、梁や桁に設置する部材。

4. 摂社客神社祓殿

祓殿の前面は直接海に面していて平舞台にあたる板敷きがない。軒先が2段になっているところと周囲の波除板(なみよけいた)に特色がある。

5. 東回廊、6. 西回廊

本社の社殿群と客神社などを海上で結ぶ、幅3.9m、柱間2.4mの東西の回廊。柱と柱の間には、増水時に水を逃がすよう間をわずかに開けながら床板が8枚張ってある。長さは百八間あり、青銅製の灯籠(とうろう)が釣られている。初めは毛利元就(もうりもとなり)が奉納した鋳鉄(ちゅうてつ)製の釣灯籠であったが、潮風による腐食が激しいため、1366年に鋳銅製灯籠に取り換えられた。

8枚ずつ床板がはめられる回廊

7. 朝座屋(あさざや)

入口から入って東回廊の突き当りにある檜皮葺の建物で、祀官(ぎかん)*や供僧などが会合をした場所。

8. 能舞台(のうぶたい)

本社と西回廊で結ばれる能舞台は、毛利元就が寄進した能舞台を1680年に再建したもの。**日本で唯一、海に浮かぶ能舞台**で、海上にあるため一般的な能舞台では共鳴のために床下に置く甕(かめ)がなく、根太(ねだ)と呼ばれる床下の角材の断面を六角形にし、床板との接触面積を減らすことで大きく響くように工夫されている。

1991年の台風で倒壊したが1994年に再建された

祀官：朝廷の祭祀を司る役職。太政官と並んで最高機関とされた。

9. 揚水橋

東回廊と本殿をつなぐように架けられた約5mの板張りの橋で、橋の中央部に水をくみ上げるための装置があり、かつては海水をくみ上げていたと考えられている。

10. 長橋

本殿に沿って陸から大国神社を通り西回廊につながる約33mの橋で、本殿の神前に神饌を供する時に使用されていた。

11. 反橋

勅使橋とも呼ばれ、平安時代末頃に上卿*が参向する時に渡った橋。丹塗*の高欄の擬宝珠には1557年に毛利元就、隆元の父子が奉納したと書かれている。

現在は渡ることができない

12. 大鳥居

楠の主柱の前後に杉の袖柱をもつ**両部鳥居**で、根本は埋められておらず、松の丸太を地中に打ち込んだ千本杭の上に置かれている。上部の笠木*と島木*が箱型になっており、中に重しのための約4tの小石が詰められている。笠木の西側には月光(三日月)、東側には日光(太陽)の飾金具がつけられ、海側の額には「嚴島神社」、社殿側の額には「伊都岐嶋神社」と書かれている。現在は9代目に当たる。

潮が引くと固定されていないことがわかる

13. 摂社大国神社本殿

本殿と西回廊でつながる神社で、大国主命を祀る。かつては神饌をここで仮に安置してから本社に運んでいた。

上卿：朝廷の行事や会議の執行責任者として指名された公卿。　**丹塗**：建物を丹(赤色の鉱物)を使って朱色に塗る塗装方法。　**笠木**：鳥居の最上部にある横木。　**島木**：笠木の下にある横木。

14. 摂社天神社本殿

大国神社とつながる神社で、菅原道真を祀る。明治の中頃まで、毎月25日に拝殿で連歌*を行ったため連歌堂とも呼ばれる。

15. 五重塔

1407年に建立された檜皮葺の塔で、中国の唐から伝わった建築様式の「唐様」と日本で発展した「和様」が加えられている。

16. 多宝塔

1523年に禅僧の周歓が建立したもので、かつては多宝院という寺の附属であった。

17. 末社荒胡子神社本殿

大願寺の子院である金剛院の鎮守であったが、神仏分離令の際に厳島神社の末社となった。破風下の両側に、極彩色の火焔宝珠を唐草で包んだ装飾がある**仏教色の強い蟇股**が特徴。

18. 末社豊国神社本殿(千畳閣)

1587年、豊臣秀吉が千部経読誦*をするため、**安国寺恵瓊**に命じて建立させた本瓦葺で入母屋造の大経堂。桃山時代の豪華な建物だが豊臣秀吉の死後は未完のままで、1874年に豊臣秀吉と加藤清正を祀る豊国神社となった。

未完成のまま残されている

19. 摂社大元神社本殿

古くからの地主神を祀ると伝わる。三間社流造*で他では例を見ない特殊な長板葺の屋根を持つ。

20. 宝蔵

室町時代に築かれた、檜皮葺で寄棟造、校倉の壁を持つ宝物庫。

連歌:和歌の上の句と下の句を分担して詠みあう室町文化を代表する遊び。　**千部経読誦**:祈願などのために同じ経を千人の僧で読誦する法会(ほうえ)。　**三間社流造**:切妻屋根の前面をのばした流造の1つで、柱間が3間(柱は4本)ある構造。

概要

九州本土から約60kmの玄界灘*の海上に位置する沖ノ島と3つの岩礁からなる**宗像大社沖津宮**、大島にある宗像大社沖津宮遙拝所と宗像大社中津宮、九州本土にある**宗像大社辺津宮**と新原・奴山古墳群の8つの資産で構成されている。これらは、古代の東アジアにおける活発な対外交流の中で発展した「神宿る島」を崇拝する文化的伝統が、**海上の安全を願う生きた伝統**と結びついて今日まで受け継がれてきたことを証明している。

沖ノ島に残された奉献品の質と量、位置からは、4〜9世紀に日本列島と朝鮮半島やアジア大陸の諸国間の交流が盛んだったことや、巨岩の上で祭祀を行う「岩上祭祀」から庇状になった岩の陰で行う「岩陰祭祀」へ、そこから「半岩陰・半露天祭祀」を経て、平らな場所で祭祀を行う「露天祭祀」へと、祭祀の形態が変化していったことがよくわかる。

また、宗像大社の社殿や境内は**自然崇拝から始まった沖ノ島の信仰が、「宗像三女神」という人格を持った神に対する信仰へと発展**し、その両者が共存しながら「宗像・沖ノ島」の信仰を形作ったことを証明しており、「露天祭祀」から「社殿を持つ祭祀」へと発展したことも示している。

玄界灘：九州の北西部に広がる海域。

登録基準

●登録基準（ii）：

沖ノ島に残された奉献品は、4～9世紀の間の東アジアの国家間の重要な交流を示している。また、奉献品の配置や祭場構成の変化は祭祀の変遷を伝えるもので、アジア大陸や朝鮮半島、日本列島を拠点とする国々がアイデンティティを確立した時期に、日本文化の形成に本質的な影響を与えた活発な交流を証明している。

5世紀頃の純金製指輪（宗像大社神宝館所蔵）

●登録基準（iii）：

沖ノ島には考古学的遺跡がほぼ無傷で残り、4～9世紀にかけての祭祀の変化を証明している。自然崇拝が航海の安全を祈る祭祀の基盤となり、宗像大社での人格神化した宗像三女神への信仰が生まれ継承されてきた。また古墳群は、日本列島と大陸との交流を担う中で、文化的伝統を生みだし継承した宗像氏（むなかたし）の存在を証明している。

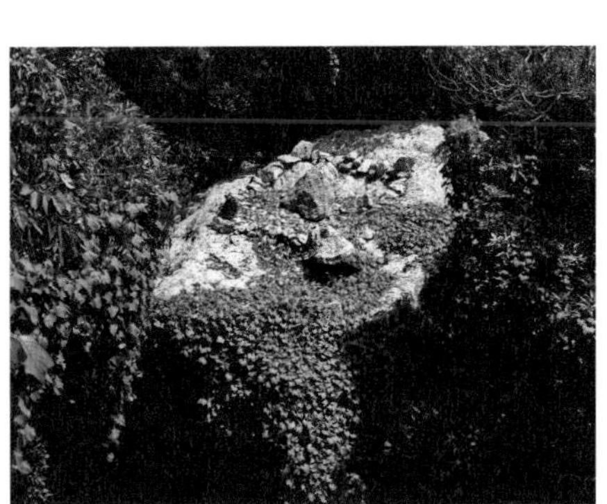

4～5世紀の岩上祭祀遺跡

祭祀の変遷

岩上祭祀
4世紀後半～5世紀

岩陰祭祀
5世紀後半～7世紀

半岩陰・半露天祭祀
7世紀後半～8世紀前半

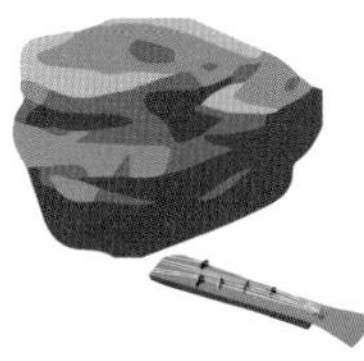

露天祭祀
8世紀～9世紀

歴史

沖ノ島にある宗像大社沖津宮

紀元前3世紀頃に日本に稲作文化が伝わると、日本各地に「クニ」と呼ばれる初期国家が形成されていった。中でも対外交流が活発であった九州北部では、早い段階から有力な地域勢力が形成され、航海の道標（みちしるべ）となる沖ノ島を信仰する宗像氏へと成長した。

3世紀頃にヤマト王権が登場すると、ヤマト王権が対外交流を行うためには日本列島と朝鮮半島の間の海を越える航海術を持つ宗像氏の協力が不可欠となり、4世紀後半頃から協力関係の下で宗像氏が信仰する沖ノ島での「**国家的祭祀**」が行われるようになった。

6世紀末の中国の隋（ずい）の誕生から9世紀末の唐（とう）時代末期まで、文化や法制度を手に入れるために日本から遣隋使（けんずいし）や遣唐使（けんとうし）の他、朝鮮半島の新羅（しらぎ）へ使者が派遣され、沖ノ島だけでなく大島や九州本土でも数多くの奉献品を用いた祭祀が行われた。宗像氏がヤマト王権の対外交流に協力し沖ノ島で祭祀を担ったことは、8世紀編纂（へんさん）の『古事記（こじき）』や『日本書紀（にほんしょき）*』に宗像三女神の**田心姫神（たごりひめのかみ）**と**湍津姫神（たぎつひめのかみ）**、**市杵島姫神（いちきしまひめのかみ）**を「奥津宮（おきつみや）」、「中津宮」、「辺津宮」で祀ったと記されている。

五間社流造の宗像大社辺津宮本殿

894年に遣唐使が中止されると、沖ノ島での国家的祭祀は行われなくなったが、宗像三女神に対する信仰は、社殿のある三宮での神事と共に宗像地域の人々によって伝えられてきた。

祭祀の歴史

4世紀後半から5世紀前半は巨岩の上で祭祀を行う「岩上祭祀」が行われた。ヤマト王権の本拠地である近畿地方の古墳で発見されたものと類似の鏡などが発見されており、神に対する祭祀と古墳の被葬者に対する葬送儀礼が未分化であったと推測される。

日本書紀：日本書紀では、「遠瀛（おきつみや）」、「中瀛（なかつみや）」、「海浜（へつみや）」と記されている。

5世紀後半から7世紀は巨岩の陰の平らな地表面に奉献品を並べた「岩陰祭祀」が行われた。**金製指輪**や装飾的な馬具、イラン産とされる**カットグラス碗片**などが発見されている。続く7世紀後半から8世紀前半は、わずかな岩陰と大部分の露天の両方にまたがって行われた「半岩陰・半露天祭祀」が行われた。この時代は多くの外交使節が往来したため、**金銅製龍頭**(こんどうせいりゅうとう)*や**唐三彩長頸瓶片**(とうさんさいちょうけいへいへん)などの奉献品から貴重な文物が日本に持ち込まれたことがわかる。この時代になると古墳の副葬品と共通する奉献品は見られなくなり、葬儀と祭祀が区別されるようになった。8世紀初めに日本に律令国家が成立する中で、沖ノ島の祭祀も「**神祇祭祀**(じんぎさいし)*」として体系化された。8世紀から9世紀末は、かつての祭祀の場であった巨岩群から南西に約30m離れた平坦地で祭祀が行われる「露天祭祀」へと移行した。奉献品からは日本で作られた奈良三彩小壺(こつぼ)など大量かつ多様な土器が見つかっており、繰り返し祭祀が行われたことが分かる。

一方で7世紀後半頃から、大島の最高地点と九州本土の海に面した丘陵でも沖ノ島と同様の露天祭祀が行われるようになり、これが中津宮の**御嶽山**(みたけさん)**祭祀遺跡**と辺津宮の**下高宮**(しもたかみや)**祭祀遺跡**である。考古学的な発見や、8世紀の『古事記』や『日本書紀』に3つの宮と宗像三女神が登場したことなどから、岩上祭祀から露天祭祀に変遷する過程で、自然崇拝から人格神への信仰が形成されたと考えられる。

宗像大社辺津宮の下高宮祭祀遺跡

比較研究

類似の特徴をもつ遺産として、『パパハナウモクアケア』や『スカン・グアイ』、『スケリッグ・マイケル』、『モン・サン・ミシェルとその湾』などが挙げられるが、島自体が現在も信仰の対象であり祭祀の実態やその変遷を物語る考古学的遺跡を含んでいるという点で、同じ特徴を持つ遺産はない。

保護と管理

構成資産の全てが文化財保護法の「史跡」に指定されている他、沖ノ島の樹木などは「沖の島原始林」として国の天然記念物に、宗像大社辺津宮の本殿と拝殿は重要文化財に指定されている。また、沖ノ島は禁忌(きんき)として人の立ち入り*や草木、石の持ち出しが禁じられている。

龍頭:胴の部分を竿の先につけ、唇の孔から天蓋や幡を吊り下げるために用いられた装飾具。　**神祇祭祀**:日本古来の祭祀で、律令制における国家祭祀の1つ。　**人の立ち入り**:2018年からは現地大祭が中止され全面的に上陸禁止となった。

TOPICS

1. 沖ノ島（宗像大社沖津宮）

沖ノ島と付随する3つの岩礁（小屋島、御門柱、天狗岩）は、構成資産としては分けられているが、一体となって宗像三女神の**田心姫神を祀る宗像大社沖津宮**という1つの神社を構成している。沖ノ島からは考古学的調査により約8万点奉献品が出土している。17世紀までは人が常駐することはなく、絵図などから古代祭祀が行われた巨岩の間に位置する社殿は17世紀前半に建てられたと考えられる。現在の沖津宮社殿は1932年に再建されたもの。

2. 小屋島、3. 御門柱、4. 天狗岩（宗像大社沖津宮）

沖ノ島の南に位置する岩礁で、沖ノ島に上陸する際の**天然の鳥居の役割**を果たしており、船で岩礁の間を通って沖ノ島に上陸する。「小屋島」と「御門柱」は、沖ノ島を描いた最古の絵図である1682年成立の「御国絵図*」に描かれている。

5. 宗像大社沖津宮遙拝所

沖ノ島から約48km離れた大島にある信仰の場で、上陸が禁止されている沖ノ島に渡ることなく参拝することができる遥拝所として18世紀中頃までに成立していたと考えられる。社殿の奥の窓からは、水平線上に沖ノ島を望むことができる。

天気が良いと肉眼で沖ノ島が見える

6. 宗像大社中津宮

大島にある中津宮は、沖ノ島祭祀から発展した7～9世紀の古代祭祀遺跡を源流とする神社で、**湍津姫神が祀られている**。中津宮の境内は、社殿と参道で結ばれる御嶽山山頂の**御嶽山祭祀遺跡**を含む全体を指す。御嶽山祭祀遺跡では7世紀後半から9世紀末頃にかけて露天祭祀が行われ、遅くとも16世紀後半には御嶽山の麓に中津宮社殿が建てられたとされる。

本殿の南脇を通って御嶽山祭祀遺跡につながる

御国絵図：江戸幕府が諸大名に命じて国ごとにつくらせた絵図。

7. 宗像大社辺津宮

九州本土にある辺津宮は、沖ノ島祭祀を受け継ぎ現代にまで続く信仰の場で、**市杵島姫神が祀られている**。釣川（つりかわ）を見下ろす宗像山（むなかたやま）の中腹に古代祭祀の跡である**下高宮祭祀遺跡**（しもたかみや）（高宮祭場）があり、辺津宮の境内は社殿と下高宮祭祀遺跡を含む全体を指す。下高宮祭祀遺跡は、宗像大神が高平原（たかまがはら）から降臨（こうりん）した場所と伝わる。境内に含まれる宗像山山頂（上高宮（かみたかみや））からは大島や沖ノ島を望むことができるが、現在は神域として立ち入りが禁止されている。辺津宮の社殿は遅くとも12世紀には存在していたとされる。

本殿は1578年、手前の拝殿は1590年に再建されたと伝わる

8. 新原・奴山古墳群

沖ノ島の祭祀を執り行い、沖ノ島を信仰する伝統を継承した宗像氏の墳墓群で、沖ノ島へと続くかつての入海（いりうみ）*を見渡す台地上に位置する。5～6世紀にかけて築かれた前方後円墳5基、円墳35基、方墳1基の41基で構成されている。入海に突き出た位置に築かれた宗像地方では珍しい方墳の7号墳からは、沖ノ島祭祀と共通する鉄斧が発見されている。

前方後円墳の30号墳

入海：陸地に入り込んだ海のこと。入り江（いりえ）とも。

長崎県・熊本県

長崎と天草地方の潜伏キリシタン関連遺産

Hidden Christian Sites in the Nagasaki Region

［文化遺産］

登録年 2018年　登録基準 (iii)

プロパティ 55.67k㎡　バッファー・ゾーン 122.53k㎡

概要

集落を中心とする12の構成資産は、キリスト教の信仰が禁じられていた時代に、長崎と天草地方において**既存の社会や宗教とも共生しながら信仰を続けた潜伏キリシタン**＊の伝統と、禁教が公式に解かれてキリスト教信徒のコミュニティが復活した時代を証明している。17～19世紀の10の集落と1つの城郭跡、1つの聖堂で構成され、「①始まり」、「②形成」、「③維持、拡大」、「④変容、終わり」の4段階に分類される。

長崎と天草地方の半島や離島は、大航海時代にキリスト教の宣教が行われたアジアの東の端にあった日本列島の中でも、最も集中して宣教が行われた地域である。潜伏キリシタンは、信仰を隠すために「**天草の﨑津集落**」や「外海の出津集落」のような海岸沿いや、禁教時代に移住先となった「黒島の集落」や「**頭ヶ島の集落**」のような離島などに小さな集落を形成して生き残った。また潜伏キリシタン達は信仰をカムフラージュするため、キリスト教のエッセンスを維持しながら、日本の在来宗教にも似た独特な宗教的伝統を生み、その後2世紀にわたって信仰を維持し禁教を生き抜いた。集落に残る聖堂は、キリスト教信仰が解禁された後に築かれたものである。

潜伏キリシタン：キリスト教禁教期の日本において、密かにキリスト教由来の信仰を続けた人々のこと。

●登録基準（ⅲ）：

17～19世紀の2世紀以上にわたるキリスト教禁教政策の下で、密かに信仰を伝えた潜伏キリシタンにより育まれた独特な宗教的伝統を物語る他に例を見ない証拠である。解禁後に教会堂が建てられた集落もあれば、「**かくれキリシタン***」となる集落、神道や仏教に転宗する集落もあり、潜伏キリシタンの固有の信仰形態の伝統が終わったことも示している。

歴史

大航海時代を背景として、16世紀からポルトガル船が寄港するようになった長崎と天草地方は、**フランシスコ・ザビエル***に続く宣教師が定住して宣教の拠点となっており、日本の他の地域と比べてキリスト教信仰が深く定着していた。貿易の利潤を目当てにキリスト教に改宗したキリシタン大名が、領民を集団でキリスト教に改宗させており、改宗した民衆の間には「**ミゼリコルディア**」や「組」と呼ばれる信仰の共同体がつくられて、それぞれの集落で指導者を中心に信仰が維持された。

16世紀末になると、豊臣秀吉が日本統一に向けた動きの中でキリスト教の禁教を開始した。17世紀に入り江戸幕府は当初キリスト教を黙認したものの、1614年に全国的な禁教令の下に宣教師を国外へと追放し、教会堂を破壊した。キリシタン大名などの支配階級はいち早く棄教して仏教へと改宗したが、生活に根付いていた民衆の信仰は続けられ、厳しい弾圧が加えられるようになった。1637年に

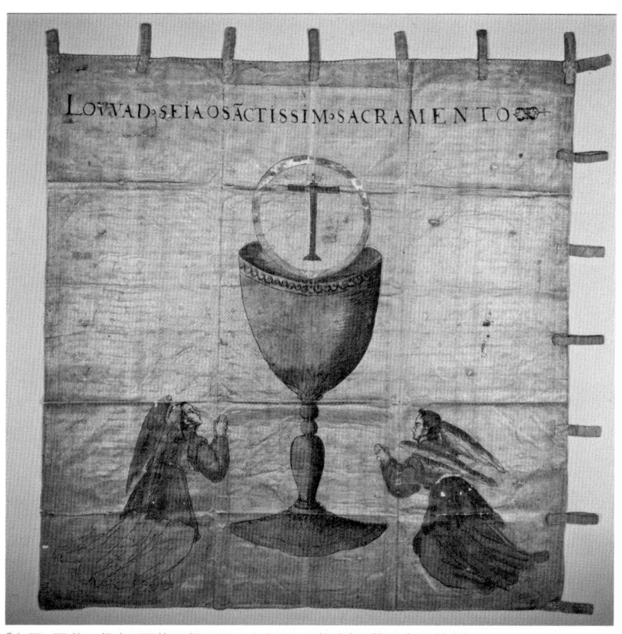

「島原・天草一揆」で天草四郎が用いたとされる旗印（天草切支丹館蔵）

かくれキリシタン：キリスト教信仰の解禁後も宣教師の指導下に入ることを拒み、自らの指導者を中心として独自の信仰を継続した人々。　**フランシスコ・ザビエル**：イグナティウス・ロヨラと共にイエズス会を設立したスペイン人宣教師。1549年に日本に来航した。

厳しい年貢の取り立てや飢饉をきっかけに2万人以上の農民や漁民などの百姓が立てこもった**島原・天草一揆**を経て、カトリックの宣教師が紛れ込む可能性があるポルトガル船の来航が禁止され海禁体制が確立した。1644年に最後の宣教師が殉教すると国内に宣教師がいなくなり、潜伏キリシタンは自分達自身で信仰を続けていかなければならなくなった。

港街ならではの信仰の姿が見られた天草の﨑津集落

潜伏キリシタンは、16世紀の信徒たちの信仰を維持・強化するために、「**水方***」や「**帳方***」などの役職を担当する指導者を中心にキリシタンに関わる儀礼や行事を行った。17世紀前半には「**崩れ**」と呼ばれる大規模な潜伏キリシタンの摘発事件が相次いで起こったが、幕府の側にも本人が信仰を表明しない限り密告も処罰もしないなどの「黙認」の姿勢もあり、潜伏キリシタンの「秘匿」とのバランスの上でその後約250年もの間、潜伏キリシタンの信仰が続けられた。

18世紀になると大村藩に属する外海地域*で人口が増加し、五島藩と大村藩との協定の下に開拓移住が行われた。その中に多くの潜伏キリシタンが含まれていたことから、離島の各地に潜伏キリシタンの集落が形成された。1854年にアメリカをはじめとする西欧諸国から開国の要求を受けて長崎も開港すると、フューレ神父が1863年に居留地に住む西洋人のために「**大浦天主堂***」の建設を始め、**ベルナール・プティジャン神父**の下で1864年に完成した。完成直後の1865年、潜伏キリシタン

野崎島の旧野首教会

水方：宣教師に代わって洗礼を授ける役職。　**帳方**：キリスト教カトリックの教会暦を司る役職。　**外海地域**：五島列島に面した西彼杵半島の西岸地域。　**大浦天主堂**：建設は旧グラバー住宅も手掛けた天草の棟梁である小山秀之進(こやまひでのしん)が行った。

の1人が大浦天主堂のプティジャン神父に自分達の信仰を告白する「**信徒発見***」と呼ばれる出来事があり、潜伏キリシタンも新たな局面を迎えることとなった。1873年にようやくキリスト教が解禁されると、キリスト教カトリックへ復帰した者たちが指導者の屋敷などを「**仮の聖堂**」として新たな信仰活動を始め、10年ほどした頃から新たな木造の教会堂の建設が行われるようになった。

一方で解禁を機に、神道や仏教に転宗する集団や、カトリックの宣教師の指導下に入ることを拒み「かくれキリシタン」となる集団もあり、潜伏キリシタンの伝統は終わりを迎えた。

「信徒発見」の舞台となった大浦天主堂

宗教弾圧と直接関係する遺産では「ローマの歴史地区*」、「ギョレメ国立公園とカッパドキアの岩石群」、「カディーシャ渓谷（聖なる谷）と神の杉の森（ホルシュ・アルツ・エルラブ）」などと、アジア諸国のキリスト教受容に関係する遺産では「ゴアの聖堂と修道院」、「泉州：宋・元時代の中国における世界的な商業の中心地」などと比較されている。

保護と管理

文化財保護法の国宝（大浦天主堂）や重要文化財（大野教会堂や頭ヶ島天主堂など）、史跡（原城跡など）の他、集落は**重要文化的景観**として保護されている。また大浦天主堂周辺は重要伝統的建造物群保存地区にも指定されている。

世界遺産登録まで

2015年に「長崎の教会群とキリスト教関連遺産」として推薦を行ったが、ICOMOSの中間報告を受け教会群を中心とする価値での登録は難しいことが分かったため、推薦書を取り下げ、**日本の遺産として初めてICOMOSとアドバイザー契約**を結び推薦書の作成を行った。そこで潜伏キリシタンが形成した集落を中心とする遺産価値に変更し、遺産名も「長崎と天草地方の潜伏キリシタン関連遺産」として2017年に再推薦された。

信徒発見：長崎の浦上村の潜伏キリシタン十数人が大浦天主堂を訪れ、その中の1人がプティジャン神父に信仰を告白した。　**ローマの歴史地区**：正式名称は『ローマの歴史地区と教皇領、サン・パオロ・フォーリ・レ・ムーラ聖堂』

TOPICS 構成資産

● 1. 原城跡(長崎県南島原市):

禁教初期の1637年に島原半島南部と天草地方のキリシタンを中心とする百姓が起こした「島原・天草一揆」の主戦場となった城跡。海に突き出た丘陵を利用して築造されており、一揆勢の多数の人骨や、鉄砲玉の原料で自作した十字架やメダイ*などの**信心具***などが出土した他、彼らが立てこもった複数の住居跡も確認されている。

「島原・天草一揆」の主戦場となった「原城跡」

② 形成

● 2、3. 平戸の聖地と集落 (2. 春日集落と安満岳、3. 中江ノ島)(長崎県平戸市)

潜伏キリシタンが古来の自然崇拝思想に重ねて安満岳などを崇敬し、キリシタンの殉教地であった中江ノ島を聖地とすることで、自らの信仰を密かに継続した集落。洗礼に使う聖水を採取する「お水取り」の儀式の場として中江ノ島を用いていた。また安満岳は神道と仏教、潜伏キリシタンの信仰が併存する聖なる山であった。平戸では、解禁後もカトリックに復帰することなく「かくれキリシタン」としての信仰が続けられたが、現在はほぼ消滅している。

● 4. 天草の﨑津集落(熊本県天草市)

アワビ貝の内側の模様を聖母マリアに見立てるなど、生活や生業に根差した身近なものを信心具として代用することで、漁村特有の信仰を続けた集落。指導者を中心に、仏教の大黒天や恵比須神をキリスト教の唯一神である**デウス***として崇拝するなど、独自の信仰形態が形成された。解禁後はカトリックへ復帰し、禁教期に密かに祈りを捧げた﨑津諏訪神社の近くに1888年に﨑津教会堂が建てられた。教会堂は1934年に現在の場所に移転新築された。

メダイ:聖母マリアやイエス・キリストなどが彫られたキリスト教の聖品。　**信心具**:禁教期に潜伏キリシタン達が儀式や祈りを捧げるために使った道具。　**デウス**:ラテン語で1柱の男神を表す言葉。

5. 外海の出津集落(長崎県長崎市)

日本人が描いた「聖ミカエル」などの聖画像を密かに拝むことで自らの信仰を隠し、「帳方」を中心に教理書(きょうりしょ)や教会暦を拠り所として信仰を続けた集落。**比較的取り締まりが緩やかな佐賀藩の領域**にあり、庄屋をはじめとする村役も潜伏キリシタンであった。潜伏キリシタンは、表向きは出津代官所の管轄の下で仏教寺院に属し、宣教師に代わる指導者を中心として組織的に信仰が続けられた。潜伏キリシタンの墓は仏教徒の墓と区別がつかない外観をしているが、埋葬方法が異なっていた。この地域の潜伏キリシタンが五島列島などの離島部へ移住し、潜伏キリシタンの信仰が離島の各地へと広がった。解禁後には段階的にカトリックへ復帰し、集落を望む高台に出津教会堂が建てられた。

1891年と1909年の増改築で現在の姿になった

6. 外海の大野集落(長崎県長崎市)

表向きは仏教徒や集落内の3つの神社*の氏子(うじこ)となりながら、神社内に自らの信仰対象を密かに祀り、神道における祭祀の場と潜伏キリシタンの信仰における祈りの場を共存させた集落。隣の出津集落と異なり大村藩の領域であり、弾圧も厳しく行われた。解禁後はカトリックに復帰し、出津教会堂に通っていたが、1893年に出津教会堂の巡回教会として**ド・ロ神父**によって大野教会堂が建てられた。北側玄関前に「**ド・ロ壁**」と呼ばれる、積み重ねた石を赤土に石灰を混ぜた漆喰で固めた独自の技法で作られた風よけの壁がある作りが特徴。

建物手前の壁で入口から風が吹き込まないようになっている

3つの神社：最も社格が高い大野神社と、門(かど)神社、辻(つじ)神社。

③ 維持、拡大

7. 黒島の集落（長崎県佐世保市）

19世紀半ばに平戸藩の牧場跡の再開発地となっていた場所に、藩の政策に応じて移住した潜伏キリシタンが信仰を続けた6つの集落*。表向きに所属していた興禅寺に聖母マリア像に見立てた観音菩薩立像の「**マリア観音**」を祀り、既存の仏教集落の干渉を受けることなく信仰を続けた。解禁後はカトリックへ復帰し、島の中心部に黒島天主堂が建てられた。

8. 野崎島の集落跡（長崎県北松浦郡）

19世紀以降に潜伏キリシタンが**神道の聖地へ移住する**ことで信仰を続けた集落の遺跡。五島列島全体から崇敬を集めていた沖ノ神嶋神社の神官と氏子の居住地以外は未開拓地となっていた野崎島の中央部と南部に2ヵ所に外海地域から移住し、氏子となって神道への信仰を装いつつ潜伏キリシタンの信仰を続けた。男性は氏子としての役職を務める必要があったため、女性が潜伏キリシタンの指導者を務めた。解禁後はカトリックへ復帰し、2つの集落それぞれに**旧野首教会堂**と瀬戸脇教会堂*が建てられた。野崎島は2001年より無人島となっている。

9. 頭ヶ島の集落（長崎県南松浦郡）

19世紀半ばに仏教徒の開拓指導者の下で、**天然痘患者を隔離するため忌避されていた島**に移住し信仰を続けた集落。外海地域から中通島の鯛ノ浦地区に移住した潜伏キリシタンは仏教徒の前田儀太夫に従うことで、表向きは仏教徒を装い先住の仏教徒と軋轢を避け、そこから更に安住の地である無人島の頭ヶ島に再移住していった。解禁後はカトリックへ復帰し、1887年に木造の教会堂が建造された。現在の頭ヶ島天主堂は1919年に砂岩を用いて再建したもの。

頭ヶ島の集落に残るキリシタン墓地

6つの集落：開拓民が新たに築いた7つの集落の内、6つが潜伏キリシタン集落であった。　**旧野首教会堂と瀬戸脇教会堂**：1882年に野首教会堂と瀬戸脇教会堂が建てられたが、1908年に現在の旧野首教会堂に建て替えられ、瀬戸脇教会堂は跡地を残すのみとなった。

● 10. 久賀島の集落（長崎県五島市）

五島藩の開拓移民政策に従い、未開拓地に移住して信仰を続けた集落。外海地域から久賀島に移住した潜伏キリシタンは、在来の仏教集落から離れた場所を開拓し集落を築いた。しかし、そうした集落は農業に適さない場所にあったため、漁業や農業で仏教徒である島民と協働することで仏教集落とも互助関係を築いた。「信徒発見」の後、久賀島は**最後の弾圧の場**となった。解禁後はカトリックへ復帰し、五輪墓地や旧五輪教会堂*などが築かれた。

④ 変容、終わり

● 11. 奈留島の江上集落（江上天主堂とその周辺）（長崎県五島市）

18世紀末から19世紀にかけて奈留島の狭い谷間に移住し、その厳しい地勢に適応しながら信仰を続けた集落。奈留島の既存の集落から離れた江上地区に集落を築いた潜伏キリシタンは、海に近い谷間に居を構え、わずかな農地や漁業で生計を営んだ。移住の系譜から、複数の信仰組織が存在したと考えられている。解禁後はカトリックへ復帰し、湧水に恵まれ防風に優れた場所に江上天主堂などが築かれた。1918年完成の江上天主堂は、湿気対策として床を高く上げ、軒裏に装飾を兼ねた通風口を設けるなどの工夫がなされている。

● 12. 大浦天主堂（長崎県長崎市）

「信徒発見」の舞台である、1864年にプティジャン神父が完成させた教会堂。外観は3つの塔があるゴシック風で内部は3廊式の構造。正面上部には仏教寺院の扁額にあるような「天主堂」の文字が記されていた。16世紀に長崎で殉教した**日本二十六聖人***に捧げられるため、彼らが殉教した西坂の方角に向けて建てられた。現在の天主堂は明治時代に改築されたもの。

「信徒発見」後は、大浦天主堂の宣教師と各地の潜伏キリシタン集落の指導者との接触によって潜伏キリシタンの伝統が変化し、その歴史が終わるきっかけとなった。天主堂周辺の司教館や旧羅典神学校、旧伝道師学校なども資産に含まれる。

「キリシタン博物館」になっている司教館

旧五輪教会堂：現存する日本の教会建築としては、大浦天主堂に次ぐ古さである。　**日本二十六聖人**：1597年に豊臣秀吉の命で磔刑にされた26人のカトリック信者。後に列聖され、「日本二十六聖人」と呼ばれるようになった。

概要

江戸末期から明治時代の**約半世紀という短い期間で国家の価値観を変えて近代化**し、すでに産業革命を成し遂げた西欧の技術を学ぶことで急速な産業化を果たした歴史的価値を証明する産業遺産群。19世紀半ばから20世紀初頭にかけ、日本は特に防衛面の要請に応えるために「製鉄・製鋼」、「造船」、「石炭産業」を基盤に急速な産業化を成し遂げた。

23件の構成資産は大きく3つの段階に分けられる。第1段階は、1850年代から1860年代にかけて徳川将軍家の統治が終わりを迎える幕末に、海外との交流が閉ざされた海禁体制下での製鉄や造船の試行錯誤の挑戦が行われた時代。第2段階は、1860年代から明治維新を経て西洋の科学技術が導入され、西洋の専門家の下で専門知識の習得を行った時代。第3段階は、1890～1910年の明治時代後期において国内に専門知識をもつ人材が育ち、日本独自のスタイルに改良された方法で産業化を進めた時代。

構成資産は、九州5県（福岡県、長崎県、佐賀県、鹿児島県、熊本県）、山口県、岩手県、静岡県の全国8県11市に点在しており、シリアル・ノミネーションとして登録されている。現在も**稼働中の資産を含む**ため、文化財保護法だけでなく、港湾法や景観法などを組み合わせて保護計画が立てられており、文化庁ではなく**内閣官房が推薦**を行った。

登録基準

●登録基準(ii):

近代化を目指す日本が欧米からの技術移転を模索し、西洋技術を移転する過程で具体的な国内需要や社会的伝統に合わせて改良を重ね、20世紀初めには世界有数の産業国家に変貌を遂げた過程を示している。東西文化の交流が、極めて短期間の内に重工業分野における産業発展を成し遂げ、東アジアに大きな影響を与えた。

●登録基準(iv):

基幹産業における技術の集合体として、非西洋諸国で初めて産業化に成功し、国家の質を変えた日本の産業技術革新を証明している。西洋の産業の価値観に対応し、西洋技術の日本国内における改善や応用を基礎として日本の工業立国の土台を築いた。

歴史

幕末の日本は1840年に始まるアヘン戦争*を目の当たりにし、諸外国の脅威に対する国防の必要性に迫られた。海禁体制の下では、遠洋に出る大型船の製造は幕府によって監視されていたが、1853年に大船建造の禁が解かれ1854年には外国の圧力の下に開国した。藩士たちの産業化への挑戦は、伝統的な手工業の技で、主に西洋の技術本からの二次的知識と洋式船の模倣から始まったが、この挑戦はほとんど失敗に終わった。この時代に、鹿児島では薩摩(さつま)藩主の**島津斉彬(しまづなりあきら)**が富国強兵・殖産興業の政策として、製鉄や鉄製大砲の鋳造、ガラス製造、活版印刷などを行う**集成館(しゅうせいかん)**を造り、山口では吉田松陰(しょういん)*が私塾の松下村塾(しょうかそんじゅく)を主宰(しゅさい)して後の日本の近代産業化を担う多くの人材を育て上げた。また岩手県の橋野鉄鉱山につくられた洋式高

旧集成館機械工場

アヘン戦争：1840～1842年に中国の清朝とイギリスの間で行われた戦争。敗れた清が結んだ南京条約は、香港を割譲するなど不平等条約であった。　**吉田松陰**：長州藩校の明倫館の師範を務めた藩士。

炉では、1858年に日本で初めて連続出銑*に成功した。

1860年代に入ると、海外への留学や外国人専門家の招聘によって、専門知識が習得されると共に西洋の科学技術の直接導入が始まった。外国の蒸気船の燃料として石炭の需要が高まると、佐賀藩がスコットランド出身の商人トーマス・グラバー(グラバー商会)と共に開発した**高島炭坑の北渓井坑で、日本初の蒸気機関を用いた採掘**が始まった。1890年代になると日本のスタイルでの産業化が進められ、日本各地の技術者や管理者が監督する中で、国内需要に応じて地元の原材料を活用しつつ、西洋技術の導入が行われた。高島炭坑の技術を受け継いだ**端島炭坑**が本格的に操業を開始して高品質の石炭を産出した他、日清戦争に勝利した日本は伊藤博文総理大臣の下で「製鐵所設置建議案」を採択し、素材産業の国産化を目指すべく国家の威信をかけた大プロジェクトとして**官営八幡製鐵所**を建設した。また、三池炭鉱では炭鉱と三池港を結ぶ鉄道が敷かれ、炭鉱から港までが一体となった炭鉱産業システムが完成した。

博物館になっている三菱長崎造船所の旧木型場

保護と管理

文化財保護法の重要文化財(旧集成館など)や史跡(三重津海軍所跡など)、重要伝統的建造物群保存地区(萩城下町など)の他、民間所有の資産や稼働資産に適用される景観法(小菅修船場跡など)や河川法(韮山反射炉など)、道路法(三池港)、港湾法(長崎三菱造船所など)、海岸法(端島炭坑)を組み合わせて保護を行っている。

三池炭鉱(万田坑)

出銑:高炉の中で精錬された銑鉄を取り出すこと。

TOPICS 構成資産

1-1. 萩反射炉（山口県萩市）

幕末に海防の目的で大砲鋳造のために築かれた反射炉の1つ。オランダの技術書を参考に佐賀藩が建造した反射炉を模倣して建造されたが、実用ではなく実験炉であったと考えられている。反射炉とは、燃焼室で発生させた熱を天井や壁で反射させて隣の炉床に熱を集中させ、鉄などの金属の精錬を行う施設。

1-2. 恵美須ヶ鼻造船所跡（山口県萩市）

海防上の拠点を統治した長州藩が、幕府の要請を受けて木戸孝允*の意見所に基づき建設した造船所跡。1856年に丙辰丸、1860年に庚申丸の2隻の様式帆船を建造した。

1-3. 大板山たたら製鉄遺跡（山口県萩市）

恵美須ヶ鼻造船所に日本の伝統的なたたら製鉄*により和釘などを供給した施設。

1-4. 萩城下町（山口県萩市）

西洋技術の導入に挑戦し、産業文化形成の地となった長州藩と萩の地域社会全体の特徴を示す遺産で、城跡や上級武家地、町人地の町割りなどが残されている。

1-5. 松下村塾（山口県萩市）

日本の近代化の思想的な原点を担った吉田松陰の私塾。海防の必要性と、西洋から産業や技術を学ぶことを重視する考え方が、後の明治政府の政策に活かされ、日本の急速な近代化に貢献した。

わずか50㎡ほどしかない

2-1. 旧集成館（鹿児島県鹿児島市）

幕末に欧米列強に対抗するため薩摩藩主の島津斉彬が始めた集成館事業の拠点。薩英戦争で集成館は焼失したが、島津久光と忠義の父子によって集成館事業が再構築された。反射炉の遺構や旧集成館機械工場、7人の英国人技師が暮らした鹿児島紡績所技師館と日本最初の西洋式紡績工場であった鹿児島紡績所の遺構などが含まれる。

木戸孝允：長州藩の藩士で松下村塾の門下生。桂小五郎の名でも知られる。　**たたら製鉄**：木炭を用いて砂鉄や鉄鉱石を低温で還元し、純度の高い鉄を生産する方法。炉に空気を送り込むふいごが「たたら」と呼ばれた。

● 2-2. 寺山炭窯跡（鹿児島県鹿児島市）

島津斉彬の命で、集成館事業に用いる燃料の木炭を製造した炭窯跡。集成館の一帯は石炭が採れないため、木炭の中でも火力の強い白炭を製造するため、吉野大地の北側に石積みの炭窯が建設された。

● 2-3. 関吉の疎水溝（鹿児島県鹿児島市）

集成館事業の高炉や大砲の砲身に穴をあける鑽開台の動力に用いる水車を動かすため、島津斉彬が稲荷川から取水した取水口と疎水溝。

■ 3. 韮山反射炉（静岡県伊豆の国市）

海防用の鉄製大砲鋳造のため、韮山代官の江川太郎左衛門英龍によって1857年に築かれた反射炉。実際に稼働した幕末の反射炉として現存する唯一のもの。連双式2基（4炉）からなり、炉の内部は耐火レンガで覆われている。

格子状の鉄組は、明治時代に補強として加えられた

■ 4. 橋野鉄鉱山（岩手県釜石市）

鉄鉱石を原料とした良質な銑鉄を鉄製大砲の素材として供給するため、1858年に盛岡藩士の大島高任が西洋の技術書を頼りに建設した洋式高炉。日本で初めて連続出鉄に成功した。

■ 5. 三重津海軍所跡（佐賀県佐賀市）

幕末にいち早く西洋の技術を取り入れて独自に洋式海軍の創設と洋式感染の整備、運用を実現した佐賀藩が1858年に築いた、**日本最古のドライドック***。国産初の実用蒸気船である**凌風丸**の建造が行われた。現在は地下遺構として残る。

● 6-1. 小菅修船場跡（長崎県長崎市）

1869年に薩摩藩とトーマス・グラバーによって建設された船舶修理施設。現存する日本最古の蒸気機関を動力とする曳揚げ装置を装備した洋式スリップドック*が残る。

ドライドック：水を抜いて船の建造や修理を行うドック。　**スリップドック**：歯車を回した回転力で船を陸上に引き上げる方式のドック。

6-2. 三菱長崎造船所　第三船渠（長崎県長崎市）

1905年に大型船舶修理用に開渠した、当時の東洋最大のドライドック。電動機で駆動する排水ポンプは100年以上経った現在でも稼働し、ドライドックの機能を維持している。

6-3. 三菱長崎造船所　ジャイアント・カンチレバークレーン（長崎県長崎市）

造船所の工場設備電化に伴い、1909年に建設された現在も現役で稼働する日本初の電動クレーン。大型船舶用装備品のつり上げ荷重に耐え、電動で駆動する当時最新のクレーンであった。1961年に一度解体され、現在の位置に移設された。

スコットランドのアップルビー社製

6-4. 三菱長崎造船所　旧木型場（長崎県長崎市）

造船業形成期の1898年に鋳物製品の需要増に対応して建設された、鋳型製造のための木型をつくる木型場。木骨レンガ造の2階建てで、電化後の生産拡大と明治時代の造船事業の急速な発展を伝える。1985年に資料館に改装され、1857年にオランダから輸入した日本最古の工作機械の「竪削盤*」などを展示する。

6-5. 三菱長崎造船所　占勝閣（長崎県長崎市）

1904に長崎造船所長の荘田平五郎の邸宅として建てられたが、邸宅ではなく迎賓館として使用された。木造二階建ての洋館で、英国人建築家ジョサイア・コンドル*の弟子である曾禰達蔵が設計。三菱造船所を見下ろす丘の上にたつ。

6-6. 高島炭坑（長崎県長崎市）

長崎港の沖合14.5kmに位置する西彼杵海底炭田の一部。開国に伴って外国の蒸気船の燃料として石炭需要が高まったため、佐賀藩がグラバー商会と共に海洋炭坑を開発した。英国人技師モーリスを招き1869年に日本最初の蒸気機関による竪坑である高島炭坑の北渓井坑が開坑した。

竪削盤：平面加工や溝、軸穴加工などの金属加工に用いられる工作機械。　**ジョサイア・コンドル**：英国の建築家で、日本で西洋建築を教えた。鹿鳴館［ろくめいかん］や有栖［ありす］川宮［がわのみや］邸の設計でも知られる。

6-7. 端島炭坑（長崎県長崎市）

高島炭坑の南西3kmに位置し、高島炭坑の技術を引き継ぎ発展させた炭坑で、高島炭坑と同じく西彼杵海底炭田を鉱床とする。1890年に三菱の所有となり、1891年から出炭が始まると、1897年には出炭量で高島炭坑を超えた。**採炭により出るボタ＊で島の周囲を埋め立て島を拡張**した。大正時代以降に高層住宅が建設され、最盛期には約5,300人が暮らす世界でも有数の人口過密の島であった。見た目から「軍艦島」の名前でも知られる。**坑口と拡張された海岸線を示す護岸遺構が遺産価値**を示すもので、廃墟となったコンクリート高層住宅群は遺産価値には含まれない。

高層住宅は荒廃も進んでいる

6-8. 旧グラバー住宅（長崎県長崎市）

1863年に建設されたトーマス・グラバーの邸宅で、日本に現存する最古の木造洋風建築。グラバーは、長崎が開港するとジャーディン・マセソン商会のエージェントとして来日し、維新の志士に西洋技術の情報や武器を提供し、明治維新の原動力の1つとなった。三菱長崎造船所を見下ろす丘の上に建てられた邸宅は、大浦天主堂の建設を行った小山秀之進（こやまひでのしん）と考えられている。

7-1. 三池炭鉱・三池港（福岡県大牟田（おおむた）市、熊本県荒尾（あらお）市）

「宮原坑（みやのはらこう）」、「**万田坑（まんだこう）**」、「専用鉄道敷跡（てつどうじき）」、「三池港」で構成される。宮原坑は、高島炭坑に次いで西洋の採炭技術を導入して開発され、三池炭鉱の坑内排水を主目的に開削が行われた。1930年に坑内での囚人労働が禁止されると、囚人を主な労働源としていた宮原坑も1931年に閉坑されたが、坑内排水の機能は維

三池炭鉱宮原坑

ボタ：石炭の採掘作業で出る岩石廃棄物（捨石）のこと。

持された。万田坑は、日本の炭坑の模範とするために整備された三池炭鉱の坑口の1つで、機械設備は日本製や外国製の最新のものが取り入れられていたことが文献資料で確認されている。第二竪坑の関連施設が保存状態よく残されている。専用鉄道敷跡は、三池炭鉱の各坑口で出炭した石炭を港や国鉄へ輸送したり、使用する資材を運搬するために敷設された貨物専用鉄道。全盛期には総延長約150kmにも及んだ。三池港は、三池炭鉱で出炭した石炭を大型船で直接積載し搬出するために1908年に完成した港。石炭はここから上海や香港などに輸出された。

7-2. 三角西港（熊本県宇城市）

明治政府の三大築港の1つで、内務省が招聘したオランダ人水理工師ローウェンホルスト・ムルドルの設計と日本の伝統的な石工技術が融合した近代港。オランダの都市計画が参考にされており、明治期の近代港湾における埠頭や水路、排水システムなどの設備や区画がよく残されている。1887年に開港し、三池港が開港するまでは、三角西港を経由して海外に石炭が輸出された。

8-1. 官営八幡製鐵所（福岡県北九州市）

「旧本事務所」、「修繕工場」、「旧鍛冶工場」で構成される。官営八幡製鐵所は、明治維新後の産業近代化に伴う鉄鋼需要の高まりに対応するため、鋼鉄を生産する日本初の銑鋼一貫製鉄所として1901年に操業を開始した官営工場。**筑豊炭田**に近く洞海湾に面した八幡村にドイツのグーテホフヌンクスヒュッテ社の設計・施工により製鉄所が建設され、試行錯誤を繰り返しながら、1910年には国内鋼材生産量の90%以上を担った。「旧本事務所」は、八幡製鐵所の操業2年前の1899年に完成した初代本事務所で、中央にドームをもつ赤レンガ2階建ての建造物で屋根は日本瓦葺き。「修繕工場」は、製鐵所で使用する機械の修繕や部材の製作加工を行う目的で1900年に建設された日本最古の鉄骨建造物で、現在も現役の工場として使われている。「旧鍛冶工場」は、製鐵所建設に必要な鍛造品の製造を行う目的で1900年に建設された鉄骨建造物。

8-2. 遠賀川水源地ポンプ室（福岡県中間市）

大量の工業用水を製鐵所に供給するため、遠賀川の河口から約11kmの位置に建設された八幡製鉄所の送水施設。2階建てのイギリス式レンガ積み*建造物で、1910年に操業を開始してから現在まで現役で稼働している。

イギリス式レンガ積み：レンガの長手（長い面）だけで積む段と、小口（短い面）だけで積む段を交互に繰り返す方法。富岡製糸場のような積み方はフランドル積み（フランス積み）と呼ぶ。

沖縄県

琉球王国のグスク及び関連遺産群

Gusuku Sites and Related Properties of the Kingdom of Ryukyu

文化遺産

登録年 2000年　登録基準 (ii)(iii)(vi)

プロパティ 0.55㎢　バッファー・ゾーン 5.6㎢

概要

12～17世紀にかけての500年間に及ぶ琉球王国の歴史や文化的な独自性を伝える**首里城跡**や**座喜味城跡**など5つのグスク跡と4つの関連遺産で構成されている。

グスクとは「**按司**」と呼ばれる領主的豪族層が、自らの居住と防衛の拠点として築いた城のこと。10～12世紀のグスクは野面積み*の石垣で囲まれた自衛的な農村集落を意味したが、その中から集落を代表する領主的豪族層の住居としてのグスクが成立し、やがて切石積み*の堅固な石垣で囲まれた有力按司の居城となる大規模なグスクが登場した。グスクは地域住民にとって先祖への崇拝と祈願を通じて相互のつながりを確かめる精神的な拠り所でもあった。また国家的な祭祀の拠点であった**斎場御嶽**などの神聖な遺跡は、現代にまで継承された宗教の古来の形態を残している。

日本の周縁部において中世以前に独立王国として成立し、その後も独自の交易権を足がかりとして政治、経済、文化的に高い水準を保ちつつ独自の発展を遂げた琉球王国の遺産群は、第二次世界大戦で大きな被害を受けた沖縄県民の精神的な拠り所にもなった。

野面積み：自然の石や割石を加工しないで積み上げる石垣の建造方法。布積みや相方積みなどがある。

切石積み：切り石を隙間なく積み上げる石垣の建造方法。

登録基準

2019年の火災で焼失してしまった首里城正殿

●登録基準（ii）：

構成資産は、琉球列島の立地的な特性のため、日本と中国、朝鮮半島、東南アジア諸国との政治、経済、文化的な交流において中心的な役割を担っていく中で成立した琉球王国の特異性を証明している。

●登録基準（iii）：

グスク跡は、日本列島最南端の島嶼地域に広がった農村集落を基盤に成長した豪族層が、政治的な統合と連合の過程で作り上げた防衛的な城塞施設の考古学的遺跡であり、今は失われた古い琉球社会を象徴している。

●登録基準（vi）：

構成資産は琉球地方独特の信仰形態の特性を示している。特に各グスクには農村集落の信仰上の聖域的機能を持つものも多く、現在も**ノロ**と呼ぶ神女を中心として祭祀が行われ、地域住民の精神的な拠り所であり続けている。また斎場御嶽などで見られる、ニライカナイと呼ばれる神の国が海の彼方にあるとする琉球独特の自然崇拝的な信仰が、今も住民の生活や精神の中に生き続けている。

歴史

琉球は、南海の島嶼に位置することもあり、中国や日本本土、東南アジア、朝鮮半島などの周辺の地域と交易を行いながら、政治、経済、文化的な影響を受けてきた。14世紀後半になると各地域の有力按司が居住と防衛のためのグスクを築き始め、やがて「北山」、「中山」、「南山」の3つの小国の下にまとめられて「**三山時代**」と呼ばれる時代に入った。北山が**今帰仁城**、中山が首里城*、南山が島尻大里城（島添大里城）を拠点に中国などとの交易を行い、勢力を拡大させつつグスクの整備を行った。この時代、三山が

日本風の儀式が行われた首里城の南殿

首里城：初期のころは浦添城に拠点があった。

それぞれ中国皇帝に使者を送っている。その後、中山が1416年*に北山を、1429年に南山を征服し、琉球王国を統一した。

琉球王国は、1458年の**阿麻和利**（あまわり）**の乱**を鎮圧して中央集権国家としての体制を整えたが、1469年に政変が起こり、王統が第一尚氏（しょうし）から第二尚氏へと移行した。第二尚氏第三代国王の**尚真**（しょうしん）は玉陵（たまうどぅん）や園比屋武（そのひあん）御嶽石門（うたきいしもん）などを築いて城下を整備し、各地の按司を城下に住まわせた他、王族の女性を神職の最高位である**聞得大君**（チフィウフジン）に据えた神女組織を創設するなど、祭政一致（さいせいいっち）による中央集権的国家体制を確立した。

中城城跡のウフガー（大井戸）

1609年に徳川幕府の薩摩（さつま）軍によって侵略され、薩摩藩の支配を受けるようになったが、海禁体制下でも中国と交易を行う体制があった琉球の交易の利益に着目した薩摩藩は、琉球王国の形態を残した。しかし、1879年に明治政府の**琉球処分***により、琉球王国は沖縄県となり、尚泰（しょうたい）が国王を退位させられて琉球王国は崩壊した。

第二次世界大戦中の1944〜1945年、アメリカ軍の空爆などにより多くの文化財も被害を受け、首里城も建造物のほとんどが焼失した。大戦後はアメリカ合衆国の施政権下に置かれ、文化財の保護はアメリカ軍との協力の下に進められた。1954年には沖縄独自の「文化財保護法」が制定され、戦争で破壊された文化財の保存や修復、復元などが進められた。1972年に沖縄の施政権が日本に返還（沖縄返還）されると、1989〜1992年に首里城の正殿（せいでん）や北殿（ほくでん）、南殿（なんでん）、御庭（うなー）の復元工事が行われた。

保護と管理

文化財保護法の重要文化財（玉陵、園比屋武御嶽石門）、史跡（今帰仁城跡など）、名勝（識名園（しきなえん））の他、都市公園法や都市計画法などを組み合わせて保護されている。また首里城正殿や識名園御殿などの復元した木造建造物は世界遺産としての価値には含まれないが、構成資産を保護する上で防火対策に比重を置いた管理を行っている。

斎場御嶽の三角岩を抜けた突き当りが三庫理

1416年：1422年という研究もある。　**琉球処分**：中国の清と冊封体制をとっていた琉球王国を、政治的に日本の体制下に取り込み沖縄県とした政治過程。

TOPICS 構成資産

1. 玉陵

尚真が、中央集権的王権を精神面から支えるために1501年頃に築いた陵墓。墓室(ぼしつ)は自然の岩壁を利用した平瓦葺(ひらがわらぶ)きの屋根を持つ切妻造(きりつま)で、琉球特有の「**破風墓**(はふはか)」と呼ばれる形式。墓室や前面の墓庭を囲む石垣、墓庭を内庭と外庭に区分けする石垣は、それぞれ珊瑚(さんご)質石灰岩の切石を積み上げて築いている。墓室は中室(ちゅうしつ)、東室(とうしつ)、西室(せいしつ)に区分され、洗骨(せんこつ)前の遺骸(いがい)を安置する中室、洗骨後の王と王妃を納骨する東室、洗骨後の王族を納骨する西室と役割が異なっている。

琉球石灰岩の岩山に築かれた

2. 園比屋武御嶽石門

尚真が1519年に築いた石造の門で、門の背後の樹林地が**園比武御嶽と呼ばれる聖域**になっている。国王が首里城を出て各地に巡行する際の道中の安全の祈願や、王国最高位の女神官(じょしんかん)である聞得大君が「御新下り(おあらおり)*」の儀式を行うために首里城から斎場御嶽へ出かける際の祈願などが行われた。石門は、日本と中国の両方の様式が取り入れられた琉球独特の様式となっている。

現在も祈りの場となっている

御新下り：聞得大君の就任の儀式で、首里城から斎場御嶽まで行列を組んで参詣した。

3. 今帰仁城跡

三山時代に北山を治めた国王の居城の跡。大量の中国製陶磁器類が発掘されており、北山王が盛んに海外交易を行っていたことが伺える。東側を川、西側を谷、南側を急斜面の崖に囲まれた独立丘の上という、防衛上優れた位置に築かれた。城壁の外周は1,500mあり、平面プランは自然の地形に沿って美しく曲線を描くように定められている。城内には琉球開闢神話と深い関係のある城の守護神カナヒヤブを祀った「ソイツギの御嶽」があり、祭祀を行った神アサギの跡やカラウカー(空井戸)などと共に、城内で最も重要な拝所となっている。

城跡の周囲からは集落跡が発掘されている

4. 座喜味城跡

15世紀前半に有力按司の**護佐丸**によって築かれた城の跡。北山が滅びた後も北山の旧勢力が沖縄島中部西海岸に残ったため、その勢力を見張る目的で造営された。国王の居城である首里城と迅速な連絡を図る国防上の理由から、首里城がよく見える丘の上に築かれた。2つの郭を囲む城壁は、珊瑚質石灰岩の切石を使って曲線状に築かれている。二の郭に残る城門は、沖縄島に現存する最古のアーチ式門と考えられている。城内には、政治の安定を願い按司の威厳を維持する守り神としてコバズカサ神とマネヅカサ神、城内火神などが祀られる拝所がある。

アーチ門の脇にある拝所

5. 勝連城跡

琉球王国の国王に最後まで抵抗した有力按司の**阿麻和利**の居城の跡。阿麻和利は、国王の重臣である護佐丸を1458年に滅ぼし、王権の奪取を目指して首里城を攻めたが大敗して滅びた。勝連城跡からは、中国製や日本製の陶磁器類が大量に出土しており、阿麻和利をはじめとする城主が活発に海外との交易を行っていたことが分かる。2016年にはローマ帝国のコインと見られる銅貨も出土した。四方に眺望のきく比較的傾斜の急な孤立丘を取り込んで築城されており、南側には良港を控えている。城内には、政治の安定を願い按司の威厳を維持する守り神としてコバツカサ神や火の神を祀った拝所がある。また三の郭には、近隣のノロ達が祈願するために座する石がL字状に十数個置かれた**トゥヌムトゥ**と呼ばれる祭祀場所がある。

海に面した小高い丘の上に建てられている

6. 中城城跡

勝連城の阿麻和利を牽制するために、座喜味城主であった護佐丸が国王の命で移り住んだ城の跡。6つの郭からなり、城壁は美しい曲線を描く平面プランで、自然の岩盤も利用しながら珊瑚質石灰岩の切石を積み重ねて築いている。城の北方に龍潭(池)が造られ、海外から様々な花木を収集して外園が築かれた。南の郭や二の郭、西の郭などには、石垣で囲まれた久高島や首里への遥拝所や「雨乞いの御嶽」などの拝所がある。

アメリカ軍のペリー提督が訪れた記録も残る

日本の世界遺産

7. 首里城跡

三山時代は中山国王の居城で、1429年の琉球王国統一後は、1879年に至るまで琉球国王の居城として王国の政治や外交、文化の中心となった城の跡。王国にとって重要な港である那覇港や首里の街を見下ろす丘の上に地形を活かして築城された。第一尚氏第二代国王の尚巴志によって内郭の整備が行われ、尚真と第二尚氏第四代国王の尚清によって外郭と城周辺の整備が行われた。

城壁は珊瑚質石灰岩の切石を相方積みで曲線状に築かれており、総延長は1,080mある。東端部と西端部にはそれぞれ「東のアザナ」と「西のアザナ」と呼ばれる物見台跡がある。正殿は二層三階建ての入母屋造で、西向きに建てられ正面の向拝を唐破風造とするなど、琉球独特の意匠が施されていたが、2019年10月の火災で焼失してしまった。正殿の正面には御庭と呼ばれる広場があり、正殿に向かって左右には北殿と南殿が建っていた。御庭では冊封の儀式をはじめとする国家の重要儀式が行われた。中国風の建築の北殿は中国から冊封使が来琉したときには接待の場所、日本風の建築の南殿は薩摩藩の使臣を接待する場所として使われた。かつて城内にあった拝所の**首里森御嶽***は第二次世界大戦で原型を失った。世界遺産には**正殿基壇の遺構と城壁の一部が価値に含まれている**。

左上のプレートから下の石垣が遺産価値に含まれ、上の復元された石垣は含まれない

首里森御嶽：琉球開闢神話で、神がつくられたとされる聖地で、首里城内で最も格式が高い拝所。

8. 識名園

1799年に造営された王家の別邸の庭。王族の保養の場としてだけでなく、中国皇帝の使者である冊封使を接待する場としても使用された。庭園の地割は日本庭園の影響があるが、庭園施設には中国の影響が見られ、全体としての意匠や構成は琉球独自のもの。池を中心とする回遊式庭園で、池の周囲に御殿や築山、花園などが配置されている。

外交の場としても重要であった

9. 斎場御嶽

斎場御嶽は聞得大君との関係が深い格式の高い御嶽で、中央集権的な王権を信仰面と精神面で支える国家的な祭祀の場であった。正確な創設年代は不明だが、15世紀中頃に整備された。琉球王府の正史である「中山世鑑」には、琉球の開闢神**アマミク**が創設した御嶽の1つとされている。御嶽内には6つのイビ(神域)がある他、石畳の参道で結ばれた**大庫理**、**寄満**、**三庫理**と、チョウノハナと呼ばれる拝所がある。三庫理の奥からは東方の海域と久高島などの島を望むことができ、**ニライカナイなど琉球独特の自然崇拝的な信仰と深く結びついている**。1673年までは第二尚氏の国王による参拝が行われたが、1677年からは聞得大君の「御新下り」が女性のみの参加の下に行われた。第二次世界大戦では艦砲射撃で樹木が焼失するなどの被害にあった。

国王のために食事をつくる寄満

概要

長さ約70㎞、基部の幅約25㎞の細長い知床半島は、北海道の北東端にある。オホーツク海の南端に位置し、半島の西側がオホーツク海、東側が根室海峡になっている。北米プレートの下に太平洋プレートがもぐり込むことによる隆起と火山活動により形成され、半島の中央部は最高峰の羅臼岳（標高1,661m）をはじめとする標高1,500mを超す知床連山が連なっている。一部に海成段丘*がある他は、稜線から海岸までほとんど平地は見られない。

この一帯は、**季節海氷域**の特徴を反映した、海洋生態系と陸上生態系がお互いに関係しあう複合生態系の顕著な例である。原生的な森林が維持された陸上生態系と、多様性に富む海洋生態系を多くの急峻な川が繋いでおり、**海氷は海と川、森の生態系を結びつけるリンクの源**になっている。

最も低緯度の季節海氷域であることや、知床半島の複雑な地形、半島の東西で異なる気候などにより、**シレトコスミレ**など知床固有種を含む動植物の多様性が見られる。また、千島列島を経由した北方系生物の移動経路の南西端に当たるため、北方系と南方系の動植物が混在する地域となっており、シマフクロウやオオワシなど国際的希少種の重要な繁殖地や越冬地にもなっている。

海成段丘：陸地に対する海水面の変動と地盤の隆起などによって形成された、海岸線に見られる階段状の地形。

登録基準

●登録基準(ix):

海氷がもたらす栄養分によって植物プランクトンが増殖し、そこから動物プランクトンや海洋生物、海から川にかけて生息する魚類につながり、そうした魚類などを食べる鳥類や陸上哺乳類などへと生態系が連なっている。知床は、川を通じて豊かな海と森が互いに作用しあう複合生態系の仕組みと重要性を示している。

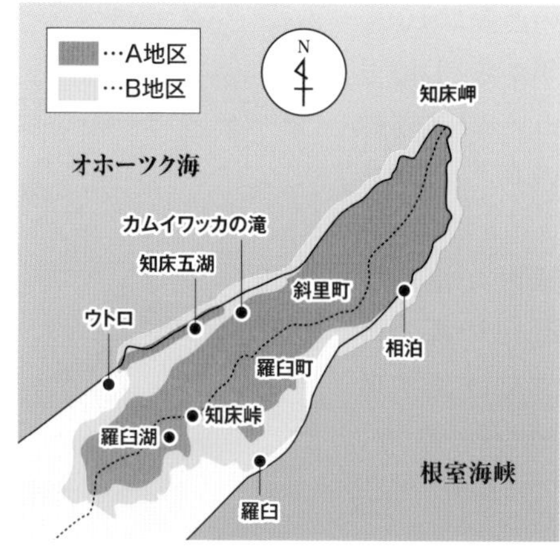

知床の登録範囲

●登録基準(x):

知床半島の東西では降水量、気温に大きな違いが見られるため、多様な自然環境をもつ他、海氷に覆われながらも温帯域に位置する珍しい環境のため、北方系の種と南方系の種が共存する独特な地域となっている。また国際的希少種の重要な繁殖地や越冬地になっており、生物多様性の保全にとって重要な生息・生育地である。

歴史

知床半島では、130年ほど前まで人間が自然に手を加えた形跡もなく、豊かな海や山の恵みを糧とするアイヌの狩猟採集の時代が続いた。アイヌは自然信仰で、シマフクロウやヒグマ、シャチなどを神として崇め、豊かな支援を大切にした文化を育んでいた。1914年から知床半島への開拓が始められたが、厳しい環境のため1966年までにすべての開拓者が土地を離れた。

1964年に「原始的自然環境の保護」を打ち出した日本で22番目の国立公園「**知床国立公園**」に指定された。同じ1964年6月1日に「南アルプス国立公園」も登録されているため、1964年に国立公園は23件になっている。その後も知床では1980年には遠音別岳(おんねべつだけ)原生自然環境保全地域、1982年に国設知床鳥獣保護区、1990年に森林生態系保護地域が指定され手厚い保護が行われている。

また1977年から、開拓跡地を開発から救い森林に復元しようとする住民と自治体による「**しれとこ100平方メートル運動***」が始まり、日本で最初の本格的なナ

しれとこ100平方メートル運動:8,000円を一口として、土地の買取や植樹費用にあたる寄付を全国から募った運動。

ショナル・トラスト運動として発展した。この運動は1997年から「100平方メートル運動の森・トラスト」として、多様性に富んだ原生の森の再生を目指す運動に受け継がれている。

知床連山

気候

根室海峡に面する羅臼側は、夏期には太平洋から湿気を含んだ南東風が知床連山に吹き上げるために降水量が多く、海霧が発生して低温になる日が多い。冬期は太平洋の海洋性気候の影響を受け、比較的雪が多く気温も温暖。一方、オホーツク海に面するウトロ側は、夏期には知床連山を吹き降ろす風によるフェーン現象*とオホーツク海唯一の暖流である宗谷海峡の影響により、高温地域となり降水量も少ない。冬期にはオホーツク海からの冷たい北西風により気温は低くなる。加えて、沿岸地域を覆う**海氷が太陽光線を反射**（アルベド効果）し、**海水から大気への熱の放射を遮る**ため、気温の低下を強めている。

海氷

知床半島沿岸が最も低緯度での季節海氷域となる要因は3つある。

① オホーツク海が、表層と中層以深の塩分濃度が大きく異なる二重の海洋構造をしている点

オホーツク海には**アムール川から大量の淡水が流れ込み**、表層約50mに表層低塩分水が形成されため、水面下約50～60mを境にして塩分濃度の急増が見られる。また、海氷ができる際に塩分を排出するため、海氷の塩分濃度は海水よりも低く、春に海氷が解けることも表層の低塩分層の維持に影響している。

冬の海氷の生成時に塩分が排出されてできた低温の濃塩水（**ブライン**）は重いた

フェーン現象：湿潤な空気が山を越えると乾燥して高温の風（フェーン）となり、一帯の気温が上昇する現象。

め、降下して中層に塩分が濃く重たい中冷水を作り出す。夏に表層は太陽光で温められ軽くなるため、重い中冷水と混ざり合うことはない。冬になると海の表層が冷やされて重くなり沈むと同時に、その下にある温度の高い比重の小さい海水が上昇し、対流が起こる。

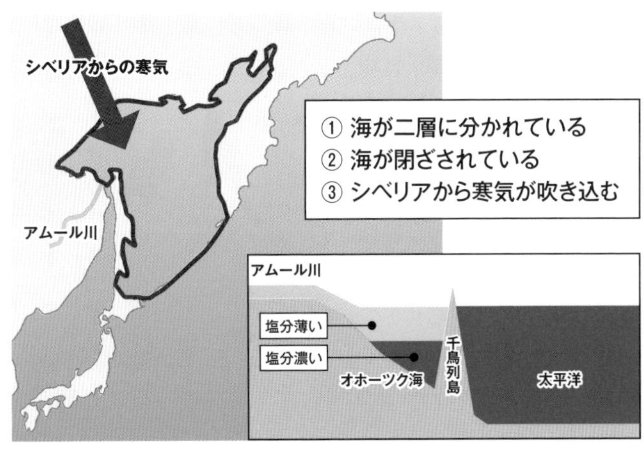

オホーツク海は約50mより下では表層よりも塩分濃度が濃く比重が大きな中冷水があるため、冬に冷やされて比重を増した表層水でもこの層を越えることはできず、表層約50mという浅い範囲で対流が起こる。そのため海水が冷えやすく、海氷ができやすい環境となる。

② オホーツク海が周囲を陸で囲まれ、外海との海水の交換が少ない点

オホーツク海は、ユーラシア大陸とカムチャツカ半島、千島列島、北海道、サハリンに囲まれた**縁辺海**(えんぺんかい)*で、周辺の海域との海水の交換は千島列島の一部の海峡を通じた太平洋との交換と、宗谷海峡からの宗谷暖流の流入に限られており、塩分濃度の二重構造が保たれやすい。

③ 冬期にシベリアの寒気が吹き抜ける点

オホーツク海では西高東低の気圧配置が発達してシベリアの寒気が吹き抜けるため、海水が効率的に冷やされる。

海氷からつながる複合生態系

植物プランクトンの繁殖に必要な栄養塩類は海の下層に蓄積されるが、オホーツク海の海氷下ではブラインの降下による対流によって栄養塩類が表層にまで浮上する他、海氷を通した太陽光による光合成も可能なため、海氷中や海氷底面に珪藻類(けいそうるい)を中心とした**アイス・アルジー**と呼ばれる植物プランクトンが早春期に大増殖する。この時期のアイス・アルジーを含む植物プランクトンの量は、海氷のない北海道の太平洋側に比べて10倍以上になる。

その植物プランクトンを餌とするオキアミや小さなエビなどの動物プランクトン

縁辺海：海の一部が島や列島、半島などに囲まれて部分的に閉じた海のこと。

が増殖し、その動物プランクトンを餌として小魚や海底に生息するウニやホヤなどの底生生物、甲殻類、貝類などが繁殖する。それを大型の回遊魚やアザラシ、トドなどの海棲哺乳類、オオワシやオジロワシなどの鳥類が餌とする。また産卵のために川を遡上したサケやマスは、ヒグマやキタキツネ、シマフクロウなどの餌となる。このように海氷を引き金とする、海と川、森の生態系を結びつける食物連鎖が起こる。

知床の食物連鎖(環境省資料より作成)

植物

知床半島の海岸から山頂までの標高差は約1,600mに過ぎないが、比較的低い標高域から高山帯の植生であるハイマツ低木林や高山植物群落が発達しており、多様な植生が垂直分布している。また**北方系と南方系の植物が混在**する豊かな植物相が見られる。高山植物には氷期にサハリンや千島列島を経由して移動してきた北方系のものが多いが、高山植物を除く陸上植物では日本固有種のカツラなど南方系の植物が多い。

高山植物には固有種のシレトコスミレや北海道のみに生育するメアカンフスマ、シレトコトリカブト、エゾノツガザクラ、リシリビャクシンなどが見られる。南方系の植物としては、環境省のレッドリストに記載のバシクルモン(オショロソウ)やサルメンエビネ、キンセイランが見られる。

動物

サハリンから渡ってきた北方由来の種と、日本の本州から渡ってきた南方由来の種が共存しており多様性に富んでいる。また原生的な自然が残されているため、**かつて北海道全域に生息していた陸棲哺乳類と鳥類のほとんど全ての種が残っている**。

一般的に生息地の質が上がると野生動物の行動範囲は狭くなる傾向があり、知床半島のヒグマのメス成獣の年間平均行動圏面積は15㎢*である。そのためヒグマ

15㎢:カナダのロッキー山脈では167㎢、アラスカ半島では290㎢、スウェーデンでは307㎢との比較研究結果がある。

やエゾシカといった大型の種が高密度で生息しており、知床半島が陸棲哺乳類にとって質の高い生息地となっていることが分かる。

海棲哺乳類では、IUCNのレッドリスト記載のトドや、ゴマフアザラシ、クラカケアザラシ、ネズミイルカ、ミンククジラなどが生息している。知床半島沿岸は日本で最も多数の鰭脚類*が来遊する海域である。

鳥類では、クマゲラとIUCNのレッドリスト記載の3種である**オオワシ**とオジロワシ、シマフクロウの合計4種が天然記念物に指定されている。また渡り鳥のハシボソミズナギドリやアカエリヒレアシシギなども春や秋に見ることができる。

ヒグマ

オオワシ

比較研究

森と海のある遺産として『シホテ・アリニ山脈中央部』や『カムチャツカ火山群』、『レッドウッド国立・州立公園群』と比較されている。知床はこれらの地域と比べて面積は小さいが、種の多様性は同等で、独自の生態系では優れているとされている。また知床のような海氷の生態系への影響は他では見られない。

保護と管理

登録地は、知床国立公園特別保護地区、遠音別岳原生自然環境保全地域、知床森林生態系保護地域保存地区、国指定知床鳥獣保護区特別保護地区などで保護されている。また先述の4種の他にカラフトルリシジミが天然記念物に指定されており、オジロワシやオオワシ、シマフクロウなどは国内希少野生動植物種に指定され、捕獲や殺傷、譲渡などが禁止されている。

鰭脚類：四肢が鰭状となっている海棲哺乳類。知床ではトドやゴマフアザラシ、クラカケアザラシなどが見られる。

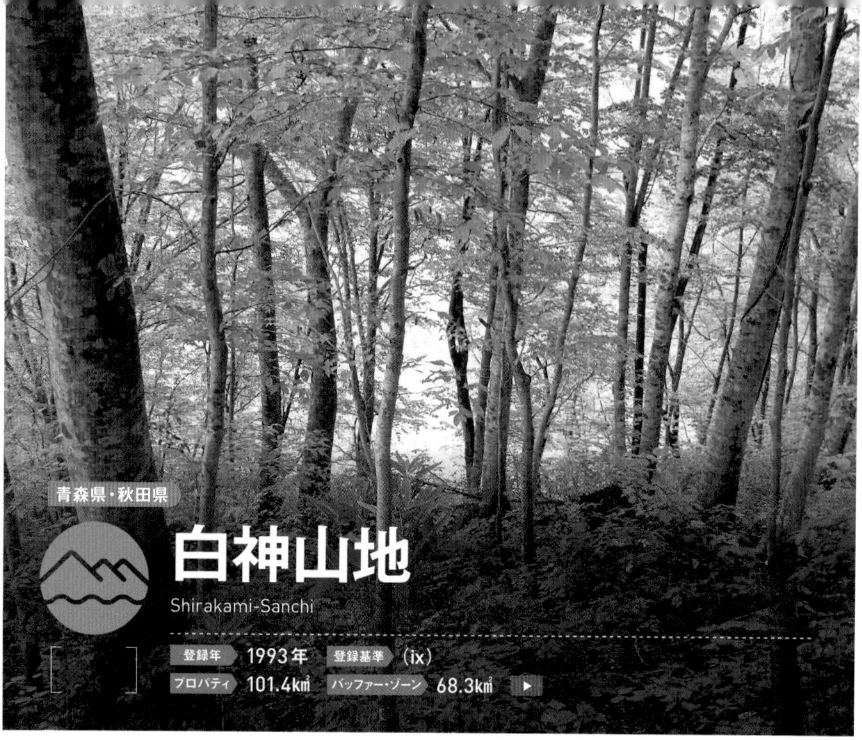

青森県・秋田県

白神山地

Shirakami-Sanchi

登録年 1993年　登録基準 (ix)

プロパティ 101.4km²　バッファー・ゾーン 68.3km²

概要

白神山地は、青森県と秋田県の県境にまたがる*、最高峰の向白神岳*を含む標高約200～1,243 mの山地帯の総称で、**東アジアで最大の原生的なブナ属の森林が広がる地域**である。約12,000～8,000年前から北日本の丘陵や山地を覆っていた冷温帯ブナ林が現在も残されている。

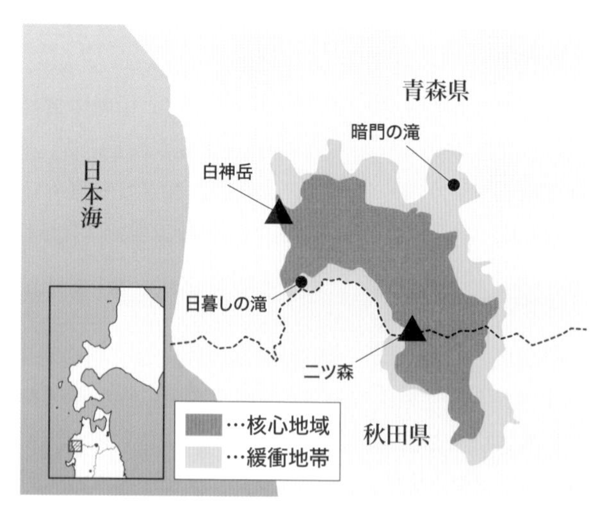

白神山地の遺産エリア

日本海側の内陸部の特徴であり世界にも稀な**多雪環境**の影響を受け、日本固有のブナの天然林が形成されると共に、常緑性のチシマザサに代表される**林床植物***を含む多様な植物からなる独特

県境にまたがる：登録範囲の3/4は青森県側にある。　**向白神岳**：青森県西津軽郡にある白神山地の最高峰。　**林床植物**：あまり光が届かない森林の地表面近くに生育する植物や菌類のこと。

な植物群落が形成された。また**老齢林***を含む多様な森林環境に生息する**クマゲラ**などの稀少な鳥類や、**ニホンカモシカ**、ツキノワグマ、ニホンザルなどの大型哺乳類などの多くの種が互いに関係を持ちながら独自の生態系を作り上げている。

多雪環境によるブナ林と急峻な地形をもつ白神山地の中心地域が登録範囲になっており、一帯は人の影響をほとんど受けることなく、原生的なブナ天然林が広く残されている点が高く評価された。

登録基準

●登録基準(ix):

白神山地のブナ林は、氷期に南下を阻む山岳地域などがなかったため、日本南部に避難したブナを含む周北極地域起源の植生が晩氷期以降に再び分布を拡大した極相林であることから、**第三紀周北極植物群*の要素を多く含んでいる**。また極相林は、急峻な丘陵と頂上が入り組む迷路のような地形の中に形成されており、こうした手つかずの自然が大規模で残るのは東アジアでは稀である。

歴史

白神山地の地質は、約9,000万年前にできた花崗岩類を基盤に、2,000万～1,200万年前頃の海底の火山活動で出来た凝灰岩や泥岩などの堆積岩、それらを貫く貫入岩類で構成されている。これらの地質ができた時代、白神山地の一帯は日本海の海底にあり、その後の500万～400万年前頃の褶曲や逆断層による海底地層の隆起によって山岳地形となった。現在も続く隆起の速度は年間約1.2㎜で、日本で最も隆起速度が速い地域である。海底にあった地層が十分に固まることなく速い速度で隆起したため崩れやすく、**崩壊や地滑りが多くみられる**のが特徴となっている。

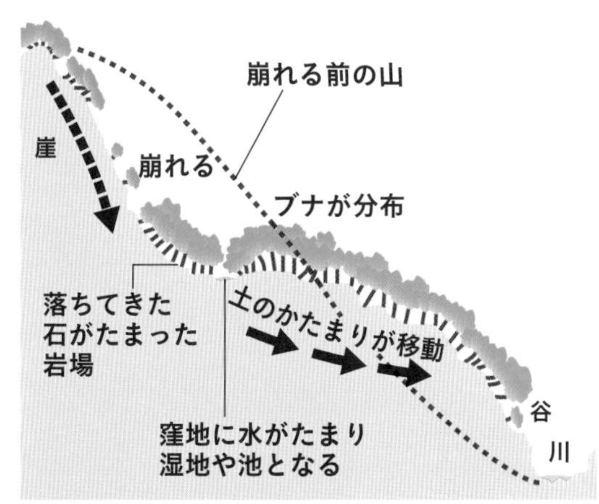

地滑りがもたらす植生

白神山地の周辺には縄文時代より人々が暮らしていた。縄文時代の遺跡が河岸段丘の上や岩木川沿いにいくつか発見されている。

鎌倉時代に入ると、津軽付

老齢林：樹木の種類や大きさ、密度がほぼ一様な森林の発達段階で、最終段階にある林のこと。様々な世代の木からなる階層構造の発達した森林のことで、極相林もほぼ同じ意味。　**第三紀周北極植物群**：約5,000万年前の北極を取り囲む地域の植物群。

近にまで鎌倉幕府の支配が及ぶようになり、南北朝時代の1360年頃には現在の山梨の辺りの甲州から八戸一帯に渡ってきた根城南部氏が白神山地やその周辺を支配したとされている。

17世紀後半になると弘前藩では山林保護と造林からなる林業政策が整備され、白神山地でも木材生産のための伐採が行われるようになった。18世紀にはいると尾太鉱山を中心とする銅鉛鉱山が最盛期を迎えて坑道の維持や精錬用に木材を使うため伐採が進んだ。弘前藩では現在の西目屋村の一帯を「流木」と呼ばれる薪材の生産地として、伐採のルールを定めるなど計画的な伐採が行われた。

20世紀にはいると国有林野として計画的な林業施業が実施されるようになった。高度成長期の木材需要の拡大もあって天然林の伐採が進められ、伐採した樹木の運び出しなどの目的で青森県と秋田県をつなぐ「**青秋林道***」の計画が1970年代後半に動き出した。白神山地の中央部を縦断する計画であったため計画に対する反対の声も大きかった。地域住民や知識人の間からの天然林や自然環境の保護を求める運動が大きくなり始めたところで、計画地からクマゲラの営巣地が見つかったことで、日本中を巻き込んだ建設反対運動となった。林道建設は進んでいたが、着工から8年後の1990年に建設の中止が決定した。未完成の青秋林道は、登録地域のぎりぎりの所にまで及んでいる。

原生的な森林生態系の保全など、自然保護への配慮が一層求められるようになったことなどを受け、1990年に林野庁が白神山地中心部の保全と学術的利用の目的で、一帯を森林生態系保護地域に設定し、1992年には環境庁が自然公園を除く地域を自然環境保全地域に指定した。1992年に日本が世界遺産条約を批准すると、自然保護活動の象徴である白神山地も最初の世界遺産の候補として推薦され、1993年に日本最初の世界遺産の1つとして登録された。

黄葉するブナ林

青秋林道：正式名称は「青秋県境奥地開発林道」。　**更新世**：約258万年前～約1万年の期間。

ブナ林

現在、ヨーロッパや東アジア、北米大陸に分布するブナ属の森林は、**氷期以前の周北極地域の植生が起源**であるとされる。現在の種としての日本のブナは、約100万年前頃に出現したと考えられており、更新世*の寒暖の繰り返しの中で、温暖期には白神山地を含む東北地方にもブナを中心とする集団が見られたと推定されている。

最終氷期前にはブナは日本各地に多くあったが、最終氷期にはいると代わってツガやマツが増加した。この時期のブナは、日本の南部に避難していたことが確認されている。一方で、現在の北アメリカやヨーロッパにおけるブナ属の森林の多くは、氷期において周北極地域から分布域を変化させる過程で東西に広がる山岳地域によって南下を阻まれたため、植生が単純化してしまった。

氷期において朝鮮半島と陸続きになっていたために止められていた暖流が再び日本海に流入し、日本海側の各地が温潤化した晩氷期の12,000年前頃からブナ林の急激な拡大が見られた。東北地方では8,000年前頃には現在の分布域を回復しており、南に避難して森林内に氷河期の植物などを残しながら現在まで世代交代を続けてきているため、**ミヤマナラーチシマザサ群落**やヒメヤシャブシ－タニウツギ群落などの多雪地帯のブナ林に特有の植物群落も含んでいる。同じく純林を構成する**ヨーロッパにおけるヨーロッパブナ林と比較して、林内に地域の固有種を含む5～6倍の多様な植生**があるとされる。

地すべり後にも生育し始めるブナ

地形と気候

白神山地は河川によって削られた深い渓谷が多く険しい地形となっている。青森県側は岩木川(いわきがわ)水系の大川(おおかわ)や赤石川(あかいしかわ)、追良瀬川(おいらせがわ)、笹内川(ささないがわ)などの河川、秋田県側は米代川(よねしろがわ)水系の粕毛川(かすげがわ)などの河川が、遺産地域を源流として日本海に注いでいる。白神山地一帯は隆起地域のため、侵食によってできた急斜面が発達しており、崩壊や地すべりが多く見られるのが特徴となっている。一方で、そのような浸食が及んでいない尾根の近くでは比較的な緩やかな傾斜となっており、秋田県側の小岳や二ツ森、青森県側の白神岳、向白神岳など、青森と秋田の県境には、標高1,000m級の山々が連なっている。

白神山地は日本海側の気候に属しており、日本国内でも特に四季の移り変わりがはっきりしている。４～５月にかけて雪解けと共に新緑が訪れ、動植物の活動が盛んになる。その後、６月から一気に気温が上昇して９月まで山間部でも気温が上がる。９月末頃から急に気温が降下し、種類の豊富な樹木の紅葉が白神山地全体で見られる。11月頃からは雪が降り始める。低温で日本海側特有の北西の強い季節風が吹くため、白神山地一帯にも深い積雪をもたらす。

植物相

植物相を構成する種には日本海側の多雪地帯を中心に分布する日本海要素の植物が多く、林の内部や山頂部の風衝地*や、地滑りなどでできた崖錘*、岩石がむき出しとなった露岩地などの多様な地形で、白神山地の固有変種である**シラガミクワガタ**や、準固有種の**アオモリマンテマ***、ツガルミセバヤなど540種以上の植物が確認されている。また、クロベ、ウチョウラン、トガクシショウマ、オニシオガマなどの分布限界に近い種や、シコタンソウ、シロウマアサツキ、リシリシノブ、コミヤマハンショウヅルなどの貴重な高山植物も見られる。

また白神産地のブナ林にはイタヤカエデやオオバクロモジ、タムシバなどが混生し、日本海側の典型的なブナ林の植生タイプである、**ブナ－チシマザサ群集**が見られる。崖錘にはサワグルミ群落、山麓にはミズナラ群落、高度1,000m以上の尾根付近には低木状の**ダケカンバ**やミヤマナラなどの風衝型群落、山頂の露岩地にはハイマツ群落などが発達している。

白神岳山頂付近の尾根上などでは、ゼンテイカやトウゲブキ、チシマフウロなどからなる高茎草本群落、雪崩斜面などにはタニウツギ－ヒメヤシャブシ群落、オオイタドリ、オオヨモギなどから成る高茎草本群落などが見られる。一部の突出した岩石が露頭した場所では、アオモリマンテマやシコタンソウなどで構成される草本群落、渓谷に面した斜面や岩場では、ヒトツバヨモギ、オオヨモギ、フキユキノシタなどで構成される草本群落が発達している。

豊かな菌類も見られる

風衝地：山岳地の尾根の近くや森林ができる限界の近く、海岸線の近くなどで見られる継続的に強い風が生じている地帯。　**崖錘**：急な崖や斜面の下部に形成される円錐状の堆積地形。　**アオモリマンテマ**：岩場に生育する多年草。

動物相

クマゲラ

クロホオヒゲコウモリ、モリアブラコウモリ、コヤマコウモリなどのコウモリ目を中心に、ニホンザルやツキノワグマ、**特別天然記念物のニホンカモシカ**、**天然記念物のヤマネ**などの森林性の哺乳類が生息している。鳥類では、**特別天然記念物のクマゲラ**や国内希少野生動植物種に指定されているイヌワシとクマタカ、オオタカなど森林性鳥類が確認されている。コノハズクやブッポウソウ、キビタキ、ゴジュウカラなど樹洞(じゅどう)*に生息する種が多いのも特徴。クマゲラは、キツツキ目キツツキ科クマゲラ属に分類される鳥類で、日本に分布するキツツキ科の中では最大の種である。

ニホンカモシカ

ニホントカゲやタカチホヘビ、シロマダラなどの爬虫類や、ハコネサンショウウオ、クロサンショウウオ、カジカガエルなどの両生類、イゾイワナやカジカ、スナヤツメなどの魚類、フジミドリシジミ、ヨコヤマヒゲナガカミキリなどのブナに依存する昆虫類や**シラカミメクラチビゴミムシ**などの白神の固有種の昆虫などが生息する。

比較研究

氷期以前の周北極地域の植生が起源であるとさるブナの原生林が残る『カルパティア山脈と他のヨーロッパ地域のブナ原生林』と比較されるが、氷期に植生が単純化したヨーロッパのブナ林と異なり、白神山地のブナ林は多様な植生を林内に含んでいる。

保護と管理

全域が森林生態系保護地域の保存地区となっており、大部分が自然環境保全地域の特別地区及び野生動植物保護地区に、一部が国定公園の特別保護地区に指定されている。また、秋田県側の核心地域は学術研究などの特別な理由がある場合を除き原則として入山禁止となっているが、青森県側は特定の27のルートに限り届出をすれば入山ができる。

樹洞：主に広葉樹にできる、樹皮がはがれて内部が腐り空洞になったところ。

東京都

小笠原諸島

Ogasawara Islands

自然遺産

登録年 2011年　登録基準 (ix)
プロパティ 79.39㎢

概要

小笠原諸島は、日本列島から南方に約1,000㎞離れた海上に、南北約400㎞にわたって点在する30余りの島々で構成される。世界遺産には、**聟島列島、父島列島、母島列島の3列島からなる小笠原群島**と、火山列島*の北硫黄島と南硫黄島、小笠原群島の西に位置する孤立島である西之島が登録されている。父島と母島にのみ人が暮らしており、その居住地を除く父島と母島*の陸域と他の全ての島の陸域、父島列島の南島周辺などの海域が含まれている。

小笠原諸島は大陸と一度も陸続きになったことがない海洋島で、地殻のプレートが沈み込むことで形成される「**海洋性島弧**」の発達過程を追うことができる貴重な場所になっている。そうした海洋島の亜熱帯の森林と低木の硬葉樹林に覆われた環境において、**独自の適応放散*や種分化を続けることで生まれた固有種の多い特異な島嶼生態系**が価値として認められた。特に陸産貝類で高い固有率が見られ、100種以上生息する

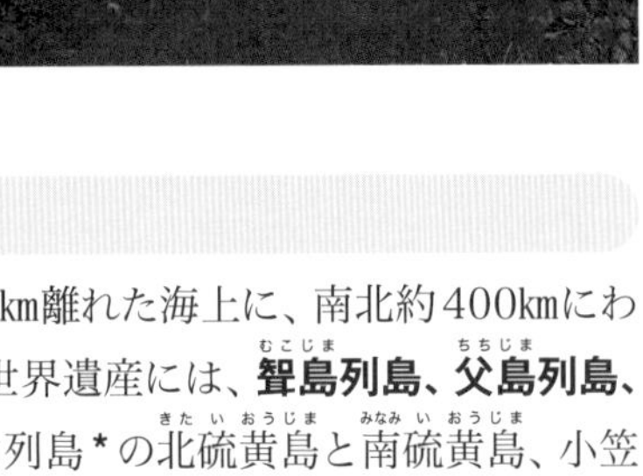

固有種のムニンツツジ

火山列島：北硫黄島と硫黄島、南硫黄島のうち、硫黄島は世界遺産に含まれない。　**父島と母島**：父島の約60%、母島の約70%が登録されている。　**適応放散**：起源を同一にする生物群が、種々の異なる環境に適応し、生理的または形態的に分化すること。

陸産貝類の約95%が島の固有種である。また北太平洋地域における貴重な陸地であり、多くの国際的に重要な希少種や固有種が生育する場所となっている。

登録基準

●登録基準(ix):

小笠原諸島における生態系は様々な進化の過程を反映しており、固有種の生息密度の高さと適応放散の証拠の多さが、他の進化過程を示す遺産よりも際だっている。また登録されている島々は小面積であり、小笠原諸島は陸産貝類と維管束植物において並外れた高いレベルの固有性を示している。

歴史

小笠原群島や火山列島は、4,800万年前に太平洋プレートがフィリピン海プレートの東縁に沿って沈み込むことで誕生した。小笠原島*にミクロネシア系の人々が居住(もしくは滞在)した可能性を示す石器や骨器が発掘されている。

記録では、南洋探検を行った小笠原貞頼が1593年に小笠原島を発見したと伝わるが、根拠となる『巽無人島記』の記述には、信憑性が疑われる点も指摘されている。その後、1675年に江戸幕府が派遣した**嶋谷市左衛門**が約20日間かけて小笠原諸島の各島を調査し、父島と母島に木標を立てて日本領であることを宣言した。調査後もしばらくは無人島のままであった。19世紀にはいると外国の捕鯨船が立ち寄るようになり、1827年には英国海軍が小笠原島を訪れて英国領とする銅板を設置したが、英国政府は承認しなかった。

小笠原諸島に最初の定住が行われたのは、1830年に5名の欧米人と十数人のハワイを主とする太平洋諸島民が父島に移住した時で、野菜や果物などを収穫し、カ

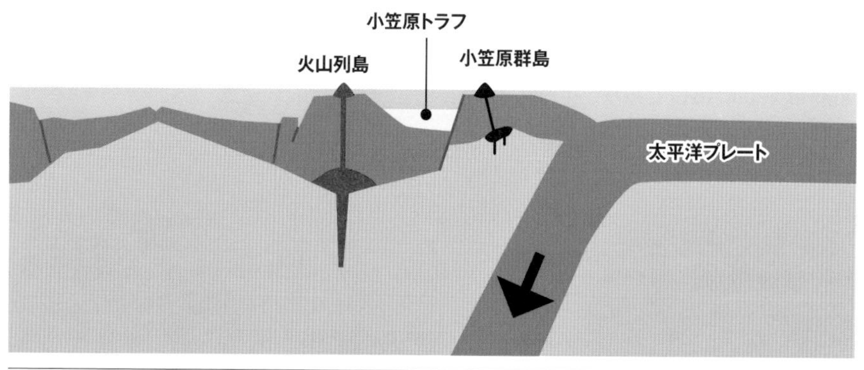

小笠原島：現在の小笠原群島の辺りを指す。

メなどの海産物や飲料水などを捕鯨船へ提供して生計を立てていた。その後、1861年に江戸幕府の外国奉行である水野忠徳(みずのただのり)が再調査を行い、1876年に国際的に日本の領土として認められた。

1675年の嶋谷による調査は、17世紀末に日本を訪れ『日本誌』を著したドイツの博物学者エンゲルベルト・ケンペルや、19世紀初頭に日本を訪れ『日本博物誌』などを著したフィリップ・フランツ・フォン・シーボルトによって欧米に紹介され、1853年に日本を訪れたアメリカ東インド艦隊司令長官マシュー・ペリーの『日本遠征記』の記述により「**Bonin Islands(ボニン・アイランズ)**」という名称が定着した。この小笠原諸島の英語名は、日本語の「無人島(ぶにんじま)」を語源としているとされる。ペリーは1853年に小笠原島を訪れた際、1827年の英国の調査に先立ち、1675年に日本が調査を行っていることに言及している。

第二次世界大戦後はアメリカ軍の占領下に置かれた。1946年からは欧米系の旧島民の帰島*が許可され、父島はアメリカ軍と欧米系島民だけの島になった。この頃に島民の食料用にヤギの放牧が行われて植生が荒廃した。また母島は放置され、戦前に植林されたアカギやギンネムなどの侵入が進んだ。1968年に日本に返還されると旧島民の帰島が行われ、1970年には**小笠原諸島復興特別措置法**に基づき集落地域と農業地域、自然保護地域などが決められた。そして1972年に、陸域のみが「小笠原国立公園」に指定された。

地質と気候

海洋性島弧が成長して大陸へと進化する過程が現在も進行している。父島の宮之浜(みやのはま)や釣浜(つりはま)、円縁湾(まるべりわん)などでは無人岩(むにんがん)(ボニナイト)が産出される。ボニナイトとは、地中の玄武岩質のマグマが地表に出てくる過程で変質したもので、小笠原諸島で初めて発見された。地殻変動によって崩れることなく残されている点が珍しいとされる。比較的温暖な亜熱帯気候に属しており、年間の気温変化や日較差が小さく湿度が高いという海洋性の特徴を持つ。また降水、蒸発、土壌・地形などの要因により、**季節的な乾燥時期と湿潤時期が明確に分かれている**点が自然環境を特徴づける重要な

父島で見られるボニナイト

旧島民の帰島：1944年に軍属などを除く全島民が内地へ強制疎開させられていた。

背景となっている。

小笠原諸島は海洋島であるため、比較的に低い高度から**雲霧帯***ができる。雲霧帯では霧に覆われている時間が長く湿度が高いため、コケ植物などの蘚苔類が多く着生植物や木生シダが生い茂る独特な景観がつくられている。

植物相

小笠原諸島の植物相は、約7割がムニンヒメツバキ、アカテツ、シマホルトノキなど東南アジアの亜熱帯を起源とするもので、他にはナガバキブシ、チチジマキイチゴなど日本本土に起源を持つとされる北方系の種や、固有種の**ムニンフトモモ**、ムニンビャクダンなどオセアニア起源の南方系の種が見られる。多様な起源の種が独自の種分化を遂げたため、小さな海洋島でありながら種数が多く、固有種率が高い。維管束植物の固有率は36%、木本植物*は64%と、日本本土や琉球諸島、台湾などと比較しても高い固有種率を示す。

固有種のテリハハマボウ

父島列島の兄島と父島の北東部や南東部、母島列島の母島の南端部と向島、姪島、姉島、妹島では、シマイスノキやシャリンバイ、**ムニンノボタン**などの高さ5〜8mの**乾性低木林**が広がっている。一方で母島の石門には、東南アジア系のシマホルトノキ、ウドノキ、モクタチバナなどで構成される高さ20mの湿性高木林が広がる。テリハハマボウやヤロード、ムニンツツジなどの固有種も多い。大陸や日本本土で見られるシイやカシがないため、陽樹*を中心とした海洋性植生の特徴を示している。

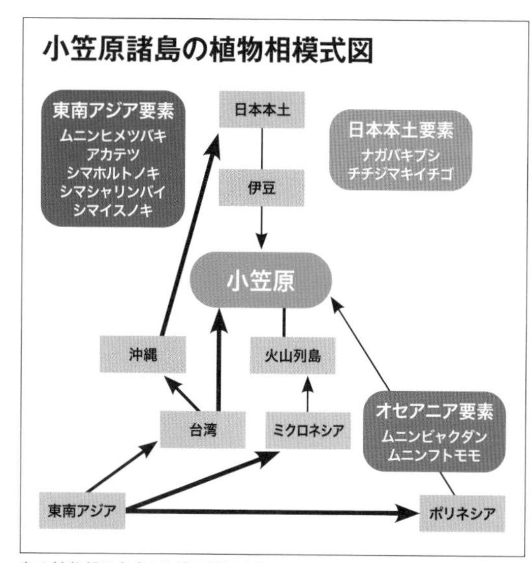

島の植物相は多くの地域に起源を持つ

雲霧帯:島の斜面に沿って上昇気流が発生して雲や霧ができる地帯。　**木本植物**:地上に出ている茎が二次成長で太くなり、長い間生存して繰り返し開花や結実する植物。　**陽樹**:生育に最低限必要な光合成量が比較的多いタイプの樹木で、生育に多くの陽光を必要とする。

動物相

大陸などの陸地と一度もつながったことのない海洋島のため、陸棲生物は祖先の種が海を渡り確率の低い偶然によって定着したものである。そのため、ある特定の種が全く分布していない反面、限られた種の比率が高いといった**極端に偏りのある生物集団**が特徴となっている。鳥類を除くと、哺乳類は**オガサワラオオコウモリ**の1種、爬虫類はオガサワラトカゲとミナミトリシマヤモリの2種のみで、両生類はいない。また大陸で多く見られる甲虫類でもホタル上科は1種のみしかいない。一方で昆虫の約25%と陸産貝類の約95%が固有種となっており、島で進化を遂げた固有種や固有亜種が多いことがわかる。

陸産貝類では、**カタマイマイ属**で採食する場所や休眠する場所によって種が異なるなど多様な適応放散の事例が見られる。また、海洋島では珍しい事例として、母島の石門では洞窟環境に適応した真洞窟性の陸産貝類が生育している。

海棲哺乳類では、絶滅の恐れがあるイワシクジラ、シロナガスクジラ、マッコウクジラなどを含む世界の海で生息するクジラ類の約3割が小笠原諸島の近海に生息しており、北太平洋の亜熱帯海域に分布・回遊するクジラ類のほとんどが含まれている。またミナミハンドウイルカやハシナガイルカが見られ、ミナミハンドウイルカは小笠原群島海域内に定住していると考えられている。海棲爬虫類ではタイマイやアオウミガメなどのウミガメ類4種が生育しており、アオウミガメは毎年小笠原諸島の砂浜で産卵を行っている。

陸から約1,000kmも離れているため鳥類も簡単に渡ることができず、日本本土に比べて定着している種は限られている。近年に繁殖が確認されている在来の鳥類には、固有種の**メグロ**と固有亜種のオガサワラノスリ、アカガシラカラスバト、オガサワラヒヨドリなどの陸鳥の他、固有繁殖種の**クロウミツバメ**や固有繁殖亜種のセグロミズナキドリ、オセアニア地域でも繁殖を行うコアホウドリ、クロアシアホウドリなどの海鳥がいる。アホウドリは絶滅の恐れがあるため、聟島などではアホウドリの実物大の模型（デコイ）を緩斜面などに設置して鳴き声なども流し、繁

カタマイマイ

殖地のような環境を作って実際のアホウドリを誘い寄せ、繁殖を行わせるなどの対策もとっている。

陸水棲動物は、大規模な河川がなく他の陸水域から海で隔てられていることもあり、種類が少ない。魚類も種が少なく固有種は**オガサワラヨシノボリ**のみである。昆虫類は固有種の割合が27.5％と高くなっており、そのほとんどが東南アジアを含む東洋区系かミクロネシア系の種とされる。トンボはオガサワライトトンボやオガサワラアオイトトンボなど小笠原固有の全種がIUCNのレッドリストに記載されている。

アホウドリのデコイ

比較研究

『ガラパゴス諸島』は、大きな島が存在し、生物種の由来がほとんど南米大陸に限られているため、異なる進化の過程が見られる。『東レンネル』は、隆起サンゴ礁起源の島の40％以上を湖が占めており生態系が異なっている。『アルダブラ環礁』は熱帯の環礁で、平坦な低地であり生態系も進化の過程も異なっている。『アレハンドロ・デ・フンボルト国立公園』は進行中の動植物相の進化が見られるが、海で隔離された海洋島の生態系プロセスではないという点で異なっている。

保護と管理

海洋島は外来種に対して脆弱であり、在来種の生育地を奪うアカギや、遺伝子レベルでかく乱を引き起こすシマグワ、在来動植物を捕食するノヤギや**グリーンアノール**などが様々な懸念がある。小笠原諸島では外来種対策をはじめとする「小笠原の自然環境の保全と再生に関する基本計画（環境省2007年）」や「小笠原諸島森林生態系保護地域保全管理計画（林野庁2008年）」などを基に「世界自然遺産小笠原諸島管理計画」を策定し保護を行っている。またバッファーゾーンではなく、船舶の航行ルートを含む1,293.6㎢もの「**世界遺産管理エリア（World Heritage Management Area）**」を設定している。

侵略的外来種のグリーンアノール

概要

屋久島は九州本土最南端から約60kmの海上の、フィリピン海プレートの沈み込み帯に**花崗岩が貫入してできた島**で、中心部には標高1,935mの九州の最高峰である**宮之浦岳**や1,800mを超える高峰が聳え、その周囲を1,000m以上の山々が取り巻いている。621.98㎢の東京23区よりも小さい504.88㎢のほぼ円形の島に急峻な山々が連なるため、海岸線から山岳地帯へ標高の変化が特徴となっており、気候も標高が高くなるにつれて亜熱帯から暖帯、温帯へと変化する。また、年間の降雨量が4,000㎜〜10,000㎜もあることなどから、**樹齢数千年のヤクスギ**をはじめ、本土とは異なる特殊な森林植生を有しているだけでなく、**北半球の温帯域では他にほとんど例がない顕著な生態系**を持つ。

亜熱帯性植物を含む海岸植生から、山地の温帯雨林、山頂付近の冷温帯性ササ草地や高層湿原に及ぶ**植生の垂直分布**が見られる他、25,000〜15,000年前の最終氷期にも照葉樹林が残っていたと考えられ、多くの固有植物や、北限・南限の植物が自生している。特に日本固有種のスギが屋久島の特異な自然環境の下で数千年にわたり生育を続けたヤクスギが屋久島の植生を代表していると言える。ヤクスギは日本全土に見られるスギの天然林と比較してもはるかに広い分布域を持っている。

登録基準

●登録基準（vii）：

屋久島は小さな島にも関わらず、2,000m級の急峻な山並みや中心から海岸までの急勾配など、いくつもの重要な特徴を持っている。また屋久島は樹齢1,000年以上の大きな直径を持つスギの生育地であり、登録範囲内には、最も樹齢が古いものや見る者を圧倒するような個体が含まれている。また、ヤクスギは梢部分を風などで欠いた傘型をするなど独特な姿で林立しており、こうした独自の美しい景観とスギを中心とする生態系の最良の例である。

●登録基準（ix）：

急峻な山並みの屋久島は、北緯30度付近の地域では珍しい特徴を持つ島嶼生態系である。北緯30度帯の日本の本土ではブナやナラなどの落葉広葉樹林が占めているが、寒冷期に落葉広葉樹林が屋久島まで南下しなかったため、針葉樹林としての**スギが遺存固有**している。また、温帯原生林が海岸から中央の山々まで標高に合わせて垂直に分布するように残されている。登録範囲は、進化生物学や生物地理学、植生の遷移、低地と高地のシステムの相互作用、水文学*、温帯生態系プロセスなどの科学的研究において非常に重要である。

歴史

屋久島は、九州の本当の骨格となる九州山系が大隅半島の先で地殻変動のために陥落した後、1,500万年前頃に残った山稜部が隆起して屋久島や種子島になったと考えられている。

600年代から古文書に登場した屋久島は、海上交通路上の重要な地として貿易などにおいて重視されてきた。当時から屋久島の山々は霊山として崇められ、鬱蒼と生い茂るヤクスギも神木と考えられて伐採されることは

縄文杉

水文学：水の循環を主とする地球科学の一分野。

なかった。そのため屋久島の自然環境は長い間、原生的な状態を保ってきた。

九州最高峰の宮之浦岳

17世紀にはいると、1612年に森林資源に注目した薩摩藩の島津氏の直轄領となり、1642年に儒学者の**泊如竹***が財政的な理由から資源を求めていた第2代藩主の島津光久にヤクスギの利用を進言し、ヤクスギの伐採が本格化した。ヤクスギは樹脂を多く含み腐りにくいため建物の屋根の板瓦（平木）として用いられており、薩摩藩は屋久島の島民にヤクスギを平木として年貢代わりに上納させ、その対価として米を与えていた。一方で、公用以外でのヤクスギの伐採は厳しく制限され、伐採上納についても厳しい規制を設けていた。この時代に多くのヤクスギが伐採され薩摩藩は大きな利益を得ていた。

明治時代に入ると地租改正が行われ、村が所有する山林は課税の対象となるため、島民は政府の説得に応じ山林の8割が国有林に編入された。しかし、島民の生活が窮乏したため国有林の下げ戻しを求める島民と国による裁判にまで発展した。裁判では島民が敗れたものの、1921年に島民への配慮が明記された「**屋久島国有林**

ヤクシカ

泊如竹：屋久島の安房出身の僧で、島津光久の侍読（学問を教授する学者）を務めた。

日本の世界遺産

経営の大綱(屋久島憲法)」が策定された。大正時代の1923年には安房から小杉谷までの森林軌道が完成し、森林の利用が本格的に行われるようになった。また、1924年には国有林の一部が「屋久島スギ原始林」として国の天然記念物に指定され保護も行われるようになった。

1955年頃からは木材需要への対応や、チェーンソーなどの林業技術の近代化などもあり、国有林の伐採はピークを迎えた。一方で、1954年に「屋久島スギ原始林」が特別天然記念物に格上げされ、1964年には島内のヤクスギが数多く残る地域が九州の霧島と共に「霧島屋久国立公園」に指定されると、屋久島の天然林に対する保護意識が高まり1980年代に一切の伐採が禁止された。1980年に屋久島の天然林はMAB計画の生物圏保存地域に指定され、2005年には島の北西部がラムサール条約登録地*となると、2012年には霧島と切り離され単独の「**屋久島国立公園**」となった。

気候

屋久島は太平洋側気候区の南の端に位置するが、亜熱帯性気候の南西諸島気候区と接しているため、海岸部では亜熱帯性気候がみられる。しかし海岸から急峻な山につながっているため、海岸線からわずか3～4kmしか離れていない標高600mほどの山間部でも海岸地帯より4～5℃も低く、標高差により亜熱帯から冷温帯までの気候を持っている。

また**黒潮の影響により年間を通して暖かく雨の多い地域**になっている。フィリピン沖から暖かい水を北に運ぶ黒潮から出る暖かい水蒸気が、屋久島の山々にぶつかり上昇しながら冷えて雨を降らす。海岸地帯では年平均で3,000～5,000㎜の降雨量だが、標高が上がるにつれて雨量が増え、標高600m以上の中央高地では8,000㎜以上、多い年では10,000㎜にも達

鬱蒼として森が広がる

ラムサール条約登録地：北太平洋最大のウミガメ産卵地である、永田浜が登録された。

すると考えられている。屋久島の雨は、林芙美子が小説『浮雲(うきぐも)』の中で「月に35日雨が降る」と例えたことでも知られる。大量の雨は花崗岩の岩盤に深い谷を刻み、多くの川や滝を生み出している。

植物

標高によって異なる植生の垂直分布が見られる。海岸付近ではアコウやガジュマルなどの亜熱帯性植物、海岸部から標高700〜800m付近まではシイ類やカシ類などの暖温帯常緑広葉樹林、標高700〜800m付近から標高1,200m付近までは暖温帯針葉樹林、標高1,200m〜1,800m付近までは冷温帯針葉樹林、それより上の山頂付近ではヤクシマダケ、ヤクシマシャクナゲの低木林が見られる。また、冷温帯域の標高1,600m付近には**日本最南端の高層湿原**があり、ミズゴケ、コケスミレ等が生育するが、本土の冷温帯域で見られるブナやミズナラなどは生育していない。

島の中央山岳地帯である奥岳(おくだけ)地域を中心とする標高600〜1,800m付近のなだらかな傾斜面などには、ヤクスギを中心とする天然スギが分布している。これは日本全土に見られるスギの天然林と比べてもはるかに広い分布域を持つ。一般的なスギの寿命は最大800年ほどとされるが、屋久島は**栄養分が少ない花崗岩の地盤で雨が多く湿度が高い**ため、天然スギの生長が非常に遅く年輪が緻密で樹脂が多く独特の香りを放つという特徴がある。幹が硬く樹脂が多いため、腐りにくく樹齢が1,000年を超えることも珍しくない。また腐りにくいため、江戸時代に伐採されたまま放置されていた木材の内部が腐らず、現代になって「**土埋木**(どまいぼく)」として利用されている。

ヤクスギでは樹齢が1,000年以上の天然スギを「ヤクスギ」、1,000年未満のものを「コスギ」と呼ぶ。こうした屋久杉を含む原生的な天然林が独特の美しい景観を作り上げている。

ヤクシマシャクナゲの奥に見える永田岳

動物

九州本土から切り離されて以来、15,000年に及ぶ歴史と変化に富む環境のため、多くの固有種や亜種が生息している。哺乳類では、**ヤクシカやヤクザルなどの固有亜種**4種、セグロアカネズミやタネハツカネズミなど種子島との共通亜種4種を含む9科16種が確認されている。鳥類では**ヤクシマアカコッコやヤクコマドリなどの固有亜種**4種、シマメジロやタネアカゲラなど種子島との共通亜種4種を含む40科150種が確認されており、**アカヒゲとカラスバトなど4種が天然記念物**に指定されている。また爬虫類では7科15種、両生類は4科8種、昆虫は20目240科1,896種、陸産貝類は16科71種など、屋久島の面積に対して豊富な動物相を持っており、種密度は非常に高い。

ヤクザル

保護と管理

1975年に自然環境保護法に基づき、花山地区が「霧島屋久国立公園」から切り離されて「**屋久島原生自然環境保全地域**」に指定された他、「屋久島国立公園」や国有林野施業実施計画で設定する「森林生態系保護地域」、文化財保護法の「天然記念物」、都道府県知事が定める「鳥獣保護区」などによって保護されている。

垂直分布（環境省HPより作成）

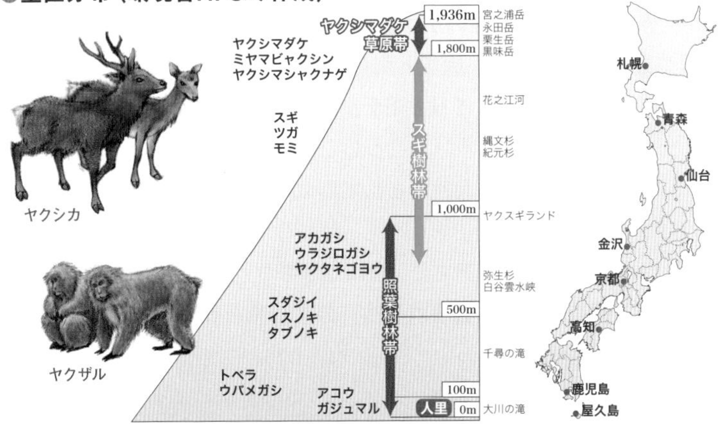

標高2,000mほどの屋久島の森に、日本列島南北約2,000kmの自然が凝縮されている。

鹿児島県・沖縄県

奄美大島、徳之島、沖縄島北部及び西表島

Amami-Oshima Island, Tokunoshima Island, Northern part of Okinawa Island, and Iriomote Island

自然遺産

登録年 2021年　登録基準 (x)

プロパティ 426.98㎢　バッファー・ゾーン 244.67㎢

概要

日本列島の九州南端から台湾までの海域約1,200㎞に点在する琉球列島のうち、中琉球の奄美大島と徳之島、沖縄島北部、南琉球の西表島の４地域の５つのエリアの陸域で構成される。徳之島だけ２つのエリアに分けられている。この一帯は、温暖多湿な亜熱帯性気候であり、主に常緑広葉樹多雨林に覆われている。

プロパティは世界的な**生物多様性のホットスポット＊**であり、日本の中でも生物多様性が突出して高い地域である中琉球と南琉球を代表する地域である。多くの分類群において多くの種が生息し、**イリオモテヤマネコ**や**ノグチゲラ**などの絶滅危惧種や、中琉球と南琉球の固有種も多い。こうした生物多様性の特徴はすべて相互に関連しており、中琉球と南琉球が大陸島として形成された歴史と深く関係している。大陸からの分断と孤立の長い歴史を反映し、陸域生物はさまざまな進化の過程を経て、海峡を容易に越えられない**アマミノクロウサギ**などの**非飛翔性の陸生脊椎動物群や植物において固有種が多く見られる**独特の生物相となった。さまざまな固有種の進化だけでなく、環境の変化の中で特定の地域だけに残った**遺存固有種**や独特な進化を遂げた種の例が多く見られる。このように多くの固有種や絶滅危惧種を含む独特な陸域生物にとって、世界的にかけがえのない地域と言える。

生物多様性のホットスポット：1,500種以上の固有維管束植物があり、原生環境の70％以上が消失しているエリア。

登録基準

●登録基準（x）：

プロパティを含む4島は、面積が日本の国土全体の0.5％に満たないにも関わらず、世界的な陸域生物多様性ホットスポットの1つである「日本地域*」の陸生脊椎動物の約57％がこの4島に生息している。その中には日本固有の脊椎動物の44％、日本の脊椎動物における国際的絶滅危惧種の36％が含まれている他、プロパティでは、アナミノクロウサギや**ヤンバルクイナ**、**オキナワトゲネズミ**、リュウキュウヤマガメ、クロイワトカゲモドキなど国際的絶滅危惧種 95種を含む絶滅危惧種の種数と割合が多い。

歴史

約1,200万年前まで、現在の琉球列島に相当する陸地は、ユーラシア大陸の東の端の大陸の一部であった。その後、約1,200万年～200万年前頃にフィリピン海プレートが琉球海溝に沈み込み始め、一帯が大陸縁から島弧へ移行する大きな地殻変動が起こった。これにより**沖縄トラフ**＊が開き始め琉球列島が形成された。その過程でトカラ海峡がつくられて北琉球と中琉球が分離し、慶良間海裂＊がつくられて中琉球と南琉球が分離したと考えられている。そして約180万年前頃になると与那国島の西の海峡を通って東シナ海に黒潮が流れ込むようになり、中琉球と南琉球は台湾島や北琉球と隔離されるようになった。

こうした歴史から、中琉球では1,200万年～500万年前頃には大陸や北琉球、南琉球からの生物学的にも隔離が成立し、アマミノクロウサギのように大陸などの遠く離れた地域にしか近縁種が分布しない遺存固有種が多い地域となった。一方で、南琉球では500万年～260万年前の間に台湾島との一時的な接続などがあり、近縁な種や亜種が中琉球よりも台湾や大陸の東部に見られる固有種や亜種が多いという特徴が生まれた。また**4島で4種に分化して固有化しているカンアオイ属**の植物のような例もある。

ルリカケス

日本地域：コンザベイション・インターナショナルが選定したホットスポットの1つ。　**沖縄トラフ**：南西諸島と琉球列島の北西に位置する円弧状の海底のくぼみ。　**慶良間海裂**：琉球弧の胴切り断層により大きく陥没した中琉球と北琉球の間の海域。

気候

亜熱帯地域に位置するが「**亜熱帯海洋性気候**」と呼ばれ、近くを流れる暖流の黒潮とモンスーンが大きく影響して年間降水量は2,000㎜以上に達する。そのため、亜熱帯域に多雨林が発達する、世界的にも珍しい地域となっている。5〜6月の梅雨の時期と、7〜10月の台風の時期に降水量が特に多く、その時期だけで年間降水量の約6割を占める。特に頻繁に襲う台風は、一帯の動植物相に大きな影響を与えている。

植物

自然植生のうち山地の森林は、湿潤な亜熱帯に成立した常緑広葉樹林が中心で、シイやカシ類、リュウキュウマツの他、クスノキ科の高木も多く、植生景観は屋久島以北の暖温帯の常緑広葉樹林に似ている。一方で、海岸ではマングローブ樹種をはじめ、アダンやモモタマナ、モンパノキ、ハスノハギリといった熱帯や亜熱帯の海岸植生で特徴的な樹種が見られる。

プロパティの大部分は、高木層に**スダジイ**が占める常緑広葉樹林の自然林と二次林*である。**頻繁に通過する台風**による定期的な撹乱と、小さな尾根や谷が広がる地形の複雑さが生育環境の多様性をもたらし、森林の構成種の多様性を高めている。プロパティの中で最も標高が高い奄美大島の湯湾岳や徳之島の井之川岳など海

マングローブの森

二次林：天然林が自然災害による倒木や伐採された跡に、土壌の力で自然に再生してできた森林。

抜500～600m以上の山岳地帯は日射量が限られた空中湿度が高い雲霧帯となっており、また沖縄島で最も標高が高い与那覇岳や伊湯岳などの山地斜面は年間3,000mm以上の豊富な降雨量に恵まれた**雲霧林**が広がっている。

湿潤熱帯では頻繁に雨が降るため、河川は周期的に増水と減水を繰り返す。河川の中上流部では、増水時の高い水位と減水時の低い水位との間にある川床と川岸が、周期的に冠水する「**渓流帯**」が生まれる。プロパティは、集水域が比較的小さい島嶼にも関わらず、降水量が多いために水位の高低差が熱帯に近い渓流帯が存在するため、激流にも乾燥にも対応するサイゴクホングウシダ－ヒメタムラソウ群落のような**渓流植物**が生育している。また泥湿地で塩水の影響を受ける場所に生育する特殊な植物グループの**マングローブ**は熱帯や亜熱帯の海岸や河口に見られるが、日本で形成されるのは琉球列島だけで、奄美大島の**メヒルギ**とオヒルギのマングローブ林が北限とされる。

動物

琉球列島は誕生の背景が影響して非飛翔性の脊椎動物で固有種や固有亜種に分化したものが多い。特に中琉球と南琉球に生息する飛ぶことのできない陸生脊椎動物種の多くは、ユーラシア大陸の南東部や台湾に進化系統上の姉妹群や幹群*がある亜熱帯系の生物であると考えられている。また台風の影響や長距離移動する渡り鳥の経路に位置することなどから、複雑な動物相が構成されている。両生類のハナサキガエル種群のように4島で4種に分化しているものもある。

哺乳類では、固有種のイリオモテヤマネコや**リュウキュウイノシシ**など21種の在来の陸生哺乳類が確認されており、日本全土にみられる在来種108種のうちの19％が生息している。またプロパティは面積が狭いため、在来の食肉目や偶蹄目、兎目などの中大型哺乳類はそれぞれ1種のみで、**霊長目は生息していない**。こうした上位捕食者や中大型種が少なく、翼手目*や齧歯目などの小型種の占める割合が高いことが特徴の1つになっている。

イリオモテヤマネコ

翼手目：哺乳類の分類の一種でコウモリ類のこと。　**姉妹群や幹群**：姉妹群は最も近縁な系統群のことで、幹群は姉妹群の最古の共通祖先の全ての子孫のこと。

保護と管理

「奄美群島国立公園」、「やんばる国立公園」、「西表石垣国立公園」の３つの国立公園の他、特別保護地区や森林生態系保護地域保存地区、国指定鳥獣保護区、天然記念物などに指定され保護されている。一方で沖縄島北部では在日米軍北部訓練場の返還地でバッファーゾーンの設定がない。

TOPICS **構成資産**

1. 奄美大島（中琉球：鹿児島県）

1.1. 植物

比較的標高の高い山を持ち、面積の80％以上を森林が占める。その内、スダジイの自然林やシイやカシの萌芽林(ほうがりん)*などの二次林が中心の常緑広葉樹林が島の61％を占め、20％近くを占めるリュウキュウマツ群落は伐採後に植林されたものと天然更新したものが約半数ずつになっている。

1.2. 動物

奄美大島と徳之島の固有属であるアマミノクロウサギや、奄美大島の固有種であるアマミトゲネズミ、中琉球の固有属であるケナガネズミ、中琉球と南琉球の固有種であるリュウキュウユビナガコウモリなどの哺乳類が進化的に独特かつ絶滅の恐れがある種に特定されている。鳥類では、絶滅の恐れがあるアマミヤマシギや**ルリカケス**、固有亜種のオーストンオオアカゲラなどが生息する他、リュウキュウアカショウビンやリュウキュウサンコウチョウなどが夏鳥として飛来し繁殖を行う。爬虫類や両生類では中琉球の固有種であるハブやアカマタ、奄美大島

アマミノクロウサギ

アマミイシカワガエル

萌芽林：伐採した後に切り株や根から新しい芽が伸びて再生した森林。

などの固有亜種であるヒャン、沖縄島北部と共通の固有種シリケンイモリ、奄美大島の固有種**アマミイシカワガエル**などが生息する。

2. 徳之島（中琉球：鹿児島県）

2.1. 植物

スダジイ林の山地を取り巻くようにアマミアラカシ群落がみられる隆起サンゴ礁の台地があり、台地上には耕作地が発達している。森林と耕作地が島の面積をほぼ2分しているため、徳之島のみエリアが2つに分かれている。森林の大半は常緑広葉樹またはリュウキュウマツの二次林で、リュウキュウマツ群落は伐採後に植林されたものが約3割、残りは天然更新したものになっている。

スダジイ

2.2. 動物

島の面積は4島の中で最も小さいが、陸生哺乳類の種数は奄美大島に次いで多い。哺乳類では徳之島の固有種である**トクノシマトゲネズミ**が生息している他は、奄美大島と共通している。鳥類はアマミヤマシギが生息するなど奄美大島と共通している。爬虫類や両生類では奄美大島と共通するものが多いが、奄美大島に生息しないオビトカゲモドキなども生息する。

3. 沖縄島北部(中琉球：沖縄県)

3.1. 植物

一帯は古くから地元で「山々が連なり森の広がる地域」を意味する「やんばる(山原)*」と呼ばれてきた。プロパティの森林は、温帯に特徴的な樹種と熱帯に特徴的な樹種が混生しており、スダジイが中心となっている。エリアの約80%を占める森林のうち、面積的には自然植生の常緑広葉樹であるオキナワシキミ－スダジイ群集が41.6%を占めている。

3.2. 動物

哺乳類では沖縄島の固有種であるオキナワトゲネズミが生息している他は、奄美大島や徳之島と共通している。一方で、1996年に初めて発見された樹洞性コウモリの**ヤンバルホオヒゲコウモリ**とリュウキュウテングコウモリは、で沖縄県北部でもプロパティを含む限られた場所でしか見られない他、クビワオオコウモリと固有亜種のオリイオオコウモリは奄美大島と徳之島では生息していない。鳥類では、沖縄島北部の固有種で飛ぶことができないヤンバルクイナや、アマミヤマシギ、ノグチゲラなどの絶滅の恐れがある種が生息している。またリュウキュウアカショウビンなどが夏鳥として飛来し繁殖する他、ほとんど日本のみで繁殖するミゾゴイが東南アジアや台湾へ渡る途中で中継地としている。爬虫類や両生類では、沖縄諸島固有種のリュウキュウガメやクロイワトカゲモドキ、沖縄島固有種のオキナワイシカワガエルやナミエガエルなどが生息する。

ヤンバルクイナ

やんばる(山原)：範囲の明確な定義はないが、世界遺産では国頭村と大宜味村、東村を「やんばる3村」としている。

4. 西表島（南琉球：沖縄県）

4.1. 植物

島の約90%が森林で、**4島の中で島面積に対する自然植生の割合が最も高く**、渓流帯や マングローブも発達している。常緑広葉樹の森林の中で面積的にはケナガエサカキースダジイ群集が67%を占め、河口に発達したマングローブ林と合わせると島の70%が常緑広葉樹の自然植生に覆われている。仲間川（なかまがわ）や後良川（しいらがわ）の河口部には**国内では最大規模のマングローブ林**があり、海岸の海岸砂丘には主にハテルマギリが占めるハスノハギリ群集が、海岸崖地（がけち）の風衝地（ふうしょうち）にはアカテツーハマビワ群集が生育している。

西表島マングローブ

4.2. 動物

陸棲哺乳類の数は少なく、西表島の固有亜種であるイリオモテヤマネコと、中琉球と南琉球の固有亜種であるリュウキュウイノシシ、ヤエヤマオオコウモリやリュキュウユビナガコウモリなど5種のコウモリのみが生息する。4島の中で**唯一食肉目が生息し**、「**ヤマネコが生息する世界最小の島**」でもある。鳥類では八重山諸島の固有亜種であるカンムリワシやキンバト、イシガキシジュウカラなどが生息する他、ヘラシギやクロツラヘラサギなど国際的な絶滅危惧種8種が渡り鳥として訪れる。また大陸などに近いため迷鳥（まよいどり）も多い。爬虫類や両生類ではサキシマカナヘビや固有亜種のヤエヤマイシガメ、ヤエヤマセマルハコガメなどが生息する。

日本の暫定リスト記載物件（2024年3月時点）

古都鎌倉の寺院・神社ほか

［神奈川県／1992年］

鎌倉は、日本に初めて武家政権が誕生した12世紀末から約150年間にわたって政治の中心となった都市。三方を山に囲まれ、南側のみ海に面している鎌倉の地形は天然の要塞であった。そこに鶴岡八幡宮（つるがおかはちまんぐう）とその正面に延びる若宮大路を中心として、寺社や武家館、切通（きりとおし）、港が機能的に配置された。中世の軍事政治都市の特徴と武家文化の街並を今に伝える。

2013年の世界遺産委員会に向けて「武家の古都・鎌倉」の遺産名で推薦されたが、ICOMOSから「不登録」勧告を受け、推薦書を取り下げた。遺産名は最初に暫定リストに記載された時のものに戻された。

彦根城

［滋賀県／1992年］

彦根城は、江戸時代の250年間の安定と平和に「藩（はん）」が重要な役割を担ったことを証明している。藩は江戸幕府の将軍によって近世城郭に配置された大名が組織する地方政府である。藩の統治拠点である城郭の内部には、大名の御殿と重臣の屋敷が構えられ、政治の意思決定や儀礼など、藩の運営に必要な全ての施設が含まれていた。また天守を頂点に櫓（やぐら）や石垣、水堀（みずぼり）などが重なり合う象徴的な姿は、周辺の街や村、琵琶湖（びわこ）の湖上などからも見ることができた。

日本各地の城郭は、統治拠点として機能しただけでなく、将軍から配置された大名が、武力や地域とのつながりに頼らず、将軍の権威を唯一の根拠として、領地の安定に専念した証である。そうした場所で大名と重臣たちが行った藩による政治は、世界にも類を見ない江戸時代独自の仕組みであり、それが戦国時代から続いた争乱に終止符を打ち、安定した治世を可能にした。彦根城はそうした仕組みを、石垣や水堀によって区画された空間構造や、天守や櫓、石垣などで効果的に構成された形態などで証明している。

2023年9月に、日本から初めてのプレリミナリー・アセスメントを受ける遺産として申請書が提出された。

飛鳥・藤原の宮都とその関連資産群

［奈良県／2007年］

6世紀末から8世紀初めにかけて、律令制による統治機構を整えた統一国家「日本国」が誕生した地である奈良盆地南部の「飛鳥・藤原」には、多くの考古遺跡や記念建造物が残されている。「飛鳥・藤原の宮都とその関連資産群」は、宮殿や都城をはじめ、祭祀空間、庭園、仏教寺院、墳墓など地下に残された考古学的な遺跡で構成されている。こうした構成資産は「飛鳥・藤原」という限定された地域に面的に密集しており、中央集権国家の成立過程を証明している。

「飛鳥・藤原」は大きく「宮殿跡」と「仏教寺院跡」、「墳墓」の3つに分類される20の構成資産からなる。宮殿跡には、明日香村の飛鳥宮跡や酒船石遺跡、橿原市の藤原宮跡・藤原京朱雀大路跡、大和三山（香具山、畝傍山、耳成山）など、仏教寺院跡には、桜井市の山田寺跡や明日香村の橘寺跡（橘寺境内）、橿原市の本薬師寺跡など、墳墓には明日香村の石舞台古墳やキトラ古墳、高松塚古墳などが含まれている。

佐渡島の金山

［新潟県／2010年］

佐渡島にある「佐渡島の金山」は、「西三川砂金山」と「相川鶴子金銀山」の2つの構成資産からなる鉱山遺跡である。2つの資産には、徳川幕府によって管理・運営された金の生産体制と生産技術に関する、鉱山と集落が遺跡として一体的に残されている。また、その存在を裏付ける絵図や鉱山絵巻も現存し、世界に類を見ない金生産システムを示す物証である。徳川幕府の鎖国政策の結果、同時代のヨーロッパやその進出先の鉱山における動力機械装置などを用いた金生産とは異なる伝統的な手工業による金生産が長期間にわたって続けられたため、鉱床の特性に合わせた技術が深化し、採掘から選鉱、製錬・精錬、小判製造までの一連の工程の精度を上げて高品位な金を生産し続けた。

2024年の世界遺産登録を目指して推薦書が提出されている。

平泉ー仏国土（浄土）を表す建築・庭園及び考古学的遺跡群ー

［岩手県／2012年］

奥州藤原氏の居館で政庁でもある平泉館の跡と考えられている「柳之御所遺跡」の追加登録を目指している。平泉舘は『吾妻鏡』に記録が残る。登録範囲の変更（拡大）の際は、再度暫定リストに記載し再推薦する必要がある。

日本の世界遺産総論 登録基準から見る日本の世界遺産

2024年3月現在、25件（文化遺産20件、自然遺産5件）登録されている日本の世界遺産を見てみると、日本の文化の特徴がよくあらわれている。

文化遺産では、20件のうち『広島平和記念碑（原爆ドーム）』等を除く17件は、木造建造物が含まれており、木造建造物が日本文化の特徴であることの証しである。また自然遺産では、5件全て、森林とそれに関係する生態系が遺産価値の中心をなしており、日本の自然環境の特徴は「森林」であることがわかる。

登録名／登録基準	(i)	(ii)	(iii)	(iv)	(v)	(vi)	(vii)	(viii)	(ix)	(x)
法隆寺地域の仏教建造物群	★	★		★		★				
姫路城	★			★						
古都京都の文化財		★		★						
白川郷・五箇山の合掌造り集落				★	★					
厳島神社	★	★		★		★				
広島平和記念碑（原爆ドーム）						★				
古都奈良の文化財		★	★	★		★				
日光の社寺	★			★		★				
琉球王国のグスク及び関連遺産群		★	★			★				
紀伊山地の霊場と参詣道		★	★	★		★				
石見銀山遺跡とその文化的景観		★	★		★					
平泉ー仏国土（浄土）を表す建築・庭園及び関連する考古遺跡群ー		★				★				
富士山ー信仰の対象と芸術の源泉			★			★				
富岡製糸場と絹産業遺産群		★		★						
明治日本の産業革命遺産		★		★						
ル・コルビュジエの建築作品：近代建築運動への顕著な貢献	★	★				★				
「神宿る島」宗像・沖ノ島と関連遺産群		★	★							
長崎と天草地方の潜伏キリシタン関連遺産			★							
百舌鳥・古市古墳群			★	★						
北海道・北東北の縄文遺跡群			★		★					
屋久島							★		★	
白神山地									★	
知床									★	★
小笠原諸島									★	
奄美大島、徳之島、沖縄島北部及び西表島										★
	5	12	9	11	3	10	1	0	4	2

（遺産は文化遺産と自然遺産、それぞれ登録年順）

COLUMN

日本の建築と庭園様式

仏教建築様式

6世紀半ばに大陸から仏教が伝来すると、仏教建築の手法も日本に伝えられた。最初期の仏教建築は百済(朝鮮)からもたらされたが、7世紀以降、遣唐使の派遣が始まると唐の建築様式が導入された。その後、少しずつ日本の気候風土や日本人の感覚に合うように改良が繰り返されていった。法隆寺の五重塔や金堂などでも、**雨や湿気が多い日本の気候に対応して軒を深く**し、建物の壁面への影響を少なくする工夫がなされている。五重塔では軒を深くしたことで、屋根がそれぞれに揺れて免振構造となるなど、地震の多い日本の風土に対応する結果にもなった。

平安時代に日本風のやわらかな美を特徴とする**国風文化**が花開くと、**和様**と呼ばれる建築様式に落ち着いていった。鎌倉時代に入ると、**大仏様**や禅宗様といった新しい建築様式が導入され、13世紀以降は大仏様や禅宗様が和様と混ざり合った折衷様式も普及していった。

和様	細い柱で低い天井を支え、間仕切りなどで区切られた狭い空間を持つ物が多く、柱は採色を施さずに素木のまま、シンプルな装飾であることが多い。
大仏様	鎌倉時代に、奈良の東大寺金堂(大仏殿)の再建において、僧の重源が用いた様式。天竺様とも呼ばれる。重源が採用したのは、中国南方の寺院に見られる豪華な雰囲気を持つ様式で、前後や左右に組んで屋根の荷重を支える肘木を多用し、壁面で柱と柱を水平につなぐ貫と呼ばれる構造材を用いることが特徴。東大寺の南大門が大仏様の典型例とされる。
禅宗様	鎌倉時代に中国の宋から伝わった様式で、禅宗の寺院で用いられた。唐様とも呼ばれる。禅宗の発展と共に全国各地の寺院に広がった。大仏様と同じく貫を多用し、貫や梁の先端に木鼻と呼ばれる装飾が施されていること、貫の間に軽い板をはめる桟唐戸や窓枠の上部などに曲線を用いた花頭窓などが用いられていることなどが特徴。

東大寺南大門

寺院建築

基壇	地面から一段高く築いた建物の基礎。土を積み上げた後、周囲を石で囲うものが多く、基壇の上に礎石を置き、柱を立てるのが一般的。和様では、盛った土の周囲を漆喰で固めた「**亀腹**」と呼ばれる基壇が用いられた。
屋根造	日本の伝統的な屋根のつくりには、切妻造、寄棟造、切妻と寄棟を組み合わせた入母屋造、宝形造、八注造などがある。神社建築では切妻造が基本形となっている。
破風	切妻造や入母屋造の屋根などにおいて、屋根の側面にできる三角形（合掌形）の部分。合掌部分がゆるやかな曲線を描く唐破風や本伏せたような山形を描く千鳥破風などがある。
連子窓	四角の窓に縦に格子（連子子）を並べたもので、和様建築の特徴の1つ。
花頭窓（火灯窓）	窓の上枠を花や炎のような形に装飾したもので、禅宗様の特徴の1つ。

仏教寺院の屋根の形

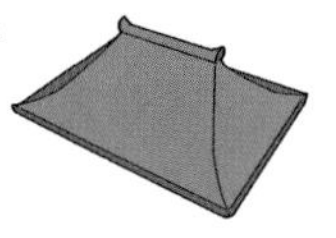

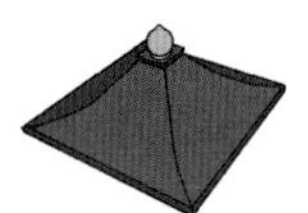

宝形造

入母屋造

仏教寺院の伽藍配置

日本に仏教建築が広がっていく中で、寺院の伽藍配置に特徴が見られるようになった。時代や宗派によって配置が異なり、日本人の仏教の捉え方の変遷を垣間見ることができる。伽藍は基本的に、金堂と講堂、塔、門で構成される。

寺院の中心となる建物はご本尊を安置する**金堂（本堂）**で、禅宗寺院では仏殿とも呼ばれる。説法や法会などの儀式が行われる**講堂**は、広い空間を持ち、禅宗寺院では法堂と呼ばれる。奈良時代までの大寺院では金堂の後ろ（北側）に位置した。釈尊（釈迦）の遺骨である仏舎利を納める舎利塔（ストゥーパ）である**仏塔**は、五重塔や三重塔などがあり、伽藍内部に複数の塔を持つ物もある。**南大門**は寺院の南に面する門で、平安時代初期までの寺院は、一般的に南を正面として建築したため、南大門が正面入口となった。奈良時代までの寺院は、金堂や仏塔がたつ一画を回廊や築地塀などで囲うことが多く、その一画に入るために設けられた門を**中門**と呼ぶ。禅宗寺院では三門（山門）とも呼ばれる。

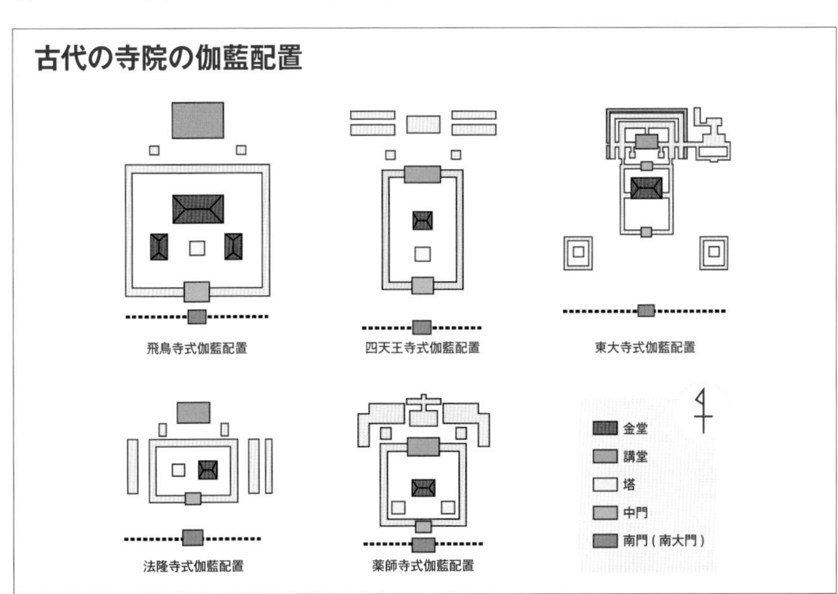

平安時代以降の伽藍配置

平安時代に入ると、唐から帰国した**空海**が本格的に日本に伝えた密教が広がった。密教寺院は山中の地形を活かして伽藍を配置したため、整然とした伽藍配置にはならなかった。また浄土信仰が広まると阿弥陀仏を祀る阿弥陀堂を中心に諸堂を配置する寺院が多く建てられた。鎌倉時代の禅宗は、建物が縦に長く並び、修行の場としての庭園を持つ。また、寺域内に塔頭という子院があるのも特徴。同じく鎌倉時代に広がった浄土真宗では、開祖である**親鸞**を祀る**御影堂**が重視され、阿弥陀堂よりも大きな御影堂を左右に並べることが多い。京都の本願寺（西本願寺）の伽藍配置が典型的な例とされる。

神社建築様式

神社建築の成立には不明な点も多いが、様式の発展には大陸から伝わった**仏教建築に影響を受けた**部分が大きい。初期は仏教建築との差別化が図られたが、奈良時代以降に神仏習合思想が広まると、神社建築と仏教建築は相互に影響を与え合った。

本殿はご神体を安置する社殿で、原則として1つの社殿に一柱のご神体を安置する。人が入ることを前提とせず、外からは見えないことが基本となる。祭儀を行う**幣殿**では、幣帛と呼ばれる神への捧げものを奉る。**拝殿**と一体化している場合も多い。拝殿は祭祀や拝礼を行う建物で、祭礼の際に神職が座る場所がある。一般の参拝者が神社で目にするのは拝殿であることが多く、幣殿や**舞殿**と一体となり本殿より大きくつくられることもある。また春日大社や伊勢神宮のように拝殿がないものもある。舞殿は、祭祀の際に神楽を奉納するための建物で、平安時代以降に建てられるようになった。権殿は、社殿を修復する際にご神体などを一時的に遷すための建物である。

●神社建築

千木	社殿の破風の先につけられるX形に交差した部分で、装飾として棟の上の両端に置かれるものは「置千木」とも呼ばれる。祭神が男神の時は千木の先端を地面に垂直に切る「外削ぎ」、女神の時は地面と水平に切る「内削ぎ」とすることが多い。
堅魚木	棟上に横並びに置かれる丸太状の装飾で、男神の時は奇数本、女神の時は偶数本のことが多い。

切妻造の屋根の千木と堅魚木

本殿に見る神社建築と仏教建築の違い

神社本殿の屋根は、切妻造で、檜皮葺きか杮葺きだが、近代神社建築を代表する権現造は、仏教建築の影響もあり入母屋造の要素が入っている。一方で仏教建築の金堂の屋根は寄棟造が基本で、宝形造や八注造など、寄せ集めたような屋根が特徴といえる。瓦葺きが基本で、入母屋造もある。

仏教の禅宗様の建物は床を張らず壁は土壁が基本であるが、神社本殿では高床式の板張りで、壁も土壁ではなく板張りとなる。

● 主な神社本殿の建築様式

流造	全国に広く普及している本殿の様式。平側（切妻屋根の棟と平行になる側）に入口を持ち、入口側正面の屋根を前面に延ばし入口を覆う向拝としている。正面の横幅が三間（柱が4本で、柱と柱の間が3つ）の場合を三間社流造、一間（柱が2本）の場合を一間社流造という。上賀茂神社と下鴨神社の本殿は三間社流造。宇治上神社の内殿は一間社流造である。数の上では一間社流造が圧倒的に多い。背面の屋根も延ばして向拝とする造りを両流造と呼び、厳島神社本殿に見られる様式。また、平側に入口を持つ点で、伊勢神宮に代表される神明造とも共通する。

春日造	流造に次いで普及している様式で、奈良を中心に近畿圏に多い。妻側（切妻屋根の棟と垂直になる側）の中央に入口を持ち、妻側に向拝を設けている。春日大社に代表されるが、熊野三山の本殿などはその発展形に位置づけられる。出雲大社に代表される大社造も妻側に入口を持つが、入口は妻側中央ではなく、左右どちらかに寄っている。なお、神明造と大社造の柱は、古い形式の特徴である掘立柱となる。
権現造	本殿と拝殿を「**相の間**」と呼ばれる細長い部屋でつなぐ様式。「相の間」は幣殿の役割も果たす。日光東照宮本社に代表される様式で、近代神社建築を代表するものだが、日光東照宮では「相の間」が本殿や拝殿よりも一段低くなっており、石が敷かれて「**石の間**」と呼ばれる点が独特である。同じく輪王寺大猷院も権現造だが、大猷院の「相の間」が板張りの上に畳が敷かれている点で異なる。権現造の屋根は切妻屋根ではなく、入母屋造の要素が取り入れられている。

神社本殿の建築様式

流造

春日造

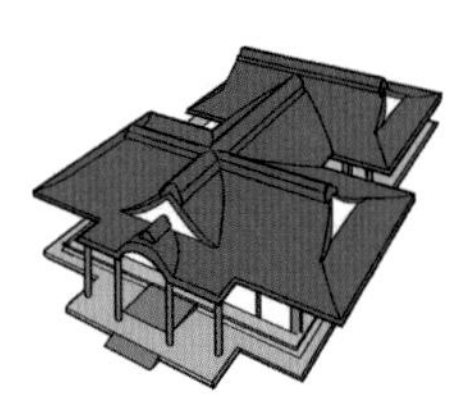
権現造

住宅建築

日本における支配階級の住宅建築様式は、支配者が貴族から武家に移行することで、寝殿造から書院造へと大きく変化した。江戸時代に入り書院造が定着すると、公的な間と私的な間を明確に分けた。多様な室内装飾を発展させた武家風書院造と、茶の湯の発展により書院造に茶室建設を取り入れた数寄屋造に分かれ、近世以降の和風住宅に大きな影響を与えた。

主な住宅建築の様式

寝殿造

平安時代の貴族の住宅に見られる様式で、広大な敷地を築地塀が取り囲み、北半分に住居部分、南半分に庭園を配置されている。住居部分の中心に寝殿（もしくは正殿）があり、その東西（左右）にはその家に仕える女房などが住む**対屋**が置かれた。寝殿と各対屋は、廊下（渡殿）でつながり、東西の対屋から庭園に延びた廊下の先には、釣殿と呼ばれる建物があった。庭園は、白砂敷きや池を中心とした。寝殿は、檜皮葺きや茅葺きまたは板葺きで入母屋造の屋根を持つ。素木を資材として、板張りの床に置き畳や円座を敷いた。

書院造

寝殿造を基本として、室町時代中頃からつくられ始めた様式。慈照寺（銀閣寺）東求堂の同仁斎が最も古い例とされる。書院造は、床の間などのある座敷を指すことがあるが、厳密にいえば武家住宅の建物全体の様式を指す。書院とは机のことで、明かりの必要性から、部屋から張り出した出窓のような部分に設けられた机を意味する。この部分が飾り棚として使われ、飾り棚を持つ部屋が「書院」となった。

全体としては、建物内部を引き戸のような建具で仕切り、室内に床、違い棚、付書院、明障子を設け、棚や付書院に文具、茶器などを一定の方式で飾る座敷飾りがある部屋を持つ様式をいう。

江戸時代に入ると、城郭や大名屋敷などの武家の住宅に取り入れられ、欄干や天井に彫刻や彩色を施したり障壁画を飾るなど室内装飾として発展した。こうした例は、二条城の二の丸御殿や本願寺（西本願寺）の書院などで見られる。

COLUMN

数寄屋造	「数寄」とはもともと風流であることや侘茶*を示す語であったが、後に主に茶室を数寄屋と呼ぶようになった。江戸時代に入ると茶室建築が、一般住宅に取り入れられるようになり、数寄屋造と呼ばれる様式になった。 書院造を基本としているため、床や違い棚など、建築細部の特徴としては書院造と共通点が多い。数寄屋造は、次第に格式を重んじていった書院造に対し、より簡素で自由な空間を目指した建築様式といえる。本願寺(西本願寺)の黒書院は数寄屋造の代表例とされる。

城郭建築

住居や集落を守る砦が発展し、城郭建築になった。古くは砦としての機能が重視され、住居機能と分けてつくられる山城が多かった。石見城跡などが山城跡である。やがて城郭は戦略上の拠点であると同時に権威の象徴としての意味も持つようになり、その象徴として天守がつくられた。城郭建築は住居としての機能も併せ持つようになり、自然の地形を活かした小高い丘の上に築かれるようになった。これが平山城で、姫路城は平山城の代表例といえる。江戸時代に入ると、城郭建築も砦としての機能は重視されず、住居としての機能が中心となった。立地場所も平地となり、平城と呼ばれる。二条城が平城の代表例とされる。

二条城本丸御殿の御常御殿(おつねごてん)

侘茶:茶の湯の様式の1つ。

さまざまな破風が見られる姫路城

城郭には仏教建築や住宅建築の要素も取り入れられている。姫路城ではさまざまな破風を見ることができる。姫路城のように、入母屋破風が2つ並ぶものは「比翼入母屋破風」と呼ばれる。

①千鳥破風
②入母屋破風
③唐破風

庭園建築

日本庭園様式の原点は、「作庭記」に遡ることができる。作庭記の作者は不明だが、平安時代後期の書とされ、庭園造りの基本的な技術について書かれている。日本の庭園は自然と共にあることを目指していた。人が隅々まで手を入れてつくり上げた直線的なヨーロッパの庭園と、自然を模倣する曲線的な日本の庭園とは異なり、庭園からも文化や価値観の違いが見える。

また、世界中の庭園建築において水の流れや池は不可欠の要素であるが、日本では水を用いた園池や州浜、遣水、滝などの他、水を用いずに水を表現する枯山水などもあり、日本文化の独自性をよく表している。

主な庭園様式

<table>
<tr><td>寝殿造の庭園</td><td>寝殿造建築の庭園。人々が宴を楽しむ場所であり、儀式なども執り行った場所とされる。池が設けられたものが多く池には中島が配され、中島へ渡る橋が架けられたものも多かった。平安時代の庭園様式であるが、貴族の日記や絵巻物などからうかがい知るのみで、現存するものはない。ただ厳島神社は、前面の海を園池に、背後の弥山を築山に見立てており、自然景観を庭園とした寝殿造庭園の変化形とする見方もある。
寝殿造庭園を日本庭園の原点とみることもできるが、『日本書紀』にも登場する斉明天皇の飛鳥京跡（奈良県明日香村）からも苑池（園池）や水路といった遺構が発見されており、日本庭園の起源は平安時代以前に遡る可能性も高い。中国大陸や朝鮮半島からの影響を受けつつ、水辺を神聖な場所とする古代日本人の感性が日本庭園の原点ともいえる。</td></tr>
<tr><td>浄土庭園</td><td>平安末期に浄土教が広まると、貴族たちは、自宅の寝殿造庭園に阿弥陀堂を配置し、浄土思想に傾倒していった。浄土庭園を構成する要素には、池や中島が含まれ、寝殿造の要素と共通する部分が多く、その宗教的な変形ともいえる。
阿弥陀如来が創り上げた仏国土（浄土）は、西方にあると信じられていたため、阿弥陀堂は東を正面にして、見る人の西側に配されている。西側に立つ阿弥陀堂とその後ろの築山が、極楽浄土そのものを表現していた。平等院が代表例で、平泉の毛越寺や無量光院なども浄土庭園であったとされる。</td></tr>
<tr><td>池泉回遊式庭園</td><td>池泉回遊式庭園は、回遊式庭園に含まれ、園路を巡りながら庭園を観賞することを目的とし、移動による風景の変化を楽しむものでもある。園路は曲線を描き、庭園に配された小山なども巡るため、視線が左右、上下に動き庭園観賞に奥行きを与える。庭園を構成する要素には、和漢の文学的な意味が込められていた。
池や泉が中心となった回遊式庭園を池泉回遊式庭園という。回遊式庭園そのものの歴史は古いが、江戸時代に大名たちが自らの広大な屋敷に池泉回遊式庭園をつくったことで、全国的に広まった。池泉式では西芳寺や天龍寺の庭園が、池泉回遊式庭園では二条城の庭園や識名園がこれにあたる。</td></tr>
</table>

	禅宗寺院では、修行も兼ねて作庭に力が入れられた。**夢窓疎石**(むそうそせき)に代表される名作庭家が、禅宗寺院から数多く輩出されている。借景庭園、枯山水ともに禅宗寺院に多く見られる庭園様式で、借景庭園は、庭園の外の景色を取り込んで、庭園の一部とする造園技法である。
借景庭園(しゃっけいていえん)	
枯山水	水を使用せず、石や砂を用いて山や川など自然環境を象徴的に表現する造園技法で、武家文化の栄えた室町時代に成立した。室内から観賞することを目的としている。龍安寺(りょうあんじ)の石庭が有名だが、天龍寺や西芳寺の庭園の一部にも枯山水が使われている。江戸時代に入ると、寺院以外にも、書院造や数寄屋造、茶室の庭園に枯山水が取り入れられるようになった。

池泉式でつくられた醍醐寺の三宝院庭園

COLUMN

日本における仏教と神道

日本の神道

神道とは日本の自然信仰に基づく土着の信仰形態で、古くは1つの宗教体系をなすようなものではなく、日本各地の自然環境や風土に対する畏敬の念・禁忌などや、祖先崇拝などを含む多様な信仰であった。当然、開祖などもおらず、巨大な岩や滝、樹木、動物などの理解を超える存在も「カミ」と畏れ敬い儀礼を行ってきた。

日本において「神道」という言葉がはじめて使われたのは、720年に編纂された『日本書紀』の第31代用明天皇*の条に「天皇は仏法を信じ、神道を尊びたもう」と書かれたものだとされる。これは欽明天皇の時代に日本に伝来した仏教と区別するため、日本古来の信仰を「神道」と表現したと考えられており、「神の道」の言葉のルーツは中国の道教にあるとの指摘もある。

神道はその後、伊勢や熊野、八幡、稲荷、天神などの神々への信仰が地域を超えて広がり、仏教などの外来の文化を受け入れながら柔軟に姿を変えて、日本固有の信仰形態として続いていった。

古代から巨大な岩や山の上などが、神が降臨し鎮座する場所と考えられ、その周辺が神聖な場所とされてきた。そこに仮の社を建てて斎場としていたものが、やがて「やしろ」や「みや」と呼ばれるような常設の社殿に替わって行った。各地で力のある豪族などが自分たちの氏神を祀るために社殿を築いたと考えられ、第10代崇神天皇の時代に天照大神を大和の地に祀ったと伝わる。神社建築にも中国から伝わった仏教建築の影響が見られる。

神道の神々は、大きく3つに分けられる。1つ目は、『古事記』や『日本書紀』などで書かれた日本神話に登場する神々。2つ目は日本各地の民俗信仰を起源とする神々。3つ目は天皇や実在の武将などを神格化した人物神。

世界遺産と関係する神の例では、日本神話に登場する伊邪那岐命が熊野三山で祀られる熊野速玉大神、伊邪那美命が熊野夫須美大神とされる。また『日光の社寺』の二荒山神社で祀られる大己貴命は大国主命とされる。

人物神では『古都京都の文化財』の宇治上神社に祀られる応神天皇や、日光東照宮に祀られる東照大権現(徳川家康)、厳島の千畳閣(豊国神社)に祀られる豊国大明神(豊臣秀吉)などがある。

用明天皇：585～587年が在位とされる。

日本の仏教

大陸から仏教が日本に伝来したのは6世紀半ば頃とされるが、すぐに受け入れられたわけではなかった。仏教を推す蘇我氏と神道を推す物部氏との政治的な権力争いの結果、厩戸王(聖徳太子)が加勢した蘇我氏が勝ち、仏教の信仰が一気に広がっていた。また国家鎮護の道具としても用いられ、薬師寺や東大寺などが天皇の命で建てられた。

こうして仏教が広がるにつれて、日本古来の神道の神々は仏が化身として現れた権現である(本地垂迹説)と考えられるようになり神仏習合が進んだ。

政治の中心であった奈良では、平城京を中心に南都六宗と称される6つの宗派が栄えたが、やがて寺院群が政治に口を出すようになってきた。寺院群の影響を弱めるため、桓武天皇は平安京に遷都を行った他、空海や最澄を中国に送り密教を学ばせた。この頃から中国伝来の仏教に日本的な特徴が出てくるようになった。神道などの影響も受け、天台宗や真言宗では呪術や祈祷などの特徴を持つようになった。仏教側でも神仏習合が進んだことがうかがえる。

鎌倉時代に入ると、民衆の魂の救済を説く浄土宗や浄土真宗、日蓮宗などが広がった一方で、日本の武士層や幕府、皇室などにはインドと中国の哲学思想が反映した禅宗が受け入れられた。

こうした仏教は日本独自の歩みを進めるようになったが、明治維新があり明治政府が成立すると、日本古来の神道と外来の仏教を分け、神道を国家宗教とする動きが出てきた。これによって全国で仏教を排斥する廃仏毀釈運動が起こり、仏教界は大きな打撃を受けた。この時、仏教だけでなく、修験道や日本各地の土着の神道も、神道再編の一環で被害を受けている。

世界遺産にも多くの仏教寺院が登録されている。一切の存在のあり方はただ人間の意識の働きによるものであるとする法相宗の元興寺や興福寺、宇宙の真理をあらゆる人に明らかにする毘盧舎那仏を教えの中心とする華厳宗の東大寺、戒律の実践と究明こそが成仏への道と説く律宗の唐招提寺など南都六宗に関連するものの他、「法華経」に解かれた教えを重んじる延暦寺などがある。

COLUMN

世界の三大宗教

キリスト教

キリスト教は、1世紀にイエスの教えに基づいてローマ帝国支配下のパレスチナにて誕生した。イエスはユダヤ社会の宗教的伝統に対する改革者として出現し、神への愛と隣人愛を説いた。しかし、その革新性からローマに対する反逆者として、エルサレムの城壁外のゴルゴタの丘にて十字架にかけられ処刑された。その後、イエスをキリスト(救世主)とする信仰が成立し、イエスの弟子である十二使徒らの宣教活動によって、ローマ帝国内外へと広がっていった。今日では、世界で最も信者が多いとされている宗教である。

イスラム教

イスラム教の開祖は、6世紀末にアラビアのメッカで商人をしていたムハンマド。唯一神であるアッラーから啓示を受け、預言者として偶像崇拝を否定。公正の実現や弱者救済を厳格に主張した。しかし、布教活動はメッカの大商人から迫害を受け、ムハンマドは信者とともにメディナに移住。これはヒジュラ(聖遷)と呼ばれ、イスラム的宗教国家形成の原点とされる。やがてメッカを奪回し、そこで死去した。現在の勢力圏は中央アジアからアフリカ北部、さらには東南アジアに及び、民族を超えた宗教となっている。

仏教

仏教の誕生は、前6〜前5世紀頃と古い。釈迦族の小国の王子ガウタマ・シッダールタが、ブッダガヤの菩提樹で瞑想し、悟りを開いたことが起源。シッダールタは真理に目覚めたブッダ(仏陀)となり、人々が悩みや迷いなどとして現れる苦から脱却し、自らが悟りを開くことを説いた。弟子やその後継者たちによって教えは体系化された。仏教はインドでは衰退したが、主に東南アジアに伝わった上座部仏教と、中国から日本に伝わった大乗仏教を中心に、アジア各地には多様な仏教の宗派が存在している。

世界遺産と生物多様性

生物多様性は、生態系にとってはもちろん、私たちの文化や生活の質にとっても非常に重要である。世界遺産はそうした生物多様性を保護・保全する優れた場所を代表しており、その価値の重要性を世界に向けて発信している。

それでも、UNESCOの世界遺産に登録されているのは多様な種のわずか20%に過ぎず、保護している範囲は地球の表面積のわずか1%でしかない。

日本が世界遺産条約に参加した1992年に開催された「**国連環境開発会議（地球サミット）**」で、生物多様性の保全と生物多様性の持続可能な利用、遺伝資源の利用から生まれる利益の公正・衡平な分配などを目的とする「**生物多様性に関する条約（生物多様性条約）**」が採択され、1993年に発効した。また、2022年12月の生物多様性条約第15回締約国会議（COP15）で「**昆明・モントリオール生物多様性枠組（GBF）**」が採択されたことを受け、世界遺産委員会は全締約国に枠組みの実現に向けた積極的な取り組みを呼び掛けた。

一方で、文化遺産も生物多様性にとって無関係ではなく、文化遺産の約20%は「重要生物多様性地域（KBA）*」にあり、それ以外でも自然との共生の価値が評価された文化的景観などもある。**文化的な多様性が高い地域は、多くの場合、生物学的な多様性も高い地域**だと考えられている。そのためUNESCOと「生物多様性条約事務局（SCBD）」は、生物と文化の多様性に関する共同プログラムも行っている。

現在UNESCOでは、『W - アルリ - ペンジャーリ国立公園群』や『ガランバ国立公園』などでのゾウやキリンなどの絶滅危惧種の保護活動や、『マノヴォ - グンダ・サン・フローリス国立公園』での内戦後の野生動物の段階的回復の活動、『マラウイ湖国立公園』での魚類の生物多様性保護などを行っている。

海洋では3分の2近くが公海であるため、「国家管轄権（ABNJ）」を超えた海洋地域の生物多様性についてもUNESCOが積極的に取り組んでいる。

『マラウイ湖国立公園』

重要生物多様性地域（KBA）：国際基準で選定された生物多様性保全の鍵となる地域。

COLUMN

世界の宗教建築

キリスト教聖堂建築

313年に出されたミラノ勅令によりローマ帝国においてキリスト教が公認されると、キリスト教徒たちは集まって宗教活動を行うための施設を公式に持てるようになった。これ以後、数々のキリスト教の聖堂が生み出されることとなるが、それらはプラン（平面図）から見た形式としてバシリカ式、ラテン十字形、集中式、ギリシャ十字形の4種類に大きく分類されている。

バシリカ式、ラテン十字形、集中式、ギリシャ十字形の概要

バシリカ式聖堂の内部は、入口から内陣までの3つの細長い空間で構成されており、真ん中にある廊下を身廊（しんろう）、列柱で区切られたその両脇にある廊下を側廊（そくろう）と呼ぶ。身廊の天井は側廊の天井より高く、側壁に高窓があることが多い。側廊がなく、身廊しか持たない聖堂を「単身廊式」、列柱が左右各1列のものを「三廊（さんろう）式」、各2列のものを「五廊（ごろう）式」と呼ぶ。

そのバシリカ式が発展した形式がラテン十字形だ。長軸と短軸がクロスする十字形で、短軸の両端には翼廊（よくろう）、アプシスにある祭壇の後ろには周歩廊（しゅうほろう）と呼ばれる通路が設けられている。

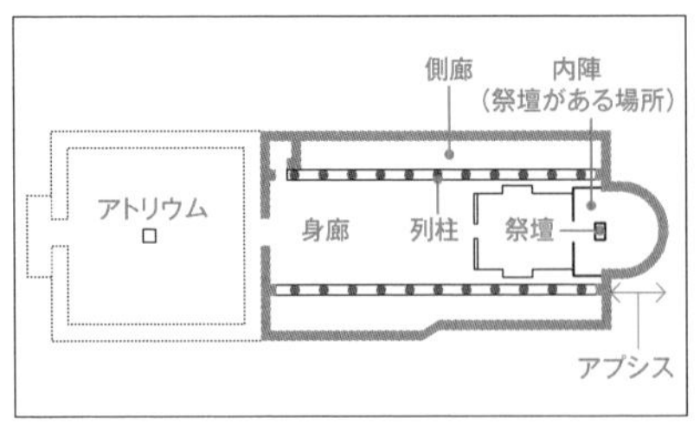

バシリカ式

一方、集中式は各要素が中心へと集中していく構成を持つ。中心部分が身廊で、その外側に設けられているのが周歩廊。平面は円形や多角形で、屋根は通常、石造の場合はドーム形、木造の場合は円錐形とされる。集中式は聖人の遺骸や遺品を中央に安置する記念堂や、中央に洗礼盤を置く洗礼堂に用いられることが多い。

ギリシャ十字形は、集中式が発展した形式。縦軸と横軸の長さがほぼ等しい正十字形をしている。中心部に身廊が設けられており、屋根に複数のドームがあるのも特徴とされる。この形式は、東方正教会の主流形式である。

また、東方正教会の一派であるロシア正教会によって、葱坊主（ねぎぼうず）形ドームという形式も生み出されている。

イスラム寺院建築

イスラム教の礼拝堂であるモスク(アラビア語の「マスジド(平伏の場)」から派生)の起源は、ムハンマドが神の啓示を信者に伝えた自宅の中庭とされる。メッカを目指す軸(キブラ)を基準に建てられており、祭壇や像は置かれていないが、柱や壁面、燭台(しょくだい)などにアラベスクや幾何学文様などが施されている。内部にはメッカの方向を示すミフラーブ(壁龕(へきがん))があり、信者が多く集まるモスクにはミンバル(説教壇)がある。外郭には、モスクへの礼拝の呼び掛けを行うミナレットと呼ばれる尖塔がある。

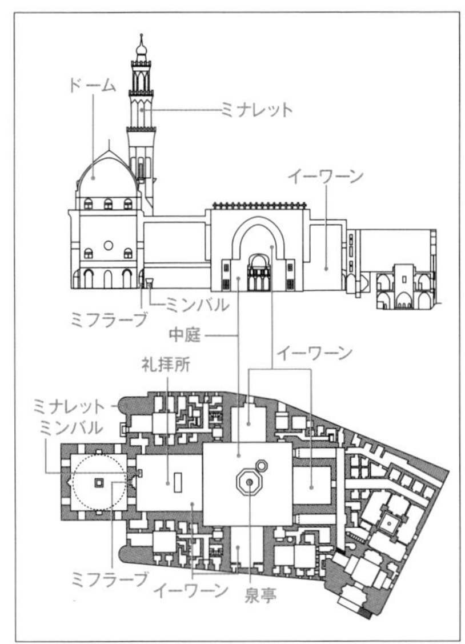

モスクの基本的な構造

多柱式、前方開放式、中央会堂式の概要

多柱式はムハンマドが住んでいた、メディナの住宅に倣(なら)ったといわれる形式。木柱、石柱またはレンガでつくられた、断面の大きい柱を等間隔に並べることを基本とする。シリアにあるウマイヤ・モスクの礼拝堂に代表される形式である。

前方開放式は、中庭を囲む四辺に、三方が壁面で囲まれ中庭を向いた4つのイーワーンと呼ばれる空間を配した形式。中庭の四方にイーワーンが設置されていることから、「4イーワーン形式」ともいわれる。イスファハーンの金曜のモスクは、その代表的な例とされる。

中央会堂式はビザンツ建築の影響を受け、大小複数のドーム屋根を持つ形式。14世紀以降に見られるようになり、16～17世紀に最盛期を迎えた。1616年に建造されたトルコのブルー・モスクは、その代表とされる。

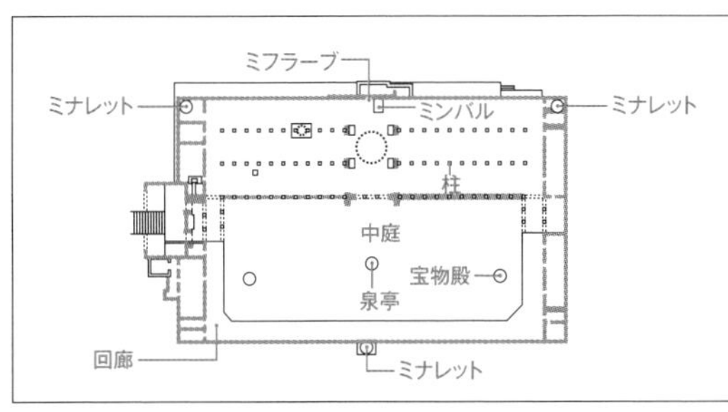

多柱式プラン

仏教寺院建築

仏教寺院建築は、仏教の開祖であるブッダ（仏陀）の遺骨を納めたストゥーパ（仏塔）を中心に各地で発展をとげた。ストゥーパは、基壇の上に鉢を伏せたようなドーム状のものが載っている建物で、現存する最古のものは、インドのサーンチーにある「第1ストゥーパ」である。ストゥーパが礼拝の対象とされ、各地に建造されていくと、ストゥーパをまつる祠堂と修行僧が住む僧院が結びつき、この2つが仏教寺院を構成する基本的要素となった。

仏教がインドから各国に伝播するとともに、仏教建築も各国で独自の様式を形成していく。東南アジアには、ジャワ島にあるボロブドゥールの仏教寺院群など、基壇の上に小ストゥーパや祠堂が積み重なった、巨大ストゥーパが数多く建てられている。その周囲には回廊などが設けられており、建物全体が曼陀羅のような構造をしているものも多く見られる。

シルクロードを経由して中国に伝来したストゥーパは、中国古来の楼閣建築と融合して層塔となり、三重、五重、七重などの塔が生まれた。これが朝鮮を経て日本に伝わり、法隆寺五重塔などの塔建築が建てられていった。

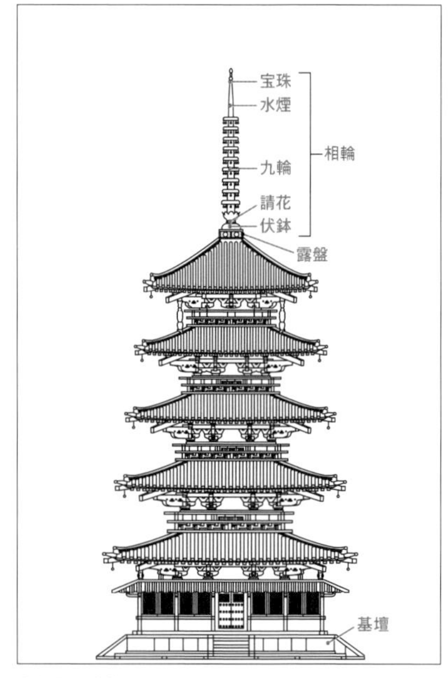

法隆寺五重塔

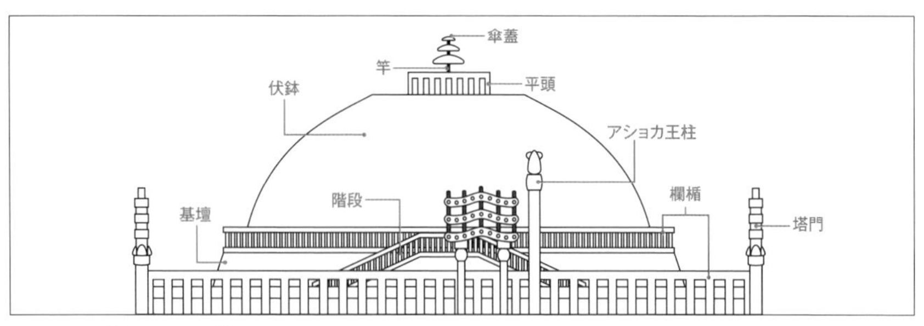

サーンチーの「第1ストゥーパ」

ヒンドゥー教寺院建築

ヒンドゥー教では、寺院は「神の家」とされ、その内部は多くの神像で飾られている。建物の中枢となるのが、神が宿るという像を安置するための、ガルバグリハ（母胎の部屋）と称される聖室。ガルバグリハがある建物はヴィマーナ（神を乗せる車）と呼ばれ、本堂の役割を持つ。そして通常、ヴィマーナの前面にはマンダパ（拝堂）が建てられる。ヴィマーナとマンダパの組み合わせがヒンドゥー教寺院の基本形であり、これは石窟寺院の場合も同様である。

ヒンドゥー教が伝播した東南アジアのジャワ島では、古くから先祖崇拝が行われていたため、「神の家」としての寺院が祖先を祀る廟の役割も併せもった。ジャワ島には、マンダパを持たない塔状のヒンドゥー教寺院も多く見られる。

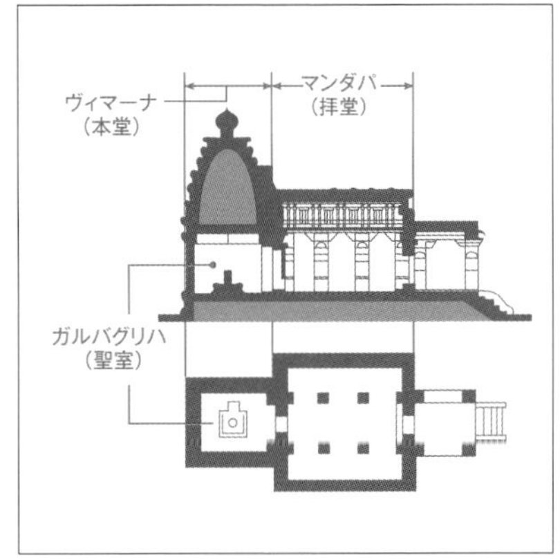

ヒンドゥー教寺院の基本的な構造

北方型と南方型

ヒンドゥー教寺院建築は、中世に北方型と南方型に分化して発展していった。両者の違いは、ヴィマーナの上に配された塔状部によく表れている。

北方型では、ヴィマーナの上部が砲弾形の尖塔となっており、その尖塔全体を指してシカラ（頂）と呼ぶ。これに対し南方型は、ヴィマーナの上部に小さな祠堂や彫刻群が横に並べられ、その層が階段状に積み重なってピラミッド形の塔状部が形成されている。頂部には小型の屋根が配されているが、南方型ではこの屋根のみを指してシカラと呼んでいる。

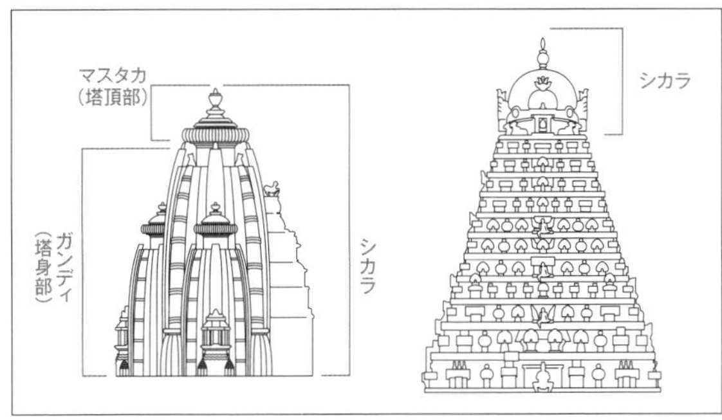

北方型（左）と南方型（右）のヴィマーナ上部

COLUMN

無形文化遺産条約と世界の記憶

UNESCOの文化保護事業として、有形の不動産を保護する「世界遺産条約」の他に、無形の文化財を保護する「**無形文化遺産条約**」と、消滅の危機にある有形の動産を保護する「**世界の記憶**」事業がある。この3つの事業で、自然環境の中で形作られてきた全ての人間の文化活動が保護されることを目指している。

無形文化遺産条約

「無形文化遺産の保護に関する条約（無形文化遺産条約）」は、2003年の第32回UNESCO総会で採択された。この条約は、世界遺産条約では直接的な保護の対象となっていない無形の文化遺産の価値を認識して保護し、次の世代に伝えていくことを目的としている。

● 無形文化遺産条約の目的

① 無形文化遺産を保護する
② 関係するコミュニティや社会、集団、個人の無形文化遺産を尊重する
③ 無形文化遺産の重要性と、無形文化遺産を相互に評価することを確保することの重要性に対する意識を、地域的、国内的、国際的に向上せる
④ 国際的な協力と援助について規定する

世界遺産とは異なり、無形文化遺産条約では「**代表的な無形文化遺産リスト（代表リスト）**」と「**緊急に保護する必要がある無形文化遺産リスト（緊急保護リスト）**」の2つのリストがある。それに加えて、世界各地の無形文化遺産保護活動の成功事例（**ベスト・プラクティス**）を載せる「レジスター（登録簿）」がある。また、無形文化遺産条約の運用は「無形文化遺産の保護に関する条約の実施のための運用指示書（**運用指示書**）」に従って行われる。

無形文化遺産条約の背景

無形文化遺産条約は、1997年にUNESCOが開始した「人類の口承及び無形遺産に関する傑作の宣言」プログラムを起源とする。1998年には「傑作の宣言」のための規定が採択され、2001年、2003年、2005年の3回で90件の無形文化遺産が傑作として宣言された。日本からは2001年に「能楽（のうがく）」、2003年に「人形浄瑠璃文楽（にんぎょうじょうるりぶんらく）」、2005年に「歌舞伎（かぶき）（伝統的な演技演出様式によって上演される歌舞伎）」が宣言されている。

また、2001年の第31回UNESCO総会では「文化的多様性に関する世界宣言」が採択され、無形文化遺産の重要性が明確になった。そこで当時UNESCO事務局長であった松浦晃一郎氏が世界に働きかけ、世界遺産条約をモデルとした無形文化遺産条約案がまとめられた。しかし、評価の過程で世界各地の文化に優劣をつけることになりかねないなどの懸念が出されたため、無形文化遺産条約からは「傑作」の概念が取り除かれ、リストに記載されている遺産と記載されていない遺産の間の優劣をつけない方向に修正された。そうしてようやく2003年に採択され、締約国が30ヵ国に達した2006年に発効した。

無形文化遺産の定義

無形文化遺産とは、伝承者や保持者、実践する者であるコミュニティや社会、個人が、**自分たちの文化遺産の一部と認める慣習や描写、表現、知識、技術**、またそれに**関連する器具や物品、加工品、文化的空間**を指す。そうした無形文化遺産は、世代から世代へと伝承され、社会や集団が自己の環境、自然との相互作用、歴史に対応して絶えず再現されるものである。そして、その社会や集団に**同一性や継続性の認識を与える**ことによって、文化の多様性や人類の創造性を尊重する意識を高めるものでもある。

一方で、無形文化遺産については、既存の人権に関する国際文書や、社会と集団、個人間の相互尊重、そして持続可能な開発の要請と両立し得ないものは保護の対象としていない。

無形文化遺産は特に次の分野で示される。

● 無形文化遺産の主な分野

① 口承による伝統および表現(無形文化遺産の伝達手段としての言語を含む)
② 芸能
③ 社会的慣習、儀礼および祭礼行事
④ 自然および万物に関する知識および慣習
⑤ 伝統工芸技術

締約国の役割

締約国は、国内の無形文化遺産に必要な保護措置をとらなければならないこと、また無形文化遺産条約に定められている保護措置の一環として、社会やコミュニティ、NGOなどと協力して国内にどのような無形文化遺産があるか特定し定義しなければならないことなどが定められている。2つ目の点について、日本は新たなリストは作成せず、文化財保護法に基づいて保護されている無形文化財を国内のリストとしている。

締約会議と委員会

締約国会議は、無形文化遺産条約を締約した全ての国で構成される会議で、条約の最高機関である。原則として2年に1度開催され、政府間委員会の委員国選出や、政府間委員会の活動の監督、基金への拠出分担金の決定、ビューロー会議の選出などを行う。「**無形文化遺産の保護のための政府間委員会**」は、24カ国で構成され、2つのリストとベスト・プラクティスのレジスターへの遺産記載の決定、国際援助の検討、運用指示書の改訂などを行う。委員会委員国の任期は4年で、2期連続の選出は禁止されている。

代表リストと緊急保護リスト

代表リストとは、無形文化遺産の認知度を向上させ、無形文化遺産の重要性について広く認識してもらうためのもので、文化の多様性を尊重する対話を促している。5つの登録基準に基づき推薦された遺産を、まず政府間委員会のうちの6ヵ国で構成される「補助機関」が事前審査を行い「登録」、「情報照会」、「不登録」の3段階で勧告を行う。その勧告に基づき、政府間委員会が登録を決定する。

緊急保護リストとは、適切な保護の措置をとるために、緊急で保護する必要がある無形文化遺産を記載するためのもの。6つの登録基準に基づき推薦された遺産を、政府間委員会が指名する専門家とNGOからなる「諮問機関」が事前審査を行い「登録」、「情報照会」、「不登録」の3段階で勧告を行う。その勧告に基づき、政府間委員会が登録を決定する。

代表リストも緊急保護リストも、審査の際に現地調査は行われない。これは世界遺産条約と異なり、リストに記載する遺産の価値を審査するのではなく、無形文化遺産条約の精神を反映しているか、関係者や地域住民にとってその価値が意識されているかということを判断するものだからである。

ベスト・プラクティスのレジスター

無形文化遺産そのものを対象としたものではなく、無形文化遺産の保護や取り組み例を対象としている。無形文化遺産条約の中では、「この条約の原則および目的を最も反映していると判断されたものが選ばれる」と書かれている。9つの基準を基に「諮問機関」が審査を行い、政府間委員会が登録を決定する。

無形文化遺産の保護は多様で難しいため、ベスト・プラクティスのレジスターを作ることで、無形文化遺産の保護について十分なノウハウや経験がない国にも事例が共有される。また世界遺産リストで問題視されている、「リスト記載の目的化」を防ぐという意図もある。

日本の無形文化遺産（2024年3月時点）

①能楽（2008年）
②人形浄瑠璃文楽（2008年）
③歌舞伎（伝統的な演技演出様式によって上演される歌舞伎）（2008年）
④雅楽（ががく）（2009年）
⑤小千谷縮（おぢやちぢみ）・越後上布（えちごじょうふ）（2009年）
⑥奥能登（おくのと）のあえのこと（2009年）
⑦早池峰神楽（はやちねかぐら）（2009年）
⑧秋保（あきほ）の田植踊（たうえおどり）（2009年）
⑨大日堂舞楽（だいにちどうぶがく）（2009年）

⑩題目立(だいもくたて)(2009年)
⑪アイヌ古式舞踊(こしきぶよう)(2009年)
⑫組踊(くみおどり)(2010年)
⑬結城紬(ゆうきつむぎ)(2010年)
⑭壬生(みぶ)の花田植(はなたうえ)(2011年)
⑮佐陀神能(さだしんのう)(2011年)
⑯那智(なち)の田楽(でんがく)(2012年)
⑰和食；日本人の伝統的な食文化(2013年)
⑱和紙：日本の手漉和紙(てすきわし)技術(2014年)
⑲山(やま)・鉾(ほこ)・屋台(やたい)行事(2016年)
⑳来訪神(らいほうしん)：仮面・仮装の神々(2018年)
㉑伝統建築工匠(こうしょう)の技：木造建造物を受け継ぐための伝統技(2020年)
㉒風流踊(ふうりゅうおどり)(2022年)

「山・鉾・屋台行事」に含まれる京都の祇園祭

世界の記憶

「世界の記憶」事業とは、消滅の危機にある手書き文書や書物、地図、映画フィルム、写真、デジタル記録など、世界的に重要な記録物への認識を高め、文化の記録としてデータベース化し、アクセスを促進することを目的としたUNESCOの事業で、1992年に開始された。人類史において特に重要な記録物を国際的に登録する制度は1995年より実施されている。国際条約として採択されたものではない。

登録の審議は2年に1回行われ、「国際諮問委員会(IAC)」の勧告に基づき、UNESCO執行委員会で決定される「国際登録」と、「アジア太平洋地域委員会(MOWCAP)」などが決定する「地域登録」がある。「国際登録」と「地域登録」に上下関係はなくUNESCOにとって等しく重要であるとしている。「国際登録」と「地域登録」の両方に登録することもできる。

● 「世界の記憶」の目的

① 世界的に重要な記録遺産の保存を、最も相応しい技術を用いて促進すること
② 重要な記録遺産になるべく多くの人がアクセスできるようにすること
③ 加盟国における記録遺産の存在および重要性への認識を向上させること

国際登録

1ヵ国からは1回につき2件まで申請することができる。申請は偶数年に行い、世界的に重要であると判断されたものが奇数年に登録される。申請された遺産は登録小委員会が審議を行った後、国際諮問委員会が審査を行い、最終的にUNESCO執行委員会が承認する。

● UNESCOにおいて日本関連とされているもの（2024年3月時点）

①山本作兵衛炭坑記録画・記録文書（2011年）
②御堂関白記（2013年）
③慶長遣欧使節関係資料（2013年）
④舞鶴への生還　1945～1956シベリア抑留等日本人の本国への引き揚げの記録（2015年）
⑤東寺百合文書（2015年）
⑥上野三碑（2017年）
⑦朝鮮通信使（2017年）
⑧智証大師円珍関係文書典籍－日本・中国の文化交流史－（2023年）

国際登録

1国からは1回につき3件まで申請することができる。申請は奇数年に行い、地域的重要性があると判断されたものが、偶数年に登録される。「アジア太平洋委員会（MOWCAP）」の場合、推薦された遺産をMOWCAPの登録小委員会が審査し、MOWCAP総会の投票で登録が決まる。

● UNESCOにおいて日本関連とされているもの（2024年3月時点）

①水平社と衡平社に関する記録：国境を越えた被差別民衆連帯の記録

COLUMN

世界遺産と気候変動

私たちの生活も文化も、自然環境や生態系から多くの恩恵と影響を受けている。そうした自然環境や文化を代表する世界遺産が現在、地球規模の気候変動の影響を受けている。気候変動が世界遺産の「顕著な普遍的価値」に与える影響を理解し、それに効果的に対応する必要がある。

気候変動により地球が温暖化すると、雨量の偏りや海面上昇、海洋温暖化、海洋酸性化などがあるだけでなく、ハリケーンや台風、山火事や旱魃(かんばつ)、洪水などの極端な現象のリスクが増加する。「気候変動に関する政府間委員会(IPCC)」の報告では、その影響は長期的かつ戻ることのできないものになる可能性がある。

世界遺産委員会では2008年に「気候変動が世界遺産に与える影響に関する政策文書」を採択して以降、議論が続けられてきた。2021年の第44回世界遺産委員会で決まった気候変動と世界遺産に関する専門家委員会が2022年にオンラインで開催され、それに基づき2023年のUNESCO総会にて「世界遺産のための気候変動に関する政策文書」が採択された。

そこでは、気候変動は世界遺産に対する最も重大な脅威の1つとなっていること、そして気候変動が、多くの世界遺産の完全性や真正性を含む「顕著な普遍的価値」に影響を与えるだけでなく、世界遺産に関連するコミュニティの経済・社会的な発展や生活の質にも影響を及ぼしていることなどが再確認された。

急激に変化する気候と地球規模の生物多様性の損失は、人間がいかに地球に悪影響を及ぼしているのかを知る明確な指標となっている。自然遺産は、炭素を蓄え土壌を安定させるなど、気候変動の影響や災害に対する緩衝材となってきた。同時に生態系の回復、地域コミュニティに対するきれいな水や食糧の提供、避難所としての役割なども担ってきている。

一方で、文化的景観や歴史的都市、遺跡、地域固有の文化を示す建造物などの文化遺産は、地域資源の持続可能な利用の例を示していると言える。また先住民族や地域社会の伝統的慣習や景観形成は、将来の気候リスクに備えるための知識体系として重要な情報源となっている。

世界遺産は今後、「顕著な普遍的価値」を守りながら、可能な限りカーボン・ニュートラルにして回復力を高め、変化する気候に人々が対応するために貢献できるようにならなければならない。

世界遺産は物理的かつ社会的なプロセスの一部であり、周囲の地域や生態系、コミュニティ、社会などと強力に結びついている。それぞれは独立しているわけではなく、相互に依存している。そのため、世界遺産の関係者にとって、気候変動との関係に対する意識を高め、政策決定者や地域コミュニティなどと連携を取りながら改革を進めることが重要となる。

世界遺産の保護・保全に関して気候変動対策を盛り込むことが不可欠であり、全ての世界遺産条約締結国に対して保有する世界遺産の遺産影響評価（HIA）を行って世界遺産委員会に報告することや、新しく世界遺産登録を目指す遺産については気候変動の影響や対策を推薦書に明記することが決まった。

気候変動の影響が指摘されている遺産としては、キリマンジャロ山の氷河の減少が懸念されるタンザニアの『キリマンジャロ国立公園』や、アレッチュ氷河の縮小などが指摘されているスイスの『ユングフラウ-アレッチュのスイス・アルプス』、250年以上前から氷河の定期調査が続くデンマークの『イルリサット・アイスフィヨルド』などの他、海水温の上昇や海洋酸性化などの理由からサンゴ礁の白化が問題となっているオーストラリアの『グレート・バリア・リーフ』などがある。

海面上昇による影響は、ソロモン諸島にある自然遺産『東レンネル』だけでなく、毎年浸水被害に合っているイタリアの『ヴェネツィアとその潟』のような文化遺産でも報告されている。

気候変動との影響が直接指摘されていないものでも、フランスの『ブルゴーニュのブドウ栽培の景観』のような場所では、朝晩の気温差が作り上げる地域固有のワインの味が出せなくなるなども問題も懸念されている。

気候変動の問題は、自然遺産だけでなく、私たちの文化の根幹にかかわる問題として捉え、早急に対策をとっていく必要がある。世界遺産はその進捗を示す指標と言える。

イルリサット・アイスフィヨルドの氷河

COLUMN

自然遺産と絶滅危惧種

自然遺産の登録の際、IUCNが専門調査を行う。その調査において「動植物の生態系」に関する「顕著な普遍的価値」の有無を判断するのが登録基準（ix）と（x）である。現在、自然遺産の約3分の2がこの2つの登録基準を認められている。そのなかでも、絶滅危惧種の生息域の価値である登録基準（x）を判断する際に、その基準の1つとなっているのが、IUCNが発表する「**絶滅の恐れのある生物種のレッドリスト**（以下、「レッドリスト」）」である。

レッドリスト*は、世界中の野生生物の種と生息状況を調査し、絶滅の恐れのある生物種をリスト化して公表するもので、世界の生物多様性に関する重要な指標となっている。レッドリストの作成は1964年に始まり、1966年にはじめて発行された。

レッドリストは、未だ評価を行えていない「未評価（NE）」を除くと、8つのカテゴリーに分類されている。

● IUCNのレッドリストのカテゴリー

①**絶滅種（EX）**：疑いなく、最後の個体が死亡した場合。かつての分布域と、考えられる生息環境全てで一定期間調査を行い、1個体も発見することができなかった場合に分類される。

②**野生絶滅種（EW）**：栽培や飼育、もしくは過去の生息域の外で野生化している個体しか確認されていない場合。考えられる生息環境全てで一定期間調査を行い、1個体も発見することができなかった場合に分類される。

③**絶滅寸前種（CR）**：利用可能な最善の証拠が「深刻な危機」の基準のどれかに当てはまり、野生において非常に高い絶滅のリスクに直面している場合。3世代もしくは10年以内に個体数が80%以上減少しているなどの基準がある。

④**絶滅危惧種（EN）**：利用可能な最善の証拠が「危機」の基準のどれかに当てはまり、野生において非常に高い絶滅のリスクに直面している場合。3世代もしくは10年以内に個体数が50%以上減少しているなどの基準がある。

⑤**危急種（VU）**：利用可能な最善の証拠が「危急」の基準のどれかに当てはまり、野生において非常に高い絶滅のリスクに直面している場合。3世代もしくは10年以内に個体数が30%以上減少しているなどの基準がある。

レッドリスト：IUCNとは別に、日本の野生生物種について環境省がレッドリストを作成している。

⑥**準絶滅危惧種（NT）**：レッドリストの基準に照らして評価し、「深刻な危機」、「危機」、「危急」のどの基準にも現段階では当てはまらないが、近い将来、絶滅危惧種のカテゴリーに当てはまるか、当てはまる可能性があると考えられる場合。

⑦**軽度懸念種（LC）**：レッドリストの基準に照らして評価したが、「深刻な危機」、「危機」、「危急」のどの基準にも現段階では当てはまらない場合。

⑧**データ不足（DD）**：十分な情報がないため、分布状況や個体群の状況に基づいて絶滅のリスクを直接的にも間接的にも評価できない場合。このカテゴリーに分類された種については、よく研究されて生物学的には理解されているが、その個体数や分布に関する適切なデータが不足している。

この分類のうち、「絶滅寸前種（CR）」と「絶滅危惧種（EN）」、「危急種（VU）」を絶滅の危険性が高い絶滅危惧種としている。また、環境省が独自に作成するレッドリストでは、「絶滅寸前種（CR）」を「絶滅危惧IA類」、「絶滅危惧種（EN）」を「絶滅危惧IB類」、「危急種（VU）」を「絶滅危惧II類」としている。IUCNと各国のレッドリストは、分類や評価が一致しているわけではなく、『奄美大島、徳之島、沖縄島北部及び西表島』の西表島に生息する固有種のイリオモテヤマネコを、日本では独立種としているがIUCNではベンガルヤマネコの亜種に分類している。

レッドリストでは全野生種の28%以上が絶滅の危機に直面しているとされ、特に割合が高いのはソテツ類の70%で、それに続くものとして両生類の41%、サメ・エイ類の37%、造礁サンゴ類の36%、針葉樹34%などが挙げられている。

レッドリストへの記載は、「法的な保護を行う」のと同じ意味ではなく、危機的状況に置かれている生物種を明らかにする基準である。それぞれの地域が責任を持って保護対策を行う必要がある。現在、危機遺産リストに記載される自然遺産では、内戦、密猟など人間が原因となっているものが多くを占めている。生態系の保全と生物種の保存は、世界遺産活動の大きなテーマであり、人類が自ら解決しなければならない大きな宿題でもある。

● レッドリストに掲載されているカテゴリー

【EX】Extinct	絶滅種
【EW】Extinct in the wild	野生種絶滅
【CR】Critically Endangered	絶滅寸前種
【EN】Endangered	絶滅危惧種
【VU】Vulnerable	危急種
【NT】Near Threatened	準絶滅危惧種
【LC】Least Concern	軽度懸念種
【DD】Data Deficient	データ不足

COLUMN

世界遺産と先住民

世界遺産に登録されている場所は、文化遺産に限らず自然遺産にも多くの先住民族が暮らしている。UNESCOでは、2007年に国連で採択された「**先住民族の権利に関する国連宣言(UNDRIP)**」と、2008年に発行された先住民族に関する「国連開発グループ(UNDG)」のガイドラインを受けて、2018年に「**先住民族との関わりに関するUNESCOの方針**」が採択された。

その中で、世界遺産は多くの場合、先住民族によって管理されている土地にあり、先住民族による土地利用や知識、文化的・精神的な価値観や実践は、世界遺産と関係している。そのため、伝統的な土地や領土に対する先住民の権利を受け入れ、先住民が受け継いできた伝統的な管理システムを、新しい世界遺産の管理手段の一部であると理解するとしている。また先住民族は、世界の生物学的、文化的、言語的な多様性にとって重要な役割を担う管理者であり、遺産の保全と保護に関するパートナーであるとしている。

「先住民族の権利に関する国連宣言(UNDRIP)」は、2007年の国連総会で採択された、**先住民族の権利に関する最も包括的な宣言**で、世界中の先住民族の生存や尊厳、福祉のための最低限の基準と普遍的な枠組みを確立し、既存の人権基準と基本的自由を先住民族の特定の状況に当てはめることを目的としている。

世界遺産委員会は、この「先住民族の権利に関する国連宣言(UNDRIP)」と「先住民族との関わりに関するUNESCOの方針」に従って、先住民族による世界遺産の特定や管理、保護などに関する権利を確認している。それは世界遺産条約の作業指針の中にも先住民族への言及が多くなされていることからもうかがえる。世界遺産委員会では世界遺産と先住民族に関して、以下のようなことを実施してきた。

ボリビアの先住民族の少女

世界遺産条約が先住民族に関係して行ったことの一部

①1992年に文化的景観の概念を採用し、先住民族の無形の文化や慣習を文化遺産の価値として認めることができるようになった。そして、1993年にマ

オリ族の文化を含む『トンガリロ国立公園』が文化的景観の価値が最初に認められた遺産となり、1994年にはアボリジニの文化を含む『ウルル、カタ・ジュタ国立公園』でも認められた。

②1994年の「世界遺産リストにおける不均衡の是正及び代表性、信頼性確保のためのグローバル・ストラテジー」で先住民族に関する遺産の登録も強化された。

③国連の「先住民族の権利に関する国連宣言(UNDRIP)」採択と同じ2007年、「世界遺産条約履行のための戦略的目標」に先住民族も考慮した「Communities(共同体)」が加えられた。

④2012年の世界遺産条約40周年関連イベントで、「世界遺産条約と先住民族に関する国際専門家ワークショップ」が開催された。

⑤2017年の第41回世界遺産委員会で、「**世界遺産のための国際先住民族フォーラム***」が設立され、世界遺産の特定、保存、管理に先住民族コミュニティを高めることが確認された。

⑥2017年に世界遺産センターから、先住民族が形成に貢献した自然遺産や文化遺産の保全における先住民族の役割を含む「先住民族に関する政策文書草案」が提出され、「先住民族との関わりに関するUNESCOの方針」として承認された。

⑦2019年の第43回世界遺産委員会で、「世界遺産の保護のための先住民族の言語」のイベントが開催された。

2013年の第13回世界遺産委員会にカナダから複合遺産として「ピマチオウィン・アキ」が推薦されていた。しかし、諮問機関の事前調査で、ICOMOSからは伝統的な建造物もなく文化遺産としては評価できないと評価され、IUCNからも広大な北方林はカナダの他の地域やロシアにも広がっているため顕著な価値は見られないと評価されて、複合遺産としては「登録延期」勧告が出された。

これに対し、「ピマチオウィン・アキ」の一帯に暮らす先住民族のアニシナアベ族は、自分たちは自然と共生して暮らしてきており、文化と自然を切り分けて別々に評価することは望んでいないとして、自然と文化を一体として評価することを求めた。

この先住民族からの主張を受けて、世界遺産における自然と文化の関係性とその評価方法について議論が行われ、『ピマチオウィン・アキ』は2018年に無事、複合遺産として登録された。

このように先住民族の文化や自然の関わり方や主張が、世界遺産条約の運用にも影響を与えるような重要な位置を占めるようになってきている。

世界遺産のための国際先住民族フォーラム：2018年の第42回世界遺産委員会で正式に発足した。

COLUMN

世界遺産と観光

世界的に観光が文化面と経済面で注目されるようになっており、観光客の取り込みが各国の政治・経済的な課題に位置付けられている。世界遺産を有効活用するスペインやイタリアなどの例を挙げるまでもなく、世界遺産は各国にとって有力なコンテンツとなっている。一方で観光客の立場から見ると、有名な観光名所の多くは世界遺産に登録されており、ホストとゲストの両方の立場から世界遺産と観光は切り離すことができないと言える。

世界遺産に登録され世界中から人々が訪れることが、UNESCO憲章の謳う「相互理解」や「多文化理解」につながっている反面、遺産を保護・保全し次の世代へと引き継いでゆく世界遺産の考え方と、従来の観光のあり方との間には相容れない点もある。文化遺産の場合、人々の生活と密着した旧市街や伝統的集落、現在も信仰の対象となっている教会や寺院など、観光客が訪れることによって生活文化や信仰形態が乱されることも少なからずある。また、自然遺産の場合、手つかずの自然を保ってきた場所に観光客が訪れることによって、外来種の問題や自然自体を傷つける環境破壊、ゴミやトイレ問題など、取り返しのつかない事態になることもあり、より深刻である。近年では、大型クルーズ船観光による環境破壊や地域経済への負の影響、民泊などのコントロールの効かない観光客数など、新たな観光スタイルによる課題も出てきている。

実際、閉ざされた環境にある『ヴェネツィアと潟』や『ドゥブロヴニクの旧市街』、『ハルシュタット＝ダッハシュタイン／ザルツカンマーグートの文化的景観』、観光資源が集中する『アントニ・ガウディの作品群』があるバルセロナ、観光開発が進む『麗江の旧市街』などで大きな問題となっており、『富士山－信仰の対象と芸術の源泉』に含まれる富士山や『古都京都の文化財』がある京都市でも対策に乗り出している。

大型クルーズ入港が問題となったヴェネツィア

こうした問題は、「観光」自体が悪いのではなく、これは世界遺産の価値を守りながら観光を行う方法が世界遺産登録前に充分考えられてこなかったという、準備不足の面が大きい。世界遺産の価値を守ることが、観光資源としての世界遺産の価値につながっている点をよく意識し、エコツーリズムなどの「**持続可能な観光（サスティナブル・ツーリズム）**」を目指す必要がある。

UNESCOでは現在、「世界遺産と持続可能な観光プログラム」を策定し、適切な観光管理を通した持続可能な観光開発を世界遺産地域と共に目指している。

● 世界遺産と持続可能な観光プログラムの5つの目標

①世界遺産条約の仕組みに持続可能な観光の原則を組み込む

②文化遺産と自然遺産の「顕著な普遍的価値」を、保護・管理する重要な手段としての持続可能な観光をサポートする政策や戦略、枠組み、ツールを提唱することで、持続可能な環境を強化する

③最終的に世界遺産の保全につながると同時に、地域コミュニティに活力を与えることになる持続可能な観光に関する企画や開発、管理において、広範囲の利害関係者が関わることを促進する

④地域の日常の暮らしと需要に基づいた、効果的で責任があり持続可能な観光管理のための能力とツールを、世界遺産関係者に提供する

⑤全ての利害関係者の間で責任ある行動を推奨し、世界遺産の保護と「顕著な普遍的価値」の考え方への理解と評価を育むことになる、質の高い観光商品とサービスを提供する

世界遺産における持続可能な観光の鍵となるのは、観光客と観光事業社、行政、世界遺産地域のコミュニティなどの全てが、世界遺産の「顕著な普遍的価値」を理解して尊重し、全ての利害関係者が関わった持続可能な観光計画の立案と管理、実行にあると言える。

多くの観光客が訪れる『タージ・マハル』

世界の文化遺産及び自然遺産の保護に関する条約

1972年10月17日から11月21日まで
パリで開催された第17回UNESCO総会にて

文化および自然の遺産が、従来の衰退の原因によるものだけでなく、より恐ろしい損傷または破壊という現象を伴って事態を悪化させる社会的・経済的環境の変化によっても、ますます破壊の脅威にさらされていることに留意し、

文化遺産と自然遺産のどの遺産の劣化もしくは消失も、世界の全ての国民の遺産の憂慮(ゆうりょ)すべき貧困化をもたらすことを考慮し、

必要とされる資金の規模や、保護すべき遺産のある国が十分な経済的、科学的、技術的な能力を持っていないことなどにより、国家レベルでの遺産の保護が不完全なままになりがちであることを考慮し、

UNESCO憲章が、世界の遺産の保全と保護を保障し、関係する諸国民に必要な国際条約を勧告することで、知識が維持され、増進し、普及してゆくと規定していることを想起し、

文化遺産と自然遺産に関する国際条約と国際的な勧告、国際的な決議があることが、どの国民に属するものであっても、この独特でかけがえのない遺産を保護することが世界中の全ての人々にとって重要であると明らかにしていることを考慮し、

文化遺産や自然遺産の中には顕著な重要性を持つものがあり、そのために人類全体の世界遺産の一部として残してゆく必要があることを考慮し、

そうした顕著な重要性を持つ遺産を脅かす新たな危険の大きさと重大さを考慮し、関係国による措置に代わるものではないが、それを効果的に補完する共同の

援助を与えることによって「顕著な普遍的価値」を持つ文化遺産と自然遺産の保護に参加することは、国際社会全体にとっての義務であることを考慮し、

この目的のためには、恒久的に組織されると共に現代の科学的手法に従って、「顕著な普遍的価値」を持つ文化遺産と自然遺産のための共同の保護の効果的なシステムを確立する新たな措置を、条約の形で採択することが不可欠であることを考慮し、

UNESCO総会の第16回の会期において、この問題を国際条約の対象とすべきであると決定し、

1972年11月16日にこの条約を採択する。

Ⅰ文化遺産及び自然遺産の定義

第1条

この条約の適用上、「文化遺産」とは、次のものを指す。

記念工作物：記念的意義を有する彫刻および絵画、考古学的物件または構造物、銘文、洞窟住居、並びにこれらの物件の集合体で、歴史上、美術上または科学上で「顕著な普遍的価値」を有するもの

建造物群：独立した、または連続した建造物群で、その建築性、均質性または風景内における位置から、歴史上、美術上、または科学上で「顕著な普遍的価値」を有するもの

遺跡：人工の所産または人工と自然の結合の所産および考古学的遺跡を含む区域で、歴史上、観賞上、民族学上、または人類学上で「顕著な普遍的価値」を有するもの

第2条

この条約の適用上、「自然遺産」とは、次のものを指す。

無機的および生物学的生成物または生成物群から成る自然の記念物で、観賞上または科学上で「顕著な普遍的価値」を有するもの

地質学的、および地文学的生成物、並びに脅威にさらされている動物、および植物の種の生息地および自生地であり、かつ明確に限定された区域で、科学上または保存上で「顕著な普遍的価値」を有するもの

自然地区、または明確に限定された自然の区域で、科学上、保存上、若しくは自然の美観上で「顕著な普遍的価値」を有するもの

第3条
各締約国は、第1条および前条に規定する物件で自国の領域内に存在するものを認定しおよび区域を定める。

Ⅱ 文化遺産及び自然遺産の国内的及び国際的保護

第4条
各締約国は、第1条および第2条に規定する文化および自然の遺産で自国の領域内に存在するものを認定し、保護し、保存し、整備活用し、きたるべき世代へ伝承することを確保することが本来自国に課された義務であることを認識する。このため、締約国は自国の有する全ての能力を用いて、また適当な場合には、取得しうる限りの国際的な援助や協力、特に財政上、美術上、科学上および技術上の援助および協力を得て、最善を尽すものとする。

第5条
各締約国は、自国の領域内に存在する文化および自然の遺産の保護、保存、および整備活用のための効果的かつ積極的な措置がとられることを確保するため、できる限り自国に適した条件に従って，次の通り努力する。

(a) 文化および自然の遺産に対し社会生活における役割を与えること、並びにこの遺産の保護を総合計画の中に組み入れることを目的とする一般的方針を採択する。
(b) 文化および自然の遺産の保護、保存および整備活用のための機関が設置されていない場合には、妥当な職員体制を備え、かつ任務の遂行に必要な手

段を有する機関を1つまたは2つ以上、自国の領域内に設置する。

(c) 科学的および技術的な研究、および調査を発展させ、かつ自国の文化または自然の遺産を脅かす危険に対処するための実施方法を作成する。

(d) 文化および自然の遺産の認定、保護、保存、整備活用、および機能回復に必要な法的、科学的、技術的、行政的および財政的措置をとる。

(e) 文化および自然の遺産の保護、保存および整備活用の分野における、全国的または地域的な研修センターの設置または拡充を促進し、これらの分野における科学的研究を奨励する。

第6条

1. 締約国は、第1条および第2条に規定する、文化および自然の遺産が世界の遺産であること並びにその遺産の保護について協力することが国際社会全体の義務であることを認識する。この場合において、その遺産が領域内に存在する国の主権は、十分に尊重されるものとし、また国内法令に定める財産権は害されるものではない。
2. 締約国はこの条約の規定に従い、第1条2および4に規定する、文化および自然の遺産の認定、保護、保存および整備活用につき、当該遺産が領域内に存在する国の要請に応じて援助を与えることを約束する。
3. 各締約国は、第1条および第2条に規定する、文化および自然の遺産で、他の締約国の領域内に存在するものを直接または間接に損傷するおそれがある措置を故意に採らないことを約束する。

第7条

この条約の適用上、世界の文化遺産および自然遺産の国際的保護とは、締約国が行なうこの遺産の保存および認定に係る努力に対して支援を与えるための国際的な協力、および援助の体制を確立することをいう。

Ⅲ 世界の文化遺産及び自然遺産の保護のための政府間委員会

第8条

1. 「顕著な普遍的価値」を有する文化および自然の遺産の保護のための政府間委員会(「世界遺産委員会」)を国際連合教育科学文化機関に設置する。世界遺産委員会は、国際連合教育科学文化機関の総会の通常会期の間に開催される締約国会議において選出される15の締約国によって構成される。世界遺産委員会の委員国の数は、この条約が少なくとも40の国について効力を生じた後、最初に開催される総会の通常会期の日から21に増加する。

2. 世界遺産委員会の委員国の選出については、世界の異なる地域および文化が衡平に代表されることを確保する。
3. 世界遺産委員会の会議には、「文化財の保存および修復の研究のための国際センター（ICCROM）」の代表1人、「国際記念物遺跡会議（ICOMOS）」の代表1人、「国際自然保護連合（IUCN）」の代表1人が顧問の資格で出席することができるものとし、国際連合教育科学文化機関の総会の通常会期の間に開催される締約国会議の要請により、類似の目的を有する他の政府間機関、または非政府機関の代表も同様の資格で出席することができる。

第9条

1. 世界遺産委員会の委員国の任期は、委員国に選出された総会の通常会期の終りからその通常会期の後に開催される3回目の通常会期の終りまでとする。
2. もっとも、最初の選挙で任命された委員国の3分の1の任期はその選挙が行なわれた総会の通常会期の後に開催される最初の通常会期の終りに、また同時に任命された委員国の他の3分の1の任期は、その選挙が行われた総会の通常会期の後に開催される2回目の通常会期の終りに終了する。これらの委員国の国名は、最初の選挙の後に国際連合教育科学文化機関の総会議長が行なうくじびきによって決定される。
3. 世界遺産委員会の委員国は、自国の代表として文化または自然の遺産の分野の専門家を選定する。

第10条

1. 世界遺産委員会は、その手続規則を採択する。
2. 世界遺産委員会は、特定の問題について協議するため、公的もしくは私的な機関、または個人に対し会議に参加するようにいつでも招請することができる。
3. 世界遺産委員会は、その任務を遂行するために必要と認める諮問機関を設置することができる。

第11条

1. 締約国はできる限り、文化および自然の遺産を構成する物件で、自国の領域内に存在し、かつ、2に定める一覧表に記載することが適当であるものの目録を世界遺産委員会に提出する。この目録は、最終的なものとはみなされないものとし、その物件の所在の場所および重要性に関する資料を含む。

2. 世界遺産委員会は、1の規定に従って締約国から提出された目録に基づき、第1条および第2条に規定する文化および自然の遺産を構成する物件であって、世界遺産委員会が自己の定めた基準に照らして「顕著な普遍的価値」を有すると認めるものの一覧表(「世界遺産リスト」と称する。)を作成し、常時更新し公表する。最新の世界遺産リストは、少なくとも2年に1回配布される。

3. 世界遺産リストに物件を記載するにあたっては、当該国の同意を必要とする。2つ以上の国が主権または管轄権を主張している領域内に存在する物件の記載は、紛争当事国の権利に影響を及ぼすものではない。

4. 世界遺産委員会は、事情により必要とされる場合には、世界遺産リストに記載されている物件であって、保存のために必要とされる大規模な工事についての援助がこの条約に基づいて要請されているものの一覧表(「危険にさらされている世界遺産リスト(危機遺産リスト)」と称する。)を作成し、常時更新し公表する。この危機遺産リストには、工事に要する経費の見積りを含む。危機遺産リストには、文化および自然の遺産を構成する物件であって、損壊の進行による滅失の危険、大規模な公的または私的な工事、急激な都市開発、または観光開発のための工事、土地の利用、または所有権の変更に帰因する破壊、未詳の原因による重大な変更、各種の理由による放棄、武力紛争の発生または脅威、災禍および大変動、大火、地震、地すべり、火山の噴火、水位の変化、洪水および津波のような、重大かつ特別な危険にさらされているものに限って記載することができる。

   世界遺産委員会は、緊急の必要がある場合にはいつでも、危険にさらされている世界遺産リストに新たな記載を行なうことができるものとし、その記載について直ちに公表する。

5. 世界遺産委員会は、文化または自然の遺産を構成する物件が2および4に規定する世界遺産のそれぞれに記載されるための基準を決定する。

6. 世界遺産委員会は、2および4に規定する2つのリストのいずれか1つへの記載の要請を拒否する場合には、あらかじめ、当該文化財または自然財が領域内に存在する締約国の意見を求める。

7. 世界遺産委員会は、当該国の同意を得て、2および4に規定するリストの作成に必要な研究および調査を調整し奨励する。

第12条

文化または自然の遺産を構成する物件が、前条2または4に規定する2つのリストのいずれにも記載されなかったという事実は、いかなる場合においても、これらのリストに記載されたことによって生ずる効果は別として、それ以外の点につき「顕著な普遍的価値」を有しないという意味には解されない。

第13条

1. 世界遺産委員会は、文化または自然の遺産を構成する物件であって、自国の領域内に存在し、かつ、第11条2および4に規定するリストに記載されており、または記載されることが適当であるものにつき、締約国が提出した国際的援助の要請を受理し検討する。その要請は、当該物件の保護、保存、整備活用、または機能回復を目的とする。
2. 1の国際的援助の要請は、また予備調査の結果さらに調査を継続することが必要になった場合に、第1条および第2条に規定する、文化または自然の遺産の認定のために行なうこともできる。
3. 世界遺産委員会は、その要請についてとられる措置、並びに適当な場合には、援助の性質および程度を決定するものとし、世界遺産委員会に代わって関係政府と必要な取決めを行なうことを委任する。
4. 世界遺産委員会は、作業の優先順位を決定するものとし、その順位の決定にあたり、保護を必要とする各物件の、世界の文化および自然の遺産における重要性、自然環境、または世界の諸国民の才能と歴史を最もよく代表する物件に対して、国際的援助を与えることの必要性、実施すべき作業の緊急性、並びに脅威にさらされている物件が領域内に存在する国の能力、特にその国が当該物件を自力で保護することができる限度に留意する。
5. 世界遺産委員会は、国際的援助が与えられた物件リストを作成し、常時更新し公表する。
6. 世界遺産委員会は、第15条の規定によって設立される基金の資金の使途を決定する。世界遺産委員会は、その資金を増額するための方法を研究し、あらゆる有用な措置をとる。
7. 世界遺産委員会は、この条約の目的に類似する目的を有する国際的、および国内的な政府機関、および非政府機関と協力する。世界遺産委員会は、事業計画を実施するため、これらの団体、特に、「文化財の保存および修復の研究のための国際センター（ICCROM）」、「国際記念物・遺跡会議（ICOMOS）」および「国際自然保護連合(IUCN)」ならびに公的、および私的な団体、並びに個人の援助を求める。

8. 世界遺産委員会の決定は、出席し、かつ投票する委員国の3分の2以上の多数による議決で行なう。
   世界遺産委員会のいかなる会合においても、過半数の委員国が出席していなければならない。

第14条

1. 世界遺産委員会は、国際連合教育科学文化機関事務局長によって事務局が補佐する。
2. 国際連合教育科学文化機関事務局長は、「文化財の保存および修復の研究のための国際センター(ICCROM)」、「国際記念物・遺跡会議(ICOMOS)」および「国際自然保護連合(IUCN)」の各自の専門および能力の範囲における役務を最大限度に利用して、世界遺産委員会の書類、および会議の議事日程を作成し、並びその決議の実施について責任を負う。

Ⅳ 世界の文化遺産及び自然遺産の保護のための基金

第15条

1. 「顕著な普遍的価値」を有する、世界の文化遺産および自然遺産のための基金(「世界遺産基金」)を設立する。
2. 世界遺産基金は、国際連合教育科学文化機関の財政規則にいう信託基金とする。
3. 世界遺産基金の資金は、次のものから成る。
   (a) 締約国の分担金、および任意拠出金
   (b) 次の者からの寄付、贈与、または遺贈
      (1) 締約国以外の国
      (2) 国際連合教育科学文化機関、他の国際連合関係の諸機関(特に国際連合開発計画)、または他の政府間機関
      (3) 公的、もしくは私的な機関、または個人
   (c) 世界遺産基金の資金から生ずる利子
   (d) 募金、および世界遺産基金のために企画された行事による収入
   (e) 世界遺産委員会が作成する世界遺産基金規則によって認められる、その他のあらゆる資金

4. 世界遺産基金に対する分担金、および世界遺産委員会に対するその他の形式による援助は、世界遺産委員会が決定する目的にのみ使用する。世界遺産委員会は、特定の事業に用途を限った寄付を受けることができる。
ただしその事業は、世界遺産委員会がすでに実施を決定していることを条件とする。世界遺産基金に対する寄付金には、いかなる政治的な条件をも付することができない。

第16条

1. 締約国は、追加される任意拠出金にかかわりなく、2年に1回定期的に世界遺産基金に分担金を支払うことを約束する。分担金の額は、国際連合教育科学文化機関の総会の間に開催される世界遺産条約締約国会議がすべての締約国について適用される一定の率で決定する。世界遺産条約締約国会議におけるこの決定には、会議に出席し、かつ投票する締約国(2の宣言を行なわなかった締約国に限る。)の過半数を必要とする。締約国の分担金は、いかなる場合にも、国際連合教育科学文化機関の通常予算に対する自国の分担金の1パーセントを超えないものとする。
2. もっとも、第31条および第32条に規定する各国は、自国の批准書、受諾書、または加入書を寄託する際に、1の規定に拘束されないことを宣言することができる。
3. 2の宣言を行なった締約国は、国際連合教育科学文化機関事務局長に通告することにより、いつでもその宣言を撤回することができる。ただし宣言の撤回は、その国が支払うべき分担金につき、次の締約国会議の期日まで効力を生じない。
4. 2の宣言を行なった締約国の拠出金は、世界遺産委員会が事業を実効的に計画することができるようにするため、少なくとも2年に1回、定期的に支払われるものとし、またその額は、1の規定に拘束される場合に支払うべき分担金の額以下であってはならない。
5. 当該年度分、およびその前年度(暦年による)分の分担金、または任意拠出金の支払が遅滞している締約国は、世界遺産委員会の委員国に選出される資格を有しない。ただし、この規定は最初の選挙については適用しない。支払が遅滞している締約国であって、世界遺産委員会の委員国であるものの任期は、第8条1に規定する選挙の時に終了する。

第17条

締約国は、第1条および第2条に規定する、文化および自然の遺産の保護のための寄付を求めることを目的とする国の財団、もしくは団体、並びに、公的および私的な財団、若しくは団体の設置を考慮し奨励する。

第18条

締約国は、世界遺産基金のため国際連合教育科学文化機関の後援の下に組織される国際的な募金運動に対して援助を与えるものとし、また、第15条3に規定する機関が行なう募金について便宜を与える。

V 国際的援助のための条件及び取決め

第19条

いかなる締約国も、「顕著な普遍的価値」を有する、文化または自然の遺産を構成する物件で自国の領域内に存在するもののため、国際的援助を要請することができるものとし、要請を行なう際に、自国が所有しており、かつ世界遺産委員会の決定に必要とされる第21条に規定する情報および資料を提出する。

第20条

第13条2、第22条(c)、および第23条の規定が適用される場合を除くほか、この条約に規定する国際的援助は、文化および自然の遺産を構成する物件であって、世界遺産委員会が第11条2および4に規定するリストのいずれかに記載することを決定し、または決定することがあるものに限って与えられる。

第21条

1. 世界遺産委員会は、国際的援助の要請を検討する手続、おおび要請書の記載事項を決定する。要請書には、工事の計画、必要な作業、経費の見積り、緊急度、および援助を要請する国の資力によって全ての経費をまかなうことができない理由を明記する。要請書は、できる限り、裏づけ資料として専門家の報告書を添付しなければならない。
2. 天災、その他の災害に起因する要請は、緊急な作業を必要とするため、世界遺産委員会によって直ちに、かつ優先的に考慮されるものとし、また世界遺産委員会は、このような不測の事態に際し使用することができる予備費を用意する。

3. 世界遺産委員会は決定に先だち、必要な研究、および協議を行なう。

第22条

世界遺産委員会が供与する援助は、次の形態をとることができる。

(a) 第11条2および4のリストに記載された、文化および自然の遺産の保護、保存、整備活用、および機能回復によって生ずる美術上、科学上、および技術上の問題に関する研究
(b) 承認された工事が正しく遂行されることを確保するための専門家、技術者、および熟練工の供与
(c) 文化および自然の遺産の認定、保護、保存、整備活用、および機能回復の分野におけるあらゆる水準の職員および専門家の養成
(d) 当該国が所有していない機材、または入手することができない機材の供与
(e) 長期返済が可能な低利、または無利子の貸付け
(f) 特別な理由がある例外的な場合に限って行なわれる返済を要しない補助金の供与

第23条

世界遺産委員会はまた、文化および自然の遺産の認定、保護、保存、整備活用、および機能回復の分野におけるあらゆる水準の職員および専門家の養成のための、地域的または国内的なセンターに対して国際的援助を与えることができる。

第24条

大規模な国際的援助は、詳細な科学的、経済学的、および技術的な研究が行なわれた後に与えられる。これらの研究は、文化および自然の遺産の保護、保存、整備活用および機能回復のための最新の技術を活用するものとし、またこの世界遺産条約の目的に適合するものでなければならない。研究はまた、当該国が利用しうる資力を合理的に使用する方法を追求することを目的とする。

第25条

国際社会は、原則として必要な工事に要する経費の一部のみを負担する。国際的援助を受ける国は、財政的に不可能な場合を除くほか、各事業に充てられる資金のうち相当な割合の額を拠出する。

第26条

世界遺産委員会および援助を受ける国は、この世界遺産条約に基づいて国際的援助が与えられる事業の実施条件を、両者の間で締結する合意文書に定める。国際的援助を受けた国は、合意文書に定められた条件に従い、当該物件を引き続き保護し、保存し、整備活用する義務を負う。

Ⅵ 教育的活動

第27条

1. 締約国は、あらゆる適当な手段を用いて、特に教育および情報を通じて、第1条および第2条に規定する、文化および自然の遺産に対する自国民の認識、および尊重の念を強化するように努力する。
2. 締約国は、文化および自然の遺産を脅かす危険、並びにこの条約に従って実施される活動を広く大衆に周知させることを約束する。

第28条

この世界遺産条約に基づいて国際的援助を受ける締約国は、援助の対象となった物件の重要性、および援助の果たした役割を周知させるため、適切な措置をとる。

Ⅶ 報告

第29条

1. 締約国は、国際連合教育科学文化機関の総会が決定する期限、および様式で同総会に提出する定期報告において、自国が採択した立法上、および行政上の規定、その他この世界遺産条約を適用するためにとった措置に関し、この分野で得た経験の詳細な報告とともに通報する。
2. 1の報告は、世界遺産委員会の供覧に付する。
3. 世界遺産委員会は、その活動に関する報告書を、国際連合教育科学文化機関の総会の通常会期ごとに提出する。

Ⅷ 最終条項

第30条

この条約は、アラビア語、英語、フランス語、ロシア語、およびスペイン語で作成した。それらの5つの本文は、等しく正文とする。

第31条

1. この世界遺産条約は、国際連合教育科学文化機関の各加盟国により、それぞれ自国の憲法上の手続に従って批准され、または受諾されなければならない。
2. 批准書または受諾書は、国際連合教育科学文化機関事務局長に寄託する。

第32条

1. この世界遺産条約は、国際連合教育科学文化機関の非加盟国で同機関の総会が加入を招請したものの加入のために開放する。
2. 加入は、国際連合教育科学文化機関事務局長に加入書を寄託することによって行なう。

第33条

この世界遺産条約は、20番目の批准書、受諾書、または加入書の寄託の日の後3ヵ月で当該寄託日、またはそれ以前に批准書、受諾書、または加入書を寄託した国についてのみ効力を生ずる。その他の国については、その批准書、受諾書、または加入書の寄託の後3ヵ月で効力を生ずる。

第34条

次の規定は、憲法上連邦制、または非単一制の制度をとる締約国について適用する。

(a) この条約の規定のうち連邦、または中央の立法権の法的権限の下で実施されるものについては、連邦、または中央の政府の義務は、連邦制の国でない締約国の政府の義務に等しい。
(b) この条約の規定のうち、連邦の憲法上の制度によって立法措置をとることを義務づけられない各州、地方、県、または郡の法的権限の下で実施されるものについては、連邦政府がこれらの州、地方、県、または郡の権限のある当局に対し、採択についての勧告とともにその規定を通報する。

第35条

1. 締約国は、この世界遺産条約を廃棄することができる。
2. 廃棄は、書面によって通告するものとし、国際連合教育科学文化機関事務局長に寄託する。
3. 廃棄は廃棄通告書の受領の後12ヵ月で効力を生ずる。廃棄は、脱退が効力を生ずる日までは、廃棄を行なう国の財政上の義務に影響を及ぼすものではない。

第36条

国際連合教育科学文化機関事務局長は、同機関の加盟国、第32条の非加盟国および国際連合に対し、第31条および第32条に規定する批准書、受諾書、または加入書、並びに前条の廃棄通告書の寄託を通報する。

第37条

1. この世界遺産条約は、国際連合教育科学文化機関の総会によって改正することができる。この場合において、当該改正は、改正条約の締約国となる国のみを約束する。
2. 総会がこの世界遺産条約の全部、または一部を改正する新たな条約を採択した場合には、新たな改正条約に別段の定めがない限り、新たな改正条約が効力を生ずる日からこの条約を批准し、受諾し、またはこれに加入することができない。

第38条

この世界遺産条約は、国際連合憲章第102条の規定に従い、国際連合教育科学文化機関事務局長の要請により、国際連合事務局に登録する。

1972年11月23日にパリで、国際連合教育科学文化機関の第17回総会議長、および国際連合教育科学文化機関事務局長の署名を有する本書2通を作成した。

本書は、国際連合教育科学文化機関に寄託するものとし、その認証謄本は、第31条および第32条に規定する国並びに国際連合に送付する。

以上は、国際連合教育科学文化機関の総会が、パリで開催されて1972年11月21日に閉会を宣言されたその第17回会期において、正当に採択した条約の真正な本文である。

以上の証拠として、我々は、1972年11月23日に署名した。

総会議長：萩原 徹

事務局長：ルネ・マウ

COLUMN

真正性に関する奈良文書 1994年11月

前文

1. 日本の奈良に集まった私たち専門家は、保全の分野における従来の考え方に挑み、保全の実践の場で文化と遺産の多様性をより尊重するように私たちの視野を広げる方法と手段を議論するために、タイミングを得た会合の場を提供した日本の関係当局の寛大な精神と知的な勇気に感謝を表明する。
2. 私たちはまた、世界遺産リストに推薦された文化遺産の「顕著な普遍的価値」を審議する際に、全ての社会の社会的・文化的な価値を十分に尊重する方法で真正性の審査を適用したいという、世界遺産委員会の要望により提供された議論の枠組みの価値にも感謝したい。
3. 「真正性に関する奈良文書」は、私たちの現代世界において文化遺産についての懸念と関心の範囲が拡大しつつあることに応え、1964年のヴェネツィア憲章の精神の中に生まれたもので、憲章の上に構築され拡大するものである。
4. グローバリゼーションと均一化の力にますますさらされている世界、また文化的アイデンティティの探求が時には攻撃的ナショナリズムや少数民族の文化の抑圧という形で現れる世界において、保存活動における真正性を考慮することによってなされる重要な貢献は、人類の集合的な記憶を明確にし、解明することである。

文化の多様性と遺産の多様性

5. 私たちの世界における文化と遺産の多様性は、全人類にとって精神的かつ知的な豊かさのかけがえのない源である。私たちの世界の文化と遺産の多様性を保護し、向上させることは、人類の発展の不可欠な側面として積極的に促進されるべきである。
6. 文化遺産の多様性は、時間と空間の中に存在しており、他の文化とその信念体系の全ての側面を尊重することを求めている。文化的価値が対立しているように見える場合、文化的多様性の尊重は、全ての当事者の文化的価値の正当性を認めることを求めている。
7. 全ての文化と社会は、彼らの遺産を構成する有形と無形の表現の固有の形式と手法に根ざしており、これらは尊重されなければならない。

8. それぞれ個別の文化遺産は全人類にとっての文化遺産であるという、UNESCOの基本原則を強調することが重要である。文化遺産とその管理に対する責任は、第一にその文化遺産をつくりあげた文化的コミュニティにあり、次にその文化遺産を管理する文化的コミュニティにある。しかし、これらの責任に加えて、文化遺産の保全のために策定された国際憲章や条約を順守することは、そこから生じる原則と責任に考慮することも義務付けている。各コミュニティにとって、自らの文化的コミュニティの要求と他の文化的コミュニティの要求との間にバランスを保つことは、このバランスを取ることが自らの文化の基本的な価値を損なわない限り、非常に望ましいことである。

価値と真正性

9. 全ての形式や時代区分によって文化遺産を保全することは、その遺産が持つ価値に根ざしている。こうした価値を理解する私たちの能力は、部分的には、それらの価値に関する情報源がどの程度信頼できるものか、また真実であると理解できるかにかかっている。文化遺産が元から持つ特徴とその後の特徴、またその意味に関連したこれらの情報源の知識と理解は、真正性の全ての側面を評価するために必須の基本である。
10. このように考えられ、ヴェネツィア憲章で確認された真正性は、価値に対する本質的な評価要素として現れる。真正性に対する理解は、世界遺産条約とその他の文化遺産目録で使用される登録手続と同様に、文化遺産に関する全ての科学的研究や保全と修復の計画において、基本的な役割を担う。
11. 文化財が持つ価値についての全ての評価は、関係する情報源の信頼性と同じく、文化ごとに異なっている可能性があるだけでなく、同じ文化の中でも異なる可能性がある。そのため、固定された基準の中で価値と真正性の評価を下すことは不可能である。逆に、全ての文化を尊重することは、遺産が属する文化の文脈の中で考慮され、評価されなければならないことを求めている。
12. したがって、それぞれの文化において、その遺産が持つ固有の性質とそれに関する情報源の信頼性と確実性を認識することが、最も重要で緊急を要することである。
13. 文化遺産の性質、その文化的背景、その時間を通じての進化によって、真正性の評価は多様な情報源の価値と関連することになる。その情報源の側面は、形式とデザイン、材料と材質、用途と機能、伝統と技術、立地と環境、精神と感性、その他の内的・外的要因を含むだろう。これらの情報源を使用するとで、評価対象の文化遺産の特定の芸術的、歴史的、社会的、科学的範囲の厳密な検討が可能となる。

COLUMN

記念建造物及び遺跡の保全と修復のための国際憲章 ヴェネツィア憲章

1964年にヴェネツィアで開催された
第2回「歴史的記念建造物に関する建築家・技術者国際会議」にて

1965年ICOMOS採択

何世代もの人々が残した歴史的に重要な記念建造物は、過去からのメッセージを豊かに含んでおり、長期にわたる伝統の生きた証拠として現在に伝えられている。今日、人々はますます人間的な諸価値は1つであると意識するようになり、古い記念建造物を人類共有の財産とみなすようになってきた。未来の世代のために、これらの記念建造物を守っていこうという共同の責任も認識されるようになった。こうした記念建造物の真正な価値を完全に守りながら後世に伝えていくことが、我々の義務となっている。
そのため、古い建築の保存と修復の指導原理を、国際的な基盤に基づいて一致させ、文書で規定し、各国がそれぞれの独自の文化と伝統の枠内でこの方式を適用するという責任をとることが不可欠となった。

1931年に採択されたアテネ憲章は、こうした基本原理を初めて明確にすることによって、広範な国際的な運動に貢献し、各国の記録文書、ICOM、およびUNESCOの事業、UNESCOによる「文化財の保存及び修復の研究のための国際センター(ICCROM)」の設立などで具体化された。また、ますます複雑化し多様化してゆくさまざまな問題に対し、より多くの注目と重要な研究が集中的になってきた。アテネ憲章で述べられた原則を全面的に見直し、その展望を拡大して新しい文書に改めるため、アテネ憲章を再検討すべき時が来た。

そのため、第2回「歴史的記念建造物に関する建築家・技術者国際会議」は、1964年5月 25日から31日までヴェネツィアで会合し、以下の文言を承認した。

定義

第1条

「歴史的記念建造物」には、単一の建築作品だけでなく、特定の文明、重要な発展、あるいは歴史的に重要な出来事の証跡が見いだされる都市景観や田園の建築環境も含まれる。「歴史的記念建造物」という考えは、偉大な芸術作品だけでなく、より地味な過去の建造物で、時間の経過と共に文化的な重要性を獲得したものにも適用される。

第2条

記念建造物の保全と修復にあたっては、その建築的遺産の研究と保護に役立つあらゆる科学的、技術的手段を動員すべきである。

目的

第3条

記念建造物の保全と修復の目的は、それらを芸術作品として保護するのと同等に、歴史的な証拠として保護することである。

保全

第4条

記念建造物を保全する際には、建造物を恒久的に維持することを基本的前提としなければならない。

第5条

記念建造物の保全は、建造物を社会的に有用な目的のために利用すれば、常に容易になる。そのため、そうした社会的活用は望ましいことであるが、建物の設計と装飾を変更してはならない。機能の変更によって必要となる改造を検討し、認可する場合も、こうした制約の範囲を逸脱してはならない。

第6条

記念建造物の保全とは、その建物と釣合いのとれている建築的環境を保存することである。伝統的な建築的環境が残っている場合は、それを保存すべきである。建築における1つのまとまり（塊（かたまり））や色彩の関係を変えてしまうような新しい構築や破壊、改造は許されない。

第7条
記念建造物は、それが証拠となっている歴史的は畏敬や、それが建てられた建築的環境から切り離すことはできない。記念建造物の全体や一部分を移築することは、その建造物の保護のためにどうしても必要な場合、もしくは、きわめて重要な国家的、国際的利害が移築を正当化する場合にのみ許される。

第8条
記念建造物にとって不可欠の部分となっている彫刻や絵画、装飾の除去は、除去がそれらの保存を確実にする唯一の手段である場合にのみ認められる。

修復

第9条
修復は高度に専門的な作業である。修復の目的は、記念建造物の美的価値と歴史的価値を保存して示すことにあり、オリジナルな材料と確実な資料を尊重することに基づく。推測による修復を行ってはならない。さらに、推測による修復に際してどうしても必要な付加工事は、建築的構成から区別できるようにして、その部材に、現代に後から補ったことを示すマークを記しておかなければならない。いかなる場合においても、修復前および修復工事の進行中に、必ずその歴史的建造物についての考古学的および歴史的な研究を行うべきである。

第10条
伝統的な技術が不適切であることが明らかな場合には、科学的なデータによってその有効性が示され、経験的にも立証されている近代的な保全、構築技術を用いて、記念建造物の補強を行うことも許される。

第11条
ある記念建造物に寄与した全ての時代の正当な貢献を尊重すべきである。様式の統一は修復の目的ではないためである。ある建物に異なった時代の工事が重複している場合、隠されている部分を露出することは、例外的な状況、もしくは除去される部分にほとんど重要性がなく、露出された部分が歴史的、考古学的、あるいは美的に価値が高く、その保存状況がそうした処置を正当化するのに十分なほど良好な場合にのみ正当化される。問題となっている要素の重要性の評価、およびどの部分を破壊するかの決定は、工事の担当者だけに任せてはならない。

第12条
欠損している部分の補修は、それが全体と調和して一体となるように行わなければならないが、同時に、オリジナルな部分と区別できるようにしなければならない。これは、修復が芸術的・歴史的証跡を誤り伝えることのないようにするためである。

第13条
付加物は、それらが建物の興味深い部分、伝統的な建築的環境、建物の構成上のバランス、周辺との関係等を損なわないことが明白な場合に限って認められる。

歴史的遺跡

第14条
記念建造物の敷地については、その全体を保護した上で、適切な方法で整備し公開することが確実にできるように、特に注意を払うべき対象である。そのような場所で行なわれる保全・修復の工事は、前記の各条に述べた原則が示すところに従わなければならない。

発掘

第15条
発掘は、科学的な基準と、UNESCOが1956年に採択した「考古学上の発掘に適用される国際的原則に関する勧告」に従って行わなければならない。
廃墟はそのまま維持し、建築的な特色や発見された物品の、恒久的保全と保護に必要な処置を講じなければならない。さらに、その記念建造物の理解を容易にし、その意味を歪(ゆが)めることなく明示するために、あらゆる処置を講じなければならない。
しかし、復原工事は基本的な前提として(ア・プリオリ)排除しなければならない。しかし、ばらばらになって現地に残っている部材を組み立てること(アナスタイロシス)だけは許される。組み立てに用いた補足の材料は常に見分けられるようにし、補足の材料の使用は、記念建造物の保全とその形態の復旧を保証できる程度の最小限度にとどめるべきである。

公表

第16条

全ての保存や修復、発掘の作業は、必ず図版や写真を入れた、分析的かつ批判的な報告書の形で正確に記録しておかなければならない。記録には、除去や補強、再配列などの作業の全ての段階の他、作業中に確認された技術的特色、形態的特色も含めるべきである。こうした報告書は、公共機関の記録保存所に備えておき、研究者が閲覧できるようにすべきである。記録は公刊することが望ましい。

以下のメンバーが、この「記念建造物及び遺跡の保全と修復のための国際憲章」を起草した。

議長：ピエロ・ガッゾーラ（イタリア）
書記：レイモン・ルメール（ベルギー）
ホセ・バッセゴーダ・ノネール（スペイン）
ルイーシ・ベナヴェーンテ（ポルトガル）
ジュールジェ・ボスコヴィッチ（ユーゴスラヴィア）
ヒロシ・ダイフク（UNESCO）
P.L.デ・ヴリーゼ（オランダ）
ハラル・ラングベルグ（デンマーク）
マーリオ・マッテウッチ（イタリア）
ジャン・メルレー（フランス）
カルロス・フローレス・マリーニ（メキシコ）
ロベールト・パーネ（イタリア）
S.C.J.パヴェル（チェコスロヴァキア）
ポール・フィリポー（ICCROM）
ヴィクトル・ピメンテル（ペルー）
ハロルド・プレンダーリース（ICCROM）
ディオクレチーオ・レディック・カンポス（ヴァティカン）
ジャン・ソンニエー（フランス）
フランソワ・ソルラン（フランス）
エウスタティオス・スティカス（ギリシァ）
ゲルトルート・トリップ（オーストリア）
ヤン・ザクアトヴィッチ（ポーランド）
ムスタファ・S・ズビス（チュニジア）

CONVENTION CONCERNING THE PROTECTION OF THE WORLD CULTURAL AND NATURAL HERITAGE

The General Conference of the United Nations Educational, Scientific and Cultural Organization meeting in Paris from 17 October to 21 November 1972, at its seventeenth session,

Noting that the cultural heritage and the natural heritage are increasingly threatened with destruction not only by the traditional causes of decay, but also by changing social and economic conditions which aggravate the situation with even more formidable phenomena of damage or destruction,

Considering that deterioration or disappearance of any item of the cultural or natural heritage constitutes a harmful impoverishment of the heritage of all the nations of the world,

Considering that protection of this heritage at the national level often remains incomplete because of the scale of the resources which it requires and of the insufficient economic, scientific, and technological resources of the country where the property to be protected is situated,

Recalling that the Constitution of the Organization provides that it will maintain, increase, and diffuse knowledge by assuring the conservation and protection of the world's heritage, and recommending to the nations concerned the necessary international conventions,

Considering that the existing international conventions, recommendations and resolutions concerning cultural and natural property demonstrate the importance, for all the peoples of the world, of safeguarding this unique and irreplaceable property, to whatever people it may belong,

Considering that parts of the cultural or natural heritage are of outstanding interest and therefore need to be preserved as part of the world heritage of mankind as a whole,

Considering that, in view of the magnitude and gravity of the new dangers threatening them, it is incumbent on the international community as a whole to participate in the protection of the cultural and natural heritage of outstanding universal value, by the granting of collective assistance which, although not taking the place of action by the State concerned, will serve as an efficient complement thereto,

Considering that it is essential for this purpose to adopt new provisions in the form of a convention establishing an effective system of collective protection of the cultural and natural heritage of outstanding universal value, organized on a permanent basis and in accordance with modern scientific methods,

Having decided, at its sixteenth session, that this question should be made the subject of an international convention,

Adopts this sixteenth day of November 1972 this Convention.

I. DEFINITION OF THE CULTURAL AND NATURAL HERITAGE

Article 1

For the purpose of this Convention, the following shall be considered as "cultural heritage":

monuments: architectural works, works of monumental sculpture and painting, elements or structures of an archaeological nature, inscriptions, cave dwellings and combinations of features, which are of outstanding universal value from the point of view of history, art or science;

groups of buildings: groups of separate or connected buildings which, because of their architecture, their homogeneity or their place in the landscape, are of outstanding universal value from the point of view of history, art or science;

sites: works of man or the combined works of nature and man, and areas including archaeological sites which are of outstanding universal value from the historical, aesthetic, ethnological or anthropological point of view.

Article 2

For the purposes of this Convention, the following shall be considered as "natural heritage":

natural features consisting of physical and biological formations or groups of such formations, which are of outstanding universal value from the aesthetic or scientific point of view;

geological and physiographical formations and precisely delineated areas which constitute the habitat of threatened species of animals and plants of outstanding universal value from the point of view of science or conservation;

natural sites or precisely delineated natural areas of outstanding universal value from the point of view of science, conservation or natural beauty.

Article 3

It is for each State Party to this Convention to identify and delineate the different properties situated on its territory mentioned in Articles 1 and 2 above.

II. NATIONAL PROTECTION AND INTERNATIONAL PROTECTION OF THE CULTURAL AND NATURAL HERITAGE

Article 4

Each State Party to this Convention recognizes that the duty of ensuring the identification, protection, conservation, presentation and transmission to future generations of the cultural and natural heritage referred to in Articles 1 and 2 and situated on its territory, belongs primarily to that State. It will do all it can to this end, to the utmost of its own resources and, where appropriate, with any international assistance and co-operation, in particular, financial, artistic, scientific and technical, which it may be able to obtain.

Article 5

To ensure that effective and active measures are taken for the protection, conservation and presentation of the cultural and natural heritage situated on its territory, each State Party to this Convention shall endeavor, in so far as possible, and as appropriate for each country:

(a) to adopt a general policy which aims to give the cultural and natural heritage a function in the life of the community and to integrate the protection of that heritage into comprehensive planning programmes;

(b) to set up within its territories, where such services do not exist, one or more services for the protection, conservation and presentation of the cultural and natural heritage with an appropriate staff and possessing the means to discharge their functions;

(c) to develop scientific and technical studies and research and to work out such operating methods as will make the State capable of counteracting the dangers that threaten its cultural or natural heritage;

(d) to take the appropriate legal, scientific, technical, administrative and financial measures necessary for the identification, protection, conservation, presentation and rehabilitation of this heritage; and

(e) to foster the establishment or development of national or regional centres for training in the protection, conservation and presentation of the cultural and natural heritage and to encourage scientific research in this field.

Article 6

1. Whilst fully respecting the sovereignty of the States on whose territory the cultural and natural heritage mentioned in Articles 1 and 2 is situated, and without prejudice to property right provided by national legislation, the States Parties to this Convention recognize that such heritage constitutes a world heritage for whose protection it is the duty of the international community as a whole to co-operate.
2. The States Parties undertake, in accordance with the provisions of this Convention, to give their help in the identification, protection, conservation and presentation of the cultural and natural heritage referred to in paragraphs 2 and 4 of Article 11 if the States on whose territory it is situated so request.
3. Each State Party to this Convention undertakes not to take any deliberate measures which might damage directly or indirectly the cultural and natural heritage referred to in Articles 1 and 2 situated on the territory of other States Parties to this Convention.

Article 7

For the purpose of this Convention, international protection of the world cultural and natural heritage shall be understood to mean the establishment of a system of international cooperation and assistance designed to support States Parties to the Convention in their efforts to conserve and identify that heritage.

III. INTERGOVERNMENTAL COMMITTEE FOR THE PROTECTION OF THE WORLD CULTURAL AND NATURAL HERITAGE

Article 8

1. An Intergovernmental Committee for the Protection of the Cultural and Natural Heritage of Outstanding Universal Value, called "the World Heritage Committee", is hereby established within the United Nations Educational, Scientific and Cultural Organization. It shall be composed of 15 States Parties to the Convention, elected by States Parties to the Convention meeting in general assembly during the ordinary session of the General Conference of the United Nations Educational, Scientific and Cultural Organization. The number of States members of the Committee shall be increased to 21 as from the date of the ordinary session of the General Conference following the entry into force of this Convention for at least 40 States.
2. Election of members of the Committee shall ensure an equitable representation of the different regions and cultures of the world.
3. A representative of the International Centre for the Study of the Preservation and Restoration of Cultural Property (Rome Centre), a representative of the International Council of Monuments and Sites (ICOMOS) and a representative of the International Union for Conservation of Nature and Natural Resources (IUCN), to whom may be added, at the request of States Parties to the Convention meeting in general assembly during the ordinary sessions of the General Conference of the United Nations Educational, Scientific and Cultural Organization, representatives of other intergovernmental or non-governmental organizations, with similar objectives, may attend the meetings of the Committee in an advisory capacity.

Article 9

1. The term of office of States members of the World Heritage Committee shall extend from the end of the ordinary session of the General Conference during which they are elected until the end of its third subsequent ordinary session.
2. The term of office of one-third of the members designated at the time of the first election shall, however, cease at the end of the first ordinary session of the General Conference following that at which they were elected; and the term of office of a further third of the members designated at the same time shall cease at the end of the second ordinary session of the General Conference following that at which they were elected. The names of these members shall be chosen by lot by the President of the General Conference of the United Nations Educational, Scientific and Cultural Organization after the first election.
3. States members of the Committee shall choose as their representatives persons qualified in the field of the cultural or natural heritage.

Article 10

1. The World Heritage Committee shall adopt its Rules of Procedure.
2. The Committee may at any time invite public or private organizations or individuals to participate in its meetings for consultation on particular problems.
3. The Committee may create such consultative bodies as it deems necessary for the performance of its functions.

Article 11

1. Every State Party to this Convention shall, in so far as possible, submit to the World Heritage Committee an inventory of property forming part of the cultural and natural heritage, situated in its territory and suitable for inclusion in the list provided for in paragraph 2 of this Article. This inventory, which shall not be considered exhaustive, shall include documentation about the location of the property in question and its significance.
2. On the basis of the inventories submitted by States in accordance

with paragraph 1, the Committee shall establish, keep up to date and publish, under the title of "World Heritage List," a list of properties forming part of the cultural heritage and natural heritage, as defined in Articles 1 and 2 of this Convention, which it considers as having outstanding universal value in terms of such criteria as it shall have established. An updated list shall be distributed at least every two years.

3. The inclusion of a property in the World Heritage List requires the consent of the State concerned. The inclusion of a property situated in a territory, sovereignty or jurisdiction over which is claimed by more than one State shall in no way prejudice the rights of the parties to the dispute.
4. The Committee shall establish, keep up to date and publish, whenever circumstances shall so require, under the title of "list of World Heritage in Danger", a list of the property appearing in the World Heritage List for the conservation of which major operations are necessary and for which assistance has been requested under this Convention. This list shall contain an estimate of the cost of such operations. The list may include only such property forming part of the cultural and natural heritage as is threatened by serious and specific dangers, such as the threat of disappearance caused by accelerated deterioration, large-scale public or private projects or rapid urban or tourist development projects; destruction caused by changes in the use or ownership of the land; major alterations due to unknown causes; abandonment for any reason whatsoever; the outbreak or the threat of an armed conflict; calamities and cataclysms; serious fires, earthquakes, landslides; volcanic eruptions; changes in water level, floods and tidal waves. The Committee may at any time, in case of urgent need, make a new entry in the List of World Heritage in Danger and publicize such entry immediately.
5. The Committee shall define the criteria on the basis of which a property belonging to the cultural or natural heritage may be included in either of the lists mentioned in paragraphs 2 and 4 of this article.
6. Before refusing a request for inclusion in one of the two lists mentioned in paragraphs 2 and 4 of this article, the Committee shall consult the State Party in whose territory the cultural or natural

property in question is situated.

7. The Committee shall, with the agreement of the States concerned, co-ordinate and encourage the studies and research needed for the drawing up of the lists referred to in paragraphs 2 and 4 of this article.

Article 12

The fact that a property belonging to the cultural or natural heritage has not been included in either of the two lists mentioned in paragraphs 2 and 4 of Article 11 shall in no way be construed to mean that it does not have an outstanding universal value for purposes other than those resulting from inclusion in these lists.The fact that a property belonging to the cultural or natural heritage has not been included in either of the two lists mentioned in paragraphs 2 and 4 of Article 11 shall in no way be construed to mean that it does not have an outstanding universal value for purposes other than those resulting from inclusion in these lists.

Article 13

1. The World Heritage Committee shall receive and study requests for international assistance formulated by States Parties to this Convention with respect to property forming part of the cultural or natural heritage, situated in their territories, and included or potentially suitable for inclusion in the lists mentioned referred to in paragraphs 2 and 4 of Article 11. The purpose of such requests may be to secure the protection, conservation, presentation or rehabilitation of such property.
2. Requests for international assistance under paragraph 1 of this article may also be concerned with identification of cultural or natural property defined in Articles 1 and 2, when preliminary investigations have shown that further inquiries would be justified.
3. The Committee shall decide on the action to be taken with regard to these requests, determine where appropriate, the nature and extent of its assistance, and authorize the conclusion, on its behalf, of the necessary arrangements with the government concerned.
4. The Committee shall determine an order of priorities for its operations. It shall in so doing bear in mind the respective importance

for the world cultural and natural heritage of the property requiring protection, the need to give international assistance to the property most representative of a natural environment or of the genius and the history of the peoples of the world, the urgency of the work to be done, the resources available to the States on whose territory the threatened property is situated and in particular the extent to which they are able to safeguard such property by their own means.

5. The Committee shall draw up, keep up to date and publicize a list of property for which international assistance has been granted.
6. The Committee shall decide on the use of the resources of the Fund established under Article 15 of this Convention. It shall seek ways of increasing these resources and shall take all useful steps to this end.
7. The Committee shall co-operate with international and national governmental and non-governmental organizations having objectives similar to those of this
   Convention. For the implementation of its programmes and projects, the Committee may call on such organizations, particularly the International Centre for the Study of the Preservation and Restoration of Cultural Property (the Rome Centre), the International Council of Monuments and Sites (ICOMOS) and the International Union for Conservation of Nature and Natural Resources (IUCN), as well as on public and private bodies and individuals.
8. Decisions of the Committee shall be taken by a majority of two-thirds of its members present and voting. A majority of the members of the Committee shall constitute a quorum.

Article 14

1. The World Heritage Committee shall be assisted by a Secretariat appointed by the Director-General of the United Nations Educational, Scientific and Cultural
   Organization.
2. The Director-General of the United Nations Educational, Scientific and Cultural Organization, utilizing to the fullest extent possible the services of the International Centre for the Study of the Preservation and the Restoration of Cultural Property (the Rome Centre), the International Council of Monuments and Sites (ICOMOS) and the

International Union for Conservation of Nature and Natural Resources (IUCN) in their respective areas of competence and capability, shall prepare the Committee's documentation and the agenda of its meetings and shall have the responsibility for the implementation of its decisions.

IV. FUND FOR THE PROTECTION OF THE WORLD CULTURAL AND NATURAL HERITAGE

Article 15

1. A Fund for the Protection of the World Cultural and Natural Heritage of Outstanding Universal Value, called "the World Heritage Fund", is hereby established.
2. The Fund shall constitute a trust fund, in conformity with the provisions of the Financial Regulations of the United Nations Educational, Scientific and Cultural Organization.
3. The resources of the Fund shall consist of:
   (a) compulsory and voluntary contributions made by States Parties to this Convention,
   (b) Contributions, gifts or bequests which may be made by:
      (i) other States;
      (ii) the United Nations Educational, Scientific and Cultural Organization, other organizations of the United Nations system, particularly the United Nations Development Programme or other intergovernmental organizations;
      (iii) public or private bodies or individuals;
   (c) any interest due on the resources of the Fund;
   (d) funds raised by collections and receipts from events organized for the benefit of the fund; and
   (e) all other resources authorized by the Fund's regulations, as drawn up by the World Heritage Committee.
4. Contributions to the Fund and other forms of assistance made available to the Committee may be used only for such purposes as the Committee shall define. The Committee may accept contributions to be used only for a certain programme or project, provided that the

Committee shall have decided on the implementation of such programme or project. No political conditions may be attached to contributions made to the Fund.

Article 16

1. Without prejudice to any supplementary voluntary contribution, the States Parties to this Convention undertake to pay regularly, every two years, to the World Heritage Fund, contributions, the amount of which, in the form of a uniform percentage applicable to all States, shall be determined by the General Assembly of States Parties to the Convention, meeting during the sessions of the General Conference of the United Nations Educational, Scientific and Cultural Organization. This decision of the General Assembly requires the majority of the States Parties present and voting, which have not made the declaration referred to in paragraph 2 of this Article. In no case shall the compulsory contribution of States Parties to the Convention exceed 1% of the contribution to the regular budget of the United Nations Educational, Scientific and Cultural Organization.
2. However, each State referred to in Article 31 or in Article 32 of this Convention may declare, at the time of the deposit of its instrument of ratification, acceptance or accession, that it shall not be bound by the provisions of paragraph 1 of this Article.
3. A State Party to the Convention which has made the declaration referred to in paragraph 2 of this Article may at any time withdraw the said declaration by notifying the Director-General of the United Nations Educational, Scientific and Cultural Organization. However, the withdrawal of the declaration shall not take effect in regard to the compulsory contribution due by the State until the date of the subsequent General Assembly of States parties to the Convention.
4. In order that the Committee may be able to plan its operations effectively, the contributions of States Parties to this Convention which have made the declaration referred to in paragraph 2 of this Article, shall be paid on a regular basis, at least every two years, and should not be less than the contributions which they should have paid if they had been bound by the provisions of paragraph 1 of this Article.
5. Any State Party to the Convention which is in arrears with the

payment of its compulsory or voluntary contribution for the current year and the calendar year immediately preceding it shall not be eligible as a Member of the World Heritage Committee, although this provision shall not apply to the first election.
The terms of office of any such State which is already a member of the Committee shall terminate at the time of the elections provided for in Article 8, paragraph 1 of this Convention.

Article 17

The States Parties to this Convention shall consider or encourage the establishment of national public and private foundations or associations whose purpose is to invite donations for the protection of the cultural and natural heritage as defined in Articles 1 and 2 of this Convention.

Article 18

The States Parties to this Convention shall give their assistance to international fund-raising campaigns organized for the World Heritage Fund under the auspices of the United Nations Educational, Scientific and Cultural Organization. They shall facilitate collections made by the bodies mentioned in paragraph 3 of Article 15 for this purpose.

V. CONDITIONS AND ARRANGEMENTS FOR INTERNATIONAL ASSISTANCE

Article 19

Any State Party to this Convention may request international assistance for property forming part of the cultural or natural heritage of outstanding universal value situated within its territory. It shall submit with its request such information and documentation provided for in Article 21 as it has in its possession and as will enable the Committee to come to a decision.

Article 20

Subject to the provisions of paragraph 2 of Article 13, sub-paragraph (c) of Article 22 and Article 23, international assistance provided for by this

Convention may be granted only to property forming part of the cultural and natural heritage which the World Heritage Committee has decided, or may decide, to enter in one of the lists mentioned in paragraphs 2 and 4 of Article 11.

Article 21

1. The World Heritage Committee shall define the procedure by which requests to it for international assistance shall be considered and shall specify the content of the request, which should define the operation contemplated, the work that is necessary, the expected cost thereof, the degree of urgency and the reasons why the resources of the State requesting assistance do not allow it to meet all the expenses. Such requests must be supported by experts' reports whenever possible.
2. Requests based upon disasters or natural calamities should, by reasons of the urgent work which they may involve, be given immediate, priority consideration by the Committee, which should have a reserve fund at its disposal against such contingencies.
3. Before coming to a decision, the Committee shall carry out such studies and consultations as it deems necessary.

Article 22

Assistance granted by the World Heritage Fund may take the following forms:

(a) studies concerning the artistic, scientific and technical problems raised by the protection, conservation, presentation and rehabilitation of the cultural and natural heritage, as defined in paragraphs 2 and 4 of Article 11 of this Convention;
(b) provisions of experts, technicians and skilled labour to ensure that the approved work is correctly carried out;
(c) training of staff and specialists at all levels in the field of identification, protection, conservation, presentation and rehabilitation of the cultural and natural heritage;
(d) supply of equipment which the State concerned does not possess or is not in a position to acquire;

(e) low-interest or interest-free loans which might be repayable on a long-term basis;
(f) the granting, in exceptional cases and for special reasons, of non-repayable subsidies.

Article 23

The World Heritage Committee may also provide international assistance to national or regional centres for the training of staff and specialists at all levels in the field of identification, protection, conservation, presentation and rehabilitation of the cultural and natural heritage.

Article 24

International assistance on a large scale shall be preceded by detailed scientific, economic and technical studies. These studies shall draw upon the most advanced techniques for the protection, conservation, presentation and rehabilitation of the natural and cultural heritage and shall be consistent with the objectives of this Convention. The studies shall also seek means of making rational use of the resources available in the State concerned.

Article 25

As a general rule, only part of the cost of work necessary shall be borne by the international community. The contribution of the State benefiting from international assistance shall constitute a substantial share of the resources devoted to each programme or project, unless its resources do not permit this.

Article 26

The World Heritage Committee and the recipient State shall define in the agreement they conclude the conditions in which a programme or project for which international assistance under the terms of this Convention is provided, shall be carried out. It shall be the responsibility of the State receiving such international assistance to continue to protect, conserve and present the property so safeguarded, in observance of the conditions laid down by the agreement.

VI. EDUCATIONAL PROGRAMMES

Article 27

1. The States Parties to this Convention shall endeavor by all appropriate means, and in particular by educational and information programmes, to strengthen appreciation and respect by their peoples of the cultural and natural heritage defined in Articles 1 and 2 of the Convention.
2. They shall undertake to keep the public broadly informed of the dangers threatening this heritage and of the activities carried on in pursuance of this Convention.

Article 28

States Parties to this Convention which receive international assistance under the Convention shall take appropriate measures to make known the importance of the property for which assistance has been received and the role played by such assistance.

VII. REPORTS

Article 29

1. The States Parties to this Convention shall, in the reports which they submit to the General Conference of the United Nations Educational, Scientific and Cultural Organization on dates and in a manner to be determined by it, give information on the legislative and administrative provisions which they have adopted and other action which they have taken for the application of this Convention, together with details of the experience acquired in this field.
2. These reports shall be brought to the attention of the World Heritage Committee.
3. The Committee shall submit a report on its activities at each of the ordinary sessions of the General Conference of the United Nations Educational, Scientific and Cultural Organization.

VIII. FINAL CLAUSES

Article 30

This Convention is drawn up in Arabic, English, French, Russian and Spanish, the five texts being equally authoritative.

Article 31

1. This Convention shall be subject to ratification or acceptance by States members of the United Nations Educational, Scientific and Cultural Organization in accordance with their respective constitutional procedures.
2. The instruments of ratification or acceptance shall be deposited with the Director-General of the United Nations Educational, Scientific and Cultural Organization.

Article 32

1. This Convention shall be open to accession by all States not members of the United Nations Educational, Scientific and Cultural Organization which are invited by the General Conference of the Organization to accede to it.
2. Accession shall be effected by the deposit of an instrument of accession with the Director-General of the United Nations Educational, Scientific and Cultural Organization.

Article 33

This Convention shall enter into force three months after the date of the deposit of the twentieth instrument of ratification, acceptance or accession, but only with respect to those States which have deposited their respective instruments of ratification, acceptance or accession on or before that date. It shall enter into force with respect to any other State three months after the deposit of its instrument of ratification, acceptance or accession.

Article 34

The following provisions shall apply to those States Parties to this Convention which have a federal or non-unitary constitutional system:

(a) with regard to the provisions of this Convention, the implementation of which comes under the legal jurisdiction of the federal or central legislative power, the obligations of the federal or central government shall be the same as for those States parties which are not federal States;
(b) with regard to the provisions of this Convention, the implementation of which comes under the legal jurisdiction of individual constituent States, countries, provinces or cantons that are not obliged by the constitutional system of the federation to take legislative measures, the federal government shall inform the competent authorities of such States, countries, provinces or cantons of the said provisions, with its recommendation for their adoption.

Article 35

1. Each State Party to this Convention may denounce the Convention.
2. The denunciation shall be notified by an instrument in writing, deposited with the Director-General of the United Nations Educational, Scientific and Cultural Organization.
3. The denunciation shall take effect twelve months after the receipt of the instrument of denunciation. It shall not affect the financial obligations of the denouncing State until the date on which the withdrawal takes effect.

Article 36

The Director-General of the United Nations Educational, Scientific and Cultural Organization shall inform the States members of the Organization, the States not members of the Organization which are referred to in Article 32, as well as the United Nations, of the deposit of all the instruments of ratification, acceptance, or accession provided for in Articles 31 and 32, and of the denunciations provided for in Article 35.

Article 37

1. This Convention may be revised by the General Conference of the United Nations Educational, Scientific and Cultural Organization. Any such revision shall, however, bind only the States which shall become

Parties to the revising convention.

2. If the General Conference should adopt a new convention revising this Convention in whole or in part, then, unless the new convention otherwise provides, this Convention shall cease to be open to ratification, acceptance or accession, as from the date on which the new revising convention enters into force.

Article 38

In conformity with Article 102 of the Charter of the United Nations, this Convention shall be registered with the Secretariat of the United Nations at the request of the Director-General of the United Nations Educational, Scientific and Cultural Organization.

Done in Paris, this twenty-third day of November 1972, in two authentic copies bearing the signature of the President of the seventeenth session of the General Conference and of the Director-General of the United Nations Educational, Scientific and Cultural Organization, which shall be deposited in the archives of the United Nations Educational, Scientific and Cultural Organization, and certified true copies of which shall be delivered to all the States referred to in Articles 31 and 32 as well as to the United Nations.

『ピサのドゥオーモ広場』

INDEX 世界遺産の基礎知識

※本文の項目と赤字・黒太字の単語のみ掲載。

『中国の丹霞地形』

INDEX

あ

い

う

え

お

か

き

く

せ

そ

た

ち

つ

て

と

な

に

ま

み

む

め

も

や

カバー写真

『古都奈良の文化財』春日大社（中門・御廊）
AdobeStock（Sakosshu Taro）

監修協力

新井由紀夫（お茶の水女子大学教授）、池上英洋（東京造形大学教授）、石本東生（國學院大学教授）、岩下哲典（東洋大学教授）、宇佐見森吉（北海道大学特任教授）、大森一輝（北海学園大学教授）、小笠原弘幸（九州大学准教授）、小澤実（立教大学教授）、加藤玄（日本女子大学教授）、後藤明（南山大学特任教授）、薩摩秀登（明治大学教授）、杓谷茂樹（公立小松大学教授）、陣内秀信（法政大学名誉教授）、千葉敏之（東京外国語大学教授）、寺尾寿芳（上智大学教授）、西村正雄（早稲田大学名誉教授）、松下憲一（愛知学院大学教授）、村上司樹（摂南大学・滋賀県立大学非常勤講師）

写真協力

（各50音順）

大阪府立近つ飛鳥博物館、「神宿る島」宗像・沖ノ島と関連遺産群保存活用協議会、鹿角市教育委員会、和紀神谷、環境省、健太上田、知床斜里町観光協会、千歳市教育委員会、中尊寺、中尊寺鎮守白山神社、つがる市教育委員会、常田守、富井義夫、洞爺湖町教育委員会、八戸市教育委員会、毎日新聞社、宮澤光、百舌鳥・古市古墳群世界遺産保存活用会議、AdobeStock(akira1201、dennisjacobsen、kovalenkovpetr、alexugalek、Mark Williamson、Takashi Images、efesenko、golovianko、LUC KOHNEN、monjya、masahiro、shuji、momo、Nishio、Eric、Eric's library、Hick、akira1201、KIOKEN、tamu、iStock(jotily、IngerEriksen、byrneck、f28production、R.M. Nunes、guenterguni、pierivb、YMZK-photo、Elena-studio、Fulcanelli_AOS、SeanPavonePhoto、ZU_09、David Chang、Meinzahn、David Butler、gringos)、JOMON ARCHIVES（弘前市教育委員会撮影）、UNESCO（Silvan Rehfeld、MM DAMIEN）

すべてがわかる
世界遺産1500 上

世界遺産検定1級公式テキスト

2024年3月25日　初版第1刷発行

監修
NPO法人 世界遺産アカデミー

著作者
世界遺産検定事務局

編集・執筆
宮澤 光

編集協力
寺田 永治（株式会社シェルパ）
大澤 暁
二見 咲穂
堀場 亜紀

発行者
愛知 和男（NPO法人 世界遺産アカデミー会長）

発行所
NPO法人 世界遺産アカデミー／世界遺産検定事務局
〒101-0003
東京都千代田区一ツ橋2-6-3　一ツ橋ビル2F
TEL：0120-804-302
電子メール：sekaken@wha.or.jp

発売元
株式会社 マイナビ出版
〒101-0003
東京都千代田区一ツ橋2-6-3　一ツ橋ビル2F
TEL：0480-38-6872（注文専用ダイヤル）
TEL：03-3556-2731（販売）
URL：https://book.mynavi.jp

アートディレクション
SLOW inc.

装丁・デザイン
田島 未希（SLOW inc.）

DTP
富 宗治（株式会社シェルパ）

印刷・製本
図書印刷株式会社

ISBN 978-4-8399-8569-1